CENTURY

Dit boek is voor mijn oma,
die de sterren van heel dichtbij ziet.

Oorspronkelijke titel: Century. La città del vento.

Tekst: Pierdomenico Baccalario
Tekeningen: Iacopo Bruno
Ontwerp: Gioia Giunchi
Vertaling: Pieter van der Drift en Manon Smits
De vertalers ontvingen voor de vertaling van deze reeks een werkbeurs van de Stichting Fonds voor de Letteren.
Begeleiding en productie: Ventuno Consulting & Management bvba

Uitgegeven in 2008 door Fantoom, Amsterdam
ISBN 978 90 78345 11 4
NUR 282/283

Pierdomenico Baccalario

De stad van de wind

Tekeningen
Iacopo Bruno

Vertaling
Pieter van der Drift en Manon Smits

Zij zullen alle geheimen van mijn geschriften leren kennen
en ze zullen ze interpreteren
en ook al zullen ze er enkele van verbergen
ze zullen juist die geheimen kerven
in zuilen en obelisken
waar de stervelingen profijt van hebben.
23,66

'Moeder,' zei Horus
'gun me de kennis van dit loflied,
zodat ik niet onwetend zal zijn.'
En Isis antwoordde:
'Let goed op, mijn zoon.'
23,70

Hermes Trismegistus, *Het kind van het Universum*

Het geheim

In die nacht van zes jaar geleden is er niet één ster te zien.

De hemel van Shanghai is bedekt met wolken, waaruit een dichte, ragfijne regen neerdaalt. Een natte sluier bedekt de lichtjes en weerschijnsels van de stad.

Een zwarte auto glijdt langzaam door het stadsverkeer. Bij elk verkeerslicht parelen de piepkleine regendruppels op de geblindeerde ramen.

Op de achterbank, naast de man met wit haar, zit de vrouw voortdurend naar buiten te kijken. In de auto klinkt niet het minste geluid door.

'Ik ben blij dat je een goede reis hebt gehad,' zegt de man met wit haar.

Hij heet Jacob Mahler.

'Het was geen reis,' antwoordt de vrouw. 'Het is mijn werk.'

De man glimlacht. 'Ja, vooral ook omdat drie maanden aan boord

van een Siberische ijsbreker niet bepaald de beste manier is om naar Shanghai te gaan.'

'Precies,' kapt ze het gesprek af.

De man kijkt door het raampje, de andere kant op. En bijna een kwartier lang klinkt er geen woord.

Dan zegt Jacob Mahler: 'We zijn er.'

De auto is gestopt aan de voet van een wolkenkrabber. Mahler stapt als eerste uit en loopt vlug om het voertuig heen om het portier van de vrouw open te maken. Ze lopen door de dichte motregen die de werkelijke afmetingen van het gebouw vertroebelt. Het lijkt een reusachtig gebouw, een kolossale obelisk van spiegels en zwart staal.

Ze gaan naar binnen.

Ze bereiken een lift waarvan de deur versierd is met ingewikkelde hiëroglyfen.

Ze stijgen op naar de drieënzestigste van de vierenzestig verdiepingen.

Mahler brengt de vrouw naar een werkkamer met een glaswand die uitkijkt over Shanghai. Een adembenemend uitzicht.

In de werkkamer bevindt zich een man. Hij staat met de rug naar hen toe, met de armen gekruist en zijn handen onder zijn oksels, in een gekunstelde houding. Nachtblauw Koreaans pak, kraagloos overhemd, glanzende schoenen. Als hij hen hoort aankomen, draait hij zich om. Hij draagt een zwarte hoornen bril.

Hij glimlacht niet.

Hij steekt zijn hand niet uit.

Hij groet niet.

Hij gebaart naar de vrouw dat ze moet gaan zitten. Jacob Mahler leunt tegen de achterwand. Zij gaat zitten, kijkt naar de grond. Rekt tijd.

'Het is heel eenvoudig,' begint ze dan te vertellen. 'Ik ben op de hoogte van het bestaan van een geheim. Ik heb lang getwijfeld of ik er met iemand over zou praten of niet. Maar ik heb al een keer eerder, heel lang geleden, besloten om te zwijgen. En dat was een vergissing.'

'Heel lang geleden?' vraagt de man met de zwarte hoornen bril. Zijn stem klinkt ongewoon snerpend. 'U lijkt me niet zo heel oud...'

'Schijn bedriegt,' antwoordt de vrouw. 'Hoe oud schat u me?'

Haar stem klinkt misschien een beetje ondeugend, maar dat heeft de man niet door. Zijn antwoord is zonder enige bijklank. 'Veertig.'

'Ik ben meer dan twee keer zo oud.'

'Verbazingwekkend. En waarom zou ik dat moeten geloven?'

De blik van de man is ijzig.

'Omdat u weet dat het waar is. Omdat mijn leeftijd deel uitmaakt van het geheim waarvan ik op de hoogte ben. Wie dat geheim net als ik moet bewaren, heeft de gave dat hij lang in leven blijft.'

'Waarom?'

'Zodat hij het kan doorgeven aan degene die na hem komt.'

'En bent u de enige die dit geheim kent?'

'Nee. We zijn met z'n vieren.'

'En dat zijn?'

Plastic, denkt de vrouw. Het is net alsof je met een plastic pop praat. Die man heeft niets menselijks. Ze wiebelt nerveus op haar stoel. 'In deze fase zijn de namen niet belangrijk.'

'Voor u misschien niet. Maar voor mij zijn ze onmisbaar.'

'Noem ons dan maar de Vier Wijzen. Of, beter nog, de Vier Magiërs.'

Voor het eerst knijpen de ogen van de man zich samen in een zweem van kille belangstelling. 'Ik weet wat Magiërs zijn. Wilt u me

soms wijsmaken dat u zo stokoud bent? Tweeduizend jaar? Drieduizend?'

'Het geheim stamt uit die tijd.'

'En heeft dat geheim ook een naam?'

'Wij noemen het Century. Omdat het om de honderd jaar wordt overgeleverd. Ongeveer om de honderd jaar. Het geheim is verbonden aan iets wat voorbestemd is om terug te keren.'

'Zoals kometen.'

'Precies.'

Er volgt een lang moment van stilte, enkel onderbroken door het zachte getik van de regen tegen de ramen.

'En waarom zou u mij zo'n belangrijk geheim verkopen?'

'Omdat u bereid bent het te kopen. U bent schatrijk. En omdat dit het juiste moment is.'

'Wat betekent dat?'

'Dat wij vieren op het punt staan het geheim door te geven aan de vier die na ons komen.'

'En als jullie het hebben doorgegeven?'

'Dan kunnen we eindelijk sterven.'

De man vouwt zijn handen en houdt ze onder zijn neus. Hij schudt heel lichtjes zijn hoofd, alsof hij een insect verjaagt. Dan doet hij zijn bril af en legt hem behoedzaam voor zich neer.

'Goed. Ik luister.'

'Mag ik u iets vragen?'

'Dat hangt ervan af.'

'Uw naam, is dat uw echte naam?'

De man schudt zijn hoofd, en vraagt dan: 'En de uwe, Zoë?'

1
De bijen

Er zijn zes jaar verstreken.

Kleine insecten dansen voor het raam. Ze vliegen omhoog en omlaag in trage spiralen en tekenen cirkels in de lucht. Het zijn handenvol komma's die lukraak in de hemel zijn gegooid.

Het zijn bijen. Bijen van Montmartre, in Parijs. De oude artiestenwijk.

Op de zesde verdieping van een gebouw aan Rue de l'Abreuvoir zit Mistral glimlachend te luisteren naar het gezoem van de bijen. Ze steunt met haar ellebogen op de vensterbank, haar hoofd in haar handen, en staart dromerig naar het onophoudelijke gekrioel. Het bijennest zit net onder het dak, beschut door de regenpijp. Een paar maanden geleden was het onderkomen van de bijen nog praktisch onzichtbaar, alleen een klein, wassen zeshoekje. Maar na New York was het uitgegroeid tot de grootte

van een eierdoos, vastgeklemd tussen de koperen dakgoot en de uitstulping van de muur.

'Vijfhonderddertigduizend kilometer...' fluistert Mistral terwijl ze de vlucht van een verkenner volgt die beneden op straat verdwijnt. Dat is het aantal kilometers dat een bij moet afleggen om één kilo honing te produceren, door de nectar uit bloeiende bloemen te zuigen. Echt een race tegen de klok, voordat de winter begint.

'Zullen ze hier wel genoeg bloemen vinden?' vraagt het meisje zich bezorgd af. Voor de zekerheid houdt ze altijd wat plantjes en verse bloemen op de vensterbank. Ze heeft ook geprobeerd om een geopende pot honing ter beschikking van de bijen te stellen, maar die keurden de productie van de concurrent geen blik waardig.

Het is middag.

En net zoals vele andere middagen die Mistral doorbrengt met het kijken naar de bijen, denkt ze vol afgrijzen aan de mogelijkheid dat iemand anders uit het gebouw de aanwezigheid van de bijen ontdekt en besluit met één haal van de bezem zeven maanden werk van tienduizend bijen te vernietigen. Dat laatste volgens haar berekeningen, haar tekeningen en de aantekeningen in haar schriftje.

Een bij met een dik, geel lijfje strijkt neer op een bos viooltjes. Mistral kijkt hoe het insect op de bloem gaat zitten, en dan hoort ze haar zoemen terwijl de bloemblaadjes zachtjes trillen. Verrukt door de schoonheid van dat moment, pakt ze haar potlood en schrift en begint ze te tekenen. Ze ziet heel duidelijk de gele stuifmeelkorrels tussen die piepkleine pootjes. Het is

ongelooflijk hoe zo'n eenvoudig bosje bloemen een heel eigen wereld kan bevatten...

Buiten het raam strekt Parijs zich uit in heel haar glanzende dakenpracht tussen de witte koepel van de Sacré Coeur en de Eiffeltoren, aan de overkant van de Seine. In de verte schitteren de torenspitsen van de Notre Dame, als stenen klokbloemen.

'Mistral!' roept haar moeder vanuit de woonkamer. 'Het is al laat!'

Mistral is zo gewend om alleen thuis te zijn dat ze bijna schrikt. Dan hoort ze haar moeder blootsvoets over de houten vloer lopen. In haar tas rommelen op zoek naar haar sleutels. Teruglopen, zonder kloppen de deur van haar slaapkamer opendoen en nog een keer roepen: 'Mistral? Wat ben je aan het doen?'

Het meisje glimlacht en kijkt op. Op haar gezicht zitten de rode afdrukken van haar handen. 'Ik zat naar buiten te kijken,' antwoordt ze.

Haar moeder wil kijken hoe laat het is, maar merkt dan dat ze haar horloge niet om heeft. 'Verdorie, waar heb ik dat nou neergelegd?' zucht ze, en ze rommelt weer in haar tas. 'Mistral, we moeten echt gaan!'

Ze laat een spoor van parfum achter, van die zoete, waar je zelfs bijen mee kunt lokken. Cécile Blanchard is parfumontwerpster.

Mistral gaat haar kamer uit.

'Moet je niet iets meenemen?' vraagt haar moeder, nog steeds op jacht naar haar horloge.

'Ik heb niets nodig.'

'Maar hebben jullie dan geen boek? Of bladmuziek?'

'Ik krijg vandaag privéles. En ik hoef alleen maar te zingen.'

Moeder en dochter doen haastig de deur achter zich dicht. Dan rennen ze de trappen af naar de begane grond.

Als ze de voordeur opendoen, komt er een wolk van warmte binnen waardoor het water waarmee de conciërge de vloer heeft gedweild verdampt. De straat is steil, en leeg geveegd door de hitte.

De tafeltjes van het café op de hoek zijn uitgestorven. Het enige geluid dat je hoort is het geraas van het verkeer in de verte, in de buurt van Saint Martin. En dan, heel even, de scherpe, schelle roep van een vogel.

'Hoorde je dat?' vraagt Mistral terwijl ze een huivering onderdrukt.

'Wat?'

'Die vogel?'

Cécile heeft niets gehoord. Ze begint gehaast over de stoep te lopen, tot aan de appelgroene Citroën die dwars geparkeerd staat. Mistral kijkt om zich heen. De straat is uitgestorven. De bijen zoemen onzichtbaar boven haar. De vogels trekken diagonalen door de hemel.

Even had ze het idee dat die schelle roep de klaagzang van een viool was.

'Besef je wel hoe belachelijk dit allemaal is?' jammert Linda Melodia in haar bed in het Fatebenefratelli-ziekenhuis in Rome. En om nog eens te benadrukken hoe zij erover denkt, gebaart ze in de richting van de andere patiënten. Linda's kapsel zit onbe-

rispelijk, ze draagt een smetteloos linnen nachthemd en een paar houten klompjes met bloemmotief. Als je haar ziet lijkt het wel of ze op vakantie is, in plaats van dat ze in het ziekenhuis ligt.

Elettra probeert haar tot bedaren te brengen: 'De artsen zeggen dat...'

'De artsen, precies ja!' dondert tante Linda. 'Wat weten de artsen ervan? Niets. Ik heb één keer een arts gekend, en ik kan je wel zeggen dat dat meer dan genoeg was!'

De vrouw kijkt woest om zich heen. 'Ik ga naar huis. Ik ga nu mijn spullen uit het kastje pakken en dan ga ik naar huis.'

'Tante, dat kan niet! Ze moeten nog allerlei onderzoeken doen.'

'Het gaat prima met me.'

'Nee, het gaat niet prima met je.'

'Jawel, het gaat wél prima met me. Ik ben nog nooit van mijn leven ergens allergisch voor geweest. En ik zie niet in waarom ik dat nu ineens wel zou moeten zijn.'

'Je bent gisteren flauwgevallen.'

'Iedereen zou zijn flauwgevallen met al dat stof...' protesteert de vrouw. 'En met al die vochtige meubels. En die berg rommel... als een van jullie me maar eens een handje zou willen helpen..'

'Met het uitmesten van de kelder?'

'Dat moet al jaren gebeuren. En nu is het moment eindelijk aangebroken.'

'Maar dan graag wel zonder flauw te vallen van vermoeidheid.'

Linda snuift, stapt van haar bed en wil de kamer uitlopen. Ze lijkt te aarzelen of ze nog een praatje zal maken met een van de

andere patiënten, dan draait ze zich snel om en opent opnieuw de aanval op haar nichtje.

'Ik ben absoluut niet van plan om al die onderzoeken te ondergaan! Ik pak mijn spullen en vertrek.'

'Het is maar voor een paar dagen. En daarbij... je hebt rust nodig.'

'Hoe zal de koelkast eruit zien...'

'Papa en ik redden ons prima.'

'Wrijf de pannen in met een beetje citroen voordat je ze in de vaatwasser zet. En prop de droger niet te vol, anders...' Alsof ze ineens door een onzichtbare radar wordt aangetrokken, wijst ze naar een scheur in de muur. 'Moet je daar kijken, wat een schande! En dat noemen ze dan openbare hygiëne?'

'Je overleeft het vast wel. Heel veel mensen redden het.'

Linda richt zich weer op haar huishoudelijke zorgen, zodat ze nergens anders aan hoeft te denken. 'Stel de droger in op maximaal dertig minuten, niet langer. Daarna maak je de trommel open en...'

'... dan laat ik de was ademen. Natuurlijk. Wat dacht je dan? Dat heb je me al minstens honderd keer verteld.'

'Wou je soms zeggen dat ik zo'n tante ben die honderd keer hetzelfde zegt?'

'Nee. Alleen dat je erdoor bezeten bent.'

Linda lijkt tot bedaren te komen. Ze loopt nerveus naar het raam en kijkt naar buiten.

'Morgen ben ik radioactief,' verzucht ze.

'Ze hoeven maar twee röntgenfoto's te maken,' zegt Elettra geduldig.

De vrouw beweegt haar vingers als wormen boven haar keurig gekamde hoofd. 'Trrrrr. Trrrrr... Radioactief. En dat allemaal alleen omdat ik een klein beetje onwel werd.'

'Je was niet een klein beetje onwel, tante. Je bent meer dan een uur buiten bewustzijn geweest.'

'Als ik dan toch radioactief moet worden, dan wil ik in elk geval wel magnetronstralen krijgen, oké? Dat ik dan een ei vasthoud en dat het gekookt is als ik het weer loslaat...'

'Zo mag ik het horen.'

'Ik ga naar huis,' begint Linda weer, terwijl ze zich ineens van het raam afwendt. 'Die onderzoeken kunnen me niets schelen. Het gaat prima met me.'

'Je moet wat afleiding zoeken, denk aan iets anders dan het huishouden, dan zal je zien dat het allemaal zo voorbij is.'

'Afleiding. O ja... maar hoe dan?' Ineens schiet haar iets te binnen, ze staart Elettra aan en zegt: 'En jij?'

'Wat ik?'

'Heb jij nog steeds afleiding van die knappe Amerikaan?'

'Tante...'

'Relaties op afstand zijn de allerbeste. Af en toe een telefoontje en klaar is Kees. Ze lopen je niet elke middag voor de voeten, en ze liggen niet op de bank tv te kijken terwijl jij je uitslooft om een taart voor hen te bakken...'

'Tante! Harvey kijkt nooit tv!'

'En jij bakt geen taarten, dat is waar ook. Jullie hebben wel belangrijker dingen te doen. Met tollen gooien, bijvoorbeeld.'

'Alsjeblieft, tante...' Elettra kijkt om zich heen. 'Je had gezworen dat je daar met niemand over zou praten.'

'Nou, je boft maar! Als het mij was overkomen...'

Elettra glimlacht. Ze kijkt van achter haar lange zwarte krullen naar haar tante. Ze zou een van haar venijnige opmerkingen kunnen plaatsen, maar deze keer is ze het roerend met haar eens.

Ze heeft inderdaad enorm geboft dat Harvey en zij verliefd op elkaar zijn geworden.

'Links! Rechts! Links!' scandeert Olympia, de bokstrainster.

En bij elke uitroep knalt een van Harvey's vuisten met een luchtwerveling tegen het stootkussen dat het meisje voor zich houdt. Harvey slaat hard, op het ritme, hij duwt door. En zijn stoten worden steeds feller. Een voor een volgen ze elkaar razendsnel op.

'Links! Rechts! Links! Rechts!'

Er verstrijken twee minuten.

Tweeënhalve minuut.

En dan slaat het drie uur.

Olympia laat het stootkussen zakken en Harvey stopt, uitgeput, met hangend hoofd en een bezweet lijf.

'Goed werk!' prijst zijn trainster, en ze legt een hand op zijn schouder. 'Ik dacht dat je mijn armen eraf wilde beuken.'

Harvey laat zich tegen het gekleurde elastiek van de ring hangen. Zijn magere, gespierde lijf veert terug. Zijn glanzende haar plakt tegen zijn voorhoofd.

Hij spuugt de gebitsbeschermer uit zijn mond en beweegt zijn bokshandschoenen langzaam voor zijn ogen. 'Ik zie alles mistig,' geeft hij toe. 'Alsof het allemaal kleine sterretjes zijn.'

'Dat is normaal.'

Ze glijden de ring uit.

'Meende je dat, van dat ik je armen eraf wilde beuken?'

'Je leek wel door de duivel bezeten,' antwoordt de jonge vrouw met het korte haar en de cacaokleurige huid.

Hij knikt. 'Mooi zo.'

Hij laat Olympia zijn bokshandschoenen uittrekken en loopt snel naar de aftandse kleedkamer. 'Niet ijskoud hè!' waarschuwt de trainster hem.

Maar Harvey luistert niet naar haar. Terwijl hij zijn kleren uittrekt, voelt hij een doffe pijn trillen in de gewrichten van zijn ellebogen en zijn knieën.

Sinds hij naar de sportschool gaat is hij veel sterker geworden. En hij loopt rechtop, trots. Onder de douche spert hij zijn mond open en probeert de kou te weerstaan. Het ijskoude water op zijn bezwete huid voelt aan als een klap. Maar voor Harvey is ook dat een uitdaging. De vermoeidheid en de pijn zijn dingen waaraan hij weerstand moet bieden.

Hij bijt op zijn tanden. Hij haalt zwaar adem. Dan gaat hij eruit, hij droogt zich af en heeft zo'n zwak gevoel in zijn armen dat hij zijn rugzak bijna niet meer kan optillen.

'Tot woensdag,' zegt hij tegen Olympia.

De bokstrainster gebaart dat ze hem heeft begrepen. Ze is met twee andere leerlingen bezig, die druk aan het touwtjespringen zijn.

Harvey verlaat de sportschool en loopt naar de ingang van de metrohalte, zonder op of om te kijken.

Op de treetjes van de metro zit een eenogige raaf.

'Hallo Edgar,' begroet Harvey hem voordat hij de trap afloopt.

De tamme raaf vliegt op en verdwijnt in de warme hemel van New York.

'Nee!' roept Sheng aan de telefoon. 'Ik kom niet terug, papa! Dat kan me niets schelen. Nee, ik wil niet praten met... Aaah!'

Sheng houdt de hoorn van zijn oor af en heft zijn ogen naar de hemel. Als hij de hoorn weer dichter bij zijn oor brengt, hoort hij de spraakwaterval van zijn moeder al, onderbroken door gesnik.

'Mama...' probeert Sheng haar tot rede te brengen. 'Het is niet zo dat ik jullie niet wil zien... Maar ik ben hier nu al een halfjaar. En ik ben Italiaans aan het leren. Ik vind Rome geweldig, ik heb hier mijn vrienden.'

Buiten de kamer zetten de drie zusjes van het gezin dat hem onderdak verleent in het kader van het culturele uitwisselingsprogramma voor jongeren, hun oorverdovende stereo weer aan.

'Nee. Dat zijn geen tanks... Het is gewoon muziek, mama. En hoe dan ook, ik vind die muziek...'

Aan de andere kant van de lijn wordt de hoorn weer teruggegeven aan zijn vader, die onverzettelijk klinkt.

'Nog een paar weken, papa! Vier...'

'Twee!'

Er valt een lang moment van stilte.

'Goed dan, papa. Twee weken. Dan kom ik terug naar Shanghai. Ja, ik weet dat jullie me nodig hebben. Dag. Jij ook. Dag.'

Als hij ophangt, weet Sheng niet of hij alles kort en klein zal slaan of in huilen zal uitbarsten. Hij voelt zich volkomen machteloos tegen de wil van zijn vader, en lichtjaren verwijderd van alles wat zijn moeder zegt.

Hij kijkt in de spiegel: blauwe ogen en spierwitte tanden. Maar die avond heeft Sheng, misschien wel voor het eerst van zijn leven, helemaal geen zin om te lachen.

Ik heb een missie te volbrengen, denkt hij terwijl hij zichzelf ernstig aankijkt. Ik ben belangrijk. Ik ben Sheng. En de wereld heeft me nodig. Er zijn geen zes miljard Shengen. Er is er maar één. En dat ben ik.

Feit is dat die ene unieke Sheng op het punt staat om terug naar huis te gaan. En daar heeft hij totaal geen zin in.

2
VOORTEKENEN

Terwijl ze door de windstille Avenue de l'Opéra loopt, bedenkt Mistral voor de zoveelste keer hoeveel dagen er zijn verstreken sinds ze de anderen heeft gezien.

Al bijna drie maanden nu.

Een eindeloze reeks dagen waarin ze hebben nagedacht over hun avonturen, over wat ze hebben ontdekt en wat ze nog niet weten. Waarin ze bevreesd om zich heen kijken. Waarin ze proberen de betekenis te achterhalen van de steen die ze in New York hebben gevonden, en van de laatste boodschap die ze hebben gekregen van de tol met de brug: een sprong tussen Siberië en Parijs.

Elk van hen heeft veel gelezen en gestudeerd om te proberen het geheim te ontrafelen dat al die voorwerpen zo angstvallig lijken te willen bewaken.

Professor Van der Berger, het koffertje, de houten kaart van de Chaldeeën, de Ring van Vuur, de Ster van Steen. En de tamme raven die massaal kwamen opduiken in het verlaten metrostation om hen te redden...

Mistral glimlacht, het zweet staat in pareltjes op haar voorhoofd.

Het wordt steeds warmer, denkt ze, omhoog kijkend naar het statige gebouw van de Opéra, en dan langs de gesloten ramen van de voorgevels die bespikkeld zijn met witte kastjes van de airconditioning.

Het asfalt geeft mee onder haar schoenen, alsof het elk moment kan smelten, maar gelukkig biedt de hal van de muziekschool een beetje verkoeling.

Als ze het binnentuintje in komt, dat vol fietsen staat, voelt Mistral dat de kleren aan haar lijf plakken. Ze slaat de hoek om naar de trap en botst tegen een man met een baseballpetje op, die naar beneden komt rennen. Ze wordt zomaar tegen de muur aan gekwakt.

'Lomperik!' roept Mistral geërgerd. Hoe komt het toch dat mensen steeds meer haast en steeds minder manieren hebben?

Terwijl ze de eindeloze stenen treden van het gebouw, zonder lift, beklimt, hoort Mistral de duiven koeren buiten de dakramen, wachtend tot de warmte wat afneemt zodat ze op zoek kunnen gaan naar kruimels.

De bel van Madame Cocots muziekschool, "Zeven tonen en zeven stappen", wordt aangegeven door een naamplaatje met een notenbalk erop.

De zeven tonen zijn uitgevonden door Pythagoras, herinnert Mistral zich.

Van achter de deur verschijnt het bepoederde gezicht van Madame Cocot.

'Ah, juffrouw Blanchard!' roept de vrouw, die kennelijk niet kan praten zonder kattig te klinken. 'Ik dacht al dat je nooit zou komen.'

'Sorry dat ik zo laat ben. Mijn moeder...'

Madame Cocot gebaart dat ze moet gaan zitten.

'Laat die moeders maar zitten. We hebben vandaag veel te doen. En ik wil je iets vertellen...' zegt ze terwijl ze achter de witte pilaar verdwijnt, 'iets heel bijzonders, juffrouw Blanchard.'

Mistral glijdt over de vloer van witgewassen porselein, trekt haar gele schoenen uit en kiest een van de honderd paren kleurige slofjes die de lerares netjes gerangschikt in de hal heeft liggen. Dan volgt ze Madame Cocot naar de pianokamer, waar het glazen plafond schuilgaat achter bollende linnen doeken die zijn vastgemaakt in de hoeken. Voor de balkondeuren hangen gestreepte gordijnen lichtjes te wapperen.

Door de ramen glinsteren de leistenen daken van Parijs in de zon als zwarte spiegels, en de Place de l'Opéra lijkt een zwembad van wit marmer.

'Je weet heel goed wat de minimumeisen zijn die ik aan mijn leerlingen stel...' zegt Madame Cocot terwijl ze plaatsneemt achter de zwarte houten piano. Er bovenop liggen stapels oefenboeken, bladmuziek en alle soorten liederen. Nu ze eenmaal op haar plek zit, lijkt de oude dame net een porseleinen pop uit een of andere Russische collectie. 'En je weet ook dat ik over een paar dagen weg moet om als jurylid op te treden bij een muziekwedstrijd in Biarritz.'

'Bedoelt u dat ik een ramp ben?' vraagt Mistral. 'En dat u me geen les meer wilt geven?'

Madame Cocot kijkt haar aan vanaf haar lage krukje, en met die blik zou ze haar duidelijk willen maken dat het probleem juist het tegenovergestelde is, namelijk dat Mistral zo mooi kan zingen dat de rillingen over haar rug lopen. En dat een dergelijke gave zo zeldzaam is dat Madame Cocot het er bijna benauwd van krijgt. Maar aangezien ze niet zo goed is met blikken, geeft ze haar een briefje.

'Ik heb het er al over gehad met je moeder. En die is er tegen,' voegt ze eraan toe.

Mistral snapt niet waar ze het over heeft. Het is een folder over cursussen voor buitengewoon getalenteerde leerlingen aan het Conservatorium voor Muziek en Dans van Parijs.

'Waartegen, als ik vragen mag?'

'Mistral, jij bent helemaal geen ramp. Juist integendeel. Je bent uitermate begaafd! En dat is ook de reden dat ik je geen les meer wil geven, daar heb je inderdaad gelijk in... maar dat is omdat ik wil dat je voortaan daar les krijgt.'

'Aan het Conservatorium van Parijs?'

'Nee. Aan de afdeling voor buitengewoon begaafden van het Conservatorium.'

'En waarom heeft mama gezegd dat ze er tegen is?'

'Omdat ze vindt dat jij zelf moet beslissen. Het is jouw talent. Als je het graag wilt, kunnen we het proberen. Zo niet, dan heb ik niets gezegd...' Madame Cocot zucht. 'Ook al zou het doodzonde zijn. Wel? Wat zeg je ervan?'

'Ik weet het niet. Moet ik... Moet ik meteen antwoorden?'

'O nee! Je kunt alle tijd nemen! Tot 28 september, dan moet

je inschrijving binnen zijn. In de tussentijd...' ze drukt een paar toetsen van de piano in voor een snelle arpeggio, 'moeten we nog een beetje oefenen.'

Op de Piazza in Piscinula bevinden zich twee vrouwen. De een is tamelijk oud, draagt versleten kleren en woont in een illegaal hutje langs de Tiber. Af en toe glinstert er een gouden oorbel tussen haar vlasachtige haren. De zigeunerin is bezig de hand te lezen van een jonge, tamelijk knappe vrouw, die zelf een beetje bezorgd om zich heen kijkt, alsof ze niet wil dat andere mensen haar zien.

'Je moet een heel belangrijke reis maken...' leest de zigeunerin in haar hand. 'Naar de bergen. Echt een heel belangrijke reis.'

Als ze Elettra ziet aankomen, laat de zigeunerin haar aandacht net genoeg verslappen om haar te groeten en haar een geruststellende blik toe te werpen ter verzekering dat er tijdens haar afwezigheid niets vreemds is gebeurd bij het hotel.

De vrouw waakt nu al zes maanden over Hotel Domus Quintilia en krijgt in ruil daarvoor kleren die tante Linda niet meer aandoet, of wat van haar smakelijke lekkernijen. Elettra zwaait terug, haalt haar sleutels uit de zak van haar spijkerbroek en doet de voordeur open. Op de binnenplaats van Hotel Domus Quintilia zijn de klimplanten op het hoogtepunt van hun pracht en de dunne takjes van de vijgenbomen, die zich uitstrekken boven de oude put in het midden, tekenen trillende schaduwen. Het houten balkon doet denken aan de kiel van een schip dat aan land is getrokken om te drogen in de zon, en

de vier beelden die de binnenplaats lijken te bewaken zijn verbleekt door het licht. Er staan geen auto's op de binnenplaats. Zelfs het gedeukte busje van haar vader staat er niet.

Elettra neemt de paar treetjes naar de voordeur, loopt langs de receptie naar de trap en werpt een blik op het deurtje naar de kelder, verscholen achter hoge tuinplanten.

'Tante!' roept ze. 'Ik ben weer thuis!'

Ze rent de trap op naar de kamer op de eerste verdieping.

Haar tante Irene heeft haar rolstoel naar het balkon geduwd, waar ze in de schaduw van het afdak zit te werken. Er staat een karaf met pepermuntsiroop naast haar en een schaaltje met schijfjes van Siciliaanse citroenen. Haar grijze haar is bijeengebonden in een knotje en vastgezet met een haarspeld in de vorm van een schildpad.

Op een ander tafeltje staan allerlei verschillende gekleurde kommetjes met stukjes aardbei, banaan, perzik en kiwi, gehakte pistaches en walnoten en minstens vijf verschillende soorten siroop, klaar om te worden gemengd tot de wereldberoemde zomerse fruitsalade van tante Irene.

'En? Hoe is het met tante Linda?' vraagt de oude dame haar, terwijl ze haar nichtje zachtjes bij de pols pakt.

Voordat ze antwoord geeft, buigt Elettra zich over de rolstoel heen om een grote aardbei te pakken. Haar lange zwarte haar kriebelt aan de neus van haar tante en maakt haar aan het lachen.

'Mmm... goed... mmm,' antwoordt ze dan, smakkend op de aardbei.

'Hebben ze alle onderzoeken gedaan?'

'Dat gaan ze vanmiddag doen. Maar ze het is nu al beu.'

Irene glimlacht. 'En ze wil zeker alweer naar huis?'

'Ze denkt dat alles hier in het honderd loopt en dat het niet meer goed komt,' knikt Elettra. 'Mmm...' Nog een aardbei. 'Waar is papa? Is hij naar zijn vriend?'

Sinds enige tijd heeft Fernando Melodia weer aangepapt met een oude vriend die bij de politie werkt, waardoor hij inspiratie hoopt op te doen voor zijn eerste grote spionageroman die nog steeds niet af is.

'Zou kunnen. Sheng heeft gebeld. Hij zegt dat hij weg moet.'

Elettra snuift. 'Hij heeft zijn vader zeker weer gesproken.'

'Zoiets ja...' Irene vouwt haar handen in haar schoot. 'Hij komt straks langs.'

'Oké. Verder nog iets?'

'Geen telefoontjes. Of wacht, jawel... eentje van Mistral. Ze zegt dat het schitterend weer is in Parijs. En ze wil weten wanneer jullie elkaar weer zien.'

'Morgen.'

'Hou je me voor de gek?'

Elettra lacht. 'Ja, maar het zou wel leuk zijn.'

'Waarom ga je dan niet?'

'Met tante in het ziekenhuis en papa die totaal opgaat in zijn boek?'

'Linda komt straks fitter dan ooit weer thuis. En wat je vader betreft... het enige waar hij goed in is hier in het hotel, is de reserveringen in de war schoppen.' Tante Irene gaat verder met fruit in stukjes snijden. 'Je hoeft het hem alleen maar voor te stellen als een geweldige kans...'

'Een kans?'

'Hij wil toch een boek schrijven? Dan moet hij Parijs leren kennen! De meest literaire stad ter wereld.'

Elettra knikt geestdriftig. 'Goed idee.'

Er wordt op de voordeur geklopt.

'Daar heb je Sheng,' zegt Irene.

'Wat denk je, zal hij als hij nóg zes maanden hier blijft misschien leren de bel te gebruiken?' grapt Elettra terwijl ze de trap af loopt om open te doen.

In New York, op Grove Court nummer 11, slaat de pendule achter in de gang zodra Harvey de huissleutel in het slot steekt.

'Dwaine...' mompelt de jongen als begroeting tegen de klok die hem doet denken aan zijn broer, die een paar jaar geleden is gestorven.

In de gang valt de koude mantel van de airco over hem heen. In de keuken geen spoor van mevrouw Miller. Harvey's vader daarentegen zit in zijn werkkamer aan de telefoon met iemand te ruziën.

'We hebben het over een verhoging van de zeespiegel zoals door een zeebeving zou worden veroorzaakt!' briest professor Miller, een sceptisch klimaatdeskundige. 'En een vlakte die over tien jaar in een woestijn zal zijn veranderd! Lijkt je dat soms normaal?'

Natuurrampen. Zijn stokpaardje, denkt Harvey, terwijl hij de trap op gaat naar zijn kamer en zijn sporttas op de grond gooit. Als hij nu op bed gaat liggen, zou hij niet meer overeind kunnen komen voor het avondeten. En dan gaat hij maar liggen piekeren...

Te moe om nog iets anders te doen haalt hij zijnboksspullen uit de tas, zet de kraan van de wasbak in de badkamer aan, doet de stop erin en wast snel al zijn sportkleren. Dan loopt hij terug naar zijn kamer en steekt kreunend van de pijn zijn armen omhoog om het trapje naar de vliering omlaag te trekken. Hij klimt naar boven met de behendigheid van een zeventigjarige, en daar hangt hij zijn natte kleren naast de andere, die hij wast en droogt zonder dat zijn ouders het weten.

Die vliering is zijn geheime rijk. Daar heeft hij de Ster van Steen verstopt, een steen die niet veel groter is dan een American Football-bal, en de drie zaadjes die hij erin heeft aangetroffen. Hij heeft er ook een aantal landkaarten en sterrenkaarten opgehangen, reliëfkaarten van kraters die door meteorietinslagen zijn veroorzaakt, grafieken over de gezondheidstoestand van de planeet en alles wat hem nuttig leek om binnen handbereik te hebben.

'Ik kom eraan... ik kom eraan...' mompelt hij, terwijl hij zich een weg baant naar de kooi waarin zijn postduif huist.

Hij verschoont het water dat al helemaal geel is geworden en geeft hem nieuw voer, terwijl hij met de rug van zijn hand over het zachte nekje aait. Dan barst hij in lachen uit, als hij bedenkt hoe volkomen nutteloos die duif is. Hij is door Ermete getraind om de afstand af te leggen tussen het huis van Harvey en de etage die de ingenieur had gehuurd in Queens. Maar sinds de huisbaas Ermete de huur heeft opgezegd en de ingenieur verhuisd is, hebben ze de duif met geen mogelijkheid zover kunnen krijgen dat hij zijn doel veranderde. De nieuwe huurders van de etage snapten er niets van dat er af en toe ineens een duif tegen hun ramen zat te tikken.

Nu hebben Ermete en Harvey weer hun toevlucht genomen tot de meer gebruikelijke middelen, zoals een ontmoeting in Central Park op een afgesproken tijdstip, om mogelijk nieuwe feiten uit te wisselen. Die allemaal samenvloeien in één enkele vraag: wat moeten we gaan doen in Parijs, of in Siberië?

In de afgelopen drie maanden hebben ze daar nog geen antwoord op kunnen bedenken. Maar is dat zo belangrijk?

Harvey kijkt naar Elettra's gezicht op tientallen zwart-witfoto's waarmee hij de vliering heeft behangen. Zijn persoonlijke spinnenweb aan herinneringen.

Hij legt zijn vinger op een van de foto's en fluistert: 'Welterusten, schatje.'

Minstens één keer in de week heeft Sheng dezelfde droom. Hij is in de jungle met de andere kinderen, een doodstille jungle, en van daaruit komen ze bij de zee waar ze in duiken en zwemmen, zwemmen tot ze aankomen bij een klein eiland begroeid met algen. Op het strand staat een vrouw op hen te wachten. Haar gezicht is bedekt met een sluier, en ze draagt een nauwsluitende jurk waarop alle dieren van de wereld getekend zijn. De vrouw heeft een emmertje in de ene hand, en in de andere iets wat Sheng niet kan zien. Hij probeert uit het water te komen, maar het lukt niet: hij blijft vastgezogen aan de grond liggen. Ten slotte draait de vrouw zich om en eindelijk ziet Sheng wat ze in haar rechterhand houdt.

En dan wordt hij wakker.

3
De spion

De man met het witte haar laat de verrekijker zakken waarmee hij het appartement aan de overkant van de Avenue de l'Opéra in de gaten houdt. Hij zet verrast een stap achteruit en verstopt zich achter het bloemetjesgordijn, waarbij hij uit alle macht probeert die vreselijke geplastificeerde stof niet aan te raken.

Het meisje heeft de balkondeuren opengedaan en nu staat ze buiten.

Voor haar is de man weinig meer dan een schim achter een van de honderden ramen die op straat uitkijken. Voor hem is zij daarentegen iets verbazingwekkends.

Ze staat te zingen, en zelfs aan de overkant van de weg klinkt haar gezang heel bekoorlijk. Met ontwapenende eenvoud gaat haar stem van hoog naar laag, van fel naar vloeiend.

De man doet zijn ogen dicht om ervan te genieten. Het duurt maar een paar tellen. Dan valt hij weer terug in zijn rol. Hij

kijkt vlug hoe laat het is: hij heeft genoeg gezien.

Jacob Mahler kijkt nog een laatste keer naar Mistral, doet het raam weer dicht en stopt de verrekijker terug in de vioolkoffer.

Hij loopt snel de kamer door, legt zijn hand op de klink van de voordeur en blijft dan stokstijf staan. Hij hoort voetstappen achter de deur, die op de overloop blijven staan. Jacob Mahler gaat tegen de muur aan staan.

Iemand belt aan.

'Claire? Ben je terug?' vraagt een vrouw met klaaglijke stem.

Voor de zekerheid klopt ze ook nog twee keer.

Nee. Ze is niet terug, sist Jacob Mahler bij zichzelf, plat tegen de muur aan gedrukt.

Hij moet doodstil blijven staan, net zo lang tot dat mens weer weggaat. Als hij eindelijk op de nauwe overloop stapt, ruikt hij een hinderlijke cedergeur.

'Bedankt voor het lenen van je appartement, Claire...' mompelt hij terwijl hij de deur achter zich dicht trekt.

Hij zet zijn baseballpetje weer op en verlaat het gebouw.

'Ik wil niet, snap je dat? Ik wil niet!' briest Sheng terwijl hij met grote stappen door Elettra's kamer beent.

Zij zit in kleermakerszit op haar bed en probeert hem te troosten. 'Hij is je vader, hij zal er wel een reden voor hebben als hij vraagt of je naar huis komt.'

'Dat is het hem juist! En weet je wat die beroemde reden dan wel is?'

'Zeg op.'

'Hij kan er niet tegen om alleen thuis te zijn met mijn moeder. En zij kan er niet tegen om alleen thuis te zijn met hem. In feite...' Sheng raapt een tennisbal van de grond en begint ermee te spelen. 'In feite ben ik een soort bliksemafleider, waarop mijn ouders hun onweersbuien moeten afreageren om gelukkig te kunnen zijn.'

'Nu overdrijf je een beetje volgens mij.'

'En weet je wat het ergste is?' Hij gooit de bal tegen de muur en vangt hem weer op. 'Dat ik dat spelletje ook nog altijd braaf meespeel, als bliksemafleider. Of beter gezegd, ik héb het altijd meegespeeld. Want nu...'

'Nu?'

'Nu...' Terwijl hij de bal op de grond laat stuiteren, is Sheng naar de badkamer van Elettra gelopen, waar hij voor de grote spiegel omringd door lampjes staat. 'Moet je mij hier zien staan!' roept hij. 'Ik heb niet eens het lef om ze recht in hun gezicht te zeggen wat ik ervan vind om terug te gaan naar Shanghai.'

'Laten we dan naar Parijs gaan.'

'Wat?'

'Parijs. Daar moeten we al drie maanden naartoe. We zitten met de boodschap van die tol...'

Sheng schudt zijn hoofd. 'Nee, nee, heel slecht idee. Als mijn vader daar achter komt...'

Elettra staat op van het bed. 'Jammer. Dan zal ik tegen Mistral moeten zeggen dat jij niet mee wilde komen.'

Als ze bij de deur is, rent Sheng haar achterna.

'Wacht!'

'Ja?'

'Wanneer wou je vertrekken?'

'Harvey?' Professor Miller zit aan zijn bureau, met zijn haar helemaal in de war, wat niets voor hem is.

Er slingeren allemaal boeken rond in zijn werkkamer. Op de grond liggen allerlei paperassen. Zijn stropdas hangt over de stoel.

'Hoi papa,' zegt Harvey.

'Mama is naar een van haar liefdadigheidsbijeenkomsten. We gaan met z'n tweetjes uit eten.'

'Als je wilt, kan ik wel koken.'

Zijn vader schudt zijn hoofd. 'Ik wilde onze kans grijpen om dat Ethiopische restaurant uit te proberen.'

'Nu of nooit,' beaamt Harvey.

Meneer Miller staat op van zijn stoel en gooit een stapeltje papieren in de lucht. 'Is er iets mis?' vraagt Harvey.

'Het klimaat is dolgedraaid,' verzucht de professor. Dan werpt hij een keurende blik op zijn kreukelige overhemd. 'Kan ik zo de deur uit?'

'Wat mij betreft wel.'

Ze gaan op weg.

'In welk opzicht is het klimaat dolgedraaid?' vraagt Harvey terwijl ze de trap af lopen. 'Komt dat door het broeikaseffect?'

Ze staan in de tuin. 'Het broeikaseffect is volkomen natuurlijk,' snuift zijn vader. 'Koeien en geiten veroorzaken meer schade met hun mest dan het merendeel van onze vrachtwagens

bij elkaar. Maar er klopt iets niet. Er zijn te veel smeltende ijskappen, tropische regenbuien op plaatsen waar het tot een paar jaar geleden nooit regende, droogte waar eerst rijst werd verbouwd, trekvogels die hun route niet meer kunnen vinden, walvissen die zich zonder verklaring op het strand werpen. En al die dingen komen neer op... één en hetzelfde probleem.'

'En dat is?'

'Dat er nu vier miljard mensen meer op aarde leven dan vijftig jaar geleden.'

'Dan is het maar goed dat het geen koeien of geiten zijn,' zegt Harvey. 'Anders hadden we een oveneffect gehad!'

Zijn vader grinnikt. Intussen zijn ze bij het Ethiopische restaurant aangekomen. Het menu biedt grote porties pittig vlees dat je met de handen en met behulp van een soort pannekoek moet eten.

Onder het wachten trommelt professor Miller nerveus met zijn vingers op het tafeltje.

'O, dat is waar ook...' zegt hij, alsof hem ineens iets te binnen schiet. 'Ik heb van enkele vrienden antwoord ontvangen op de vragen die je me had gesteld. Ze waren kennelijk allemaal zeer geïnteresseerd. Weet je zeker dat je nog steeds journalist wilt worden?'

Harvey laat de duidelijke vraag langs zich heen gaan. Zijn vader grijpt elke kans aan om hem over te halen exacte wetenschappen te gaan studeren als hij na de middelbare school naar de universiteit gaat.

'Hoezo?'

De professor rommelt in zijn zakken, op zoek naar een verfrommeld blaadje. Dat is ook al zeer ongebruikelijk voor iemand

die normaal gesproken alles keurig geordend bewaart in genummerde ordners.

'Wat betreft dat zaadje dat je me gaf om te laten zien aan mijn collega die plantkundige is... hij vroeg waar ik het gevonden heb, want hij wil het kopen.'

'Geen sprake van. Wat zei hij erover?'

'Het schijnt een zaadje te zijn van een uiterst zeldzame variëteit van de Gingko biloba, een van de oudste bomen ter wereld. Hij noemde het... een zaadje van een prehistorische boom. Hij zei dat het in een museum thuishoort.'

'En hebben ze ook iets over de steen gezegd?'

Tweede blaadje.

'Ik heb de fragmenten aan een Franse vriendin gestuurd, die beweert dat het materiaal is van een meteoriet... een afwijkende meteoriet.'

'Hoe bedoel je, afwijkend?'

'Ze zou er een groter monster van willen onderzoeken.'

Harvey trekt zijn neus op.

'Ze wil je een voorstel doen: dat je naar het laboratorium van de *collection des minéraux* van de universiteit van Parijs gaat en daar samen met haar alle onderzoeken op die steen van jou uitvoert.'

Intussen wordt hun eten gebracht: twee enorme dienbladen bedekt met een soort pannekoek, waarop bergjes pittig gekruid lamsvlees zijn gerangschikt.

'Daar gaan we!'

Lachend oefenen vader en zoon hoe ze het eten moeten pakken met alleen pannekoek en hun handen. En een paar tellen later staat hun mond al in brand.

'Pfoe...' puft professor Miller als ze alles op hebben, 'wat zal ik tegen haar zeggen? Ga je ernaartoe?'

'Naar Parijs?'

'Zij betalen de reis.'

'En ga jij dan niet mee?'

'Ik zou wel willen, maar op dit moment heb ik andere dingen aan mijn hoofd... En de gegevens die ik vanuit de Stille Oceaan krijg, zijn zo abnormaal dat ik ze eigenlijk persoonlijk zou willen controleren...'

Harvey glimlacht. 'Waarom ga je dan niet?'

'Breng me niet in de verleiding.'

'Jij brengt mij juist in de verleiding.'

'Ik zou heel graag willen dat je de uitnodiging van mijn vriendin aanneemt,' bekent professor Miller.

Voor het eerst in vele jaren heeft Harvey het idee dat er voldoening glinstert in de ogen van zijn vader.

'Is ze sympathiek, die vriendin van je?'

Zijn vader glimlacht. 'Weet ik veel, het is zo lang geleden!'

Harvey denkt er even over na. 'Oké,' antwoordt hij. 'Zeg maar dat ik ga.'

4
De thuiskomst

Na afloop van de les heeft Mistral haar hoofd vol dromen en de sleutels van de muziekschool in haar zak. Madame Cocot heeft ze haar gegeven voor het geval ze nog wat wil oefenen tijdens haar afwezigheid.

'Denk er goed over na,' drukte ze haar vervolgens op het hart, terwijl ze haar een tikje op de wang gaf.

Nu loopt het meisje onder de bewolkte hemel, ze heeft geen zin om ondergronds te reizen met de metro en geniet van de geuren van brood, bloemen en warm eten, een mengeling die slechts één ingrediënt vormt van het mysterieuze parfum dat in de straten van Parijs hangt. Als ze in de wijk Montmartre bij haar voordeur aankomt, schiet de conciërge uit zijn appartement op de begane grond, roept haar en geeft haar een aantal enveloppen en een roomkleurig pakje. Tot Mistrals grote verbazing is het pakje aan haar gericht.

Mistral Blanchard
Rue de l'Abreuvoir 22
75018 Paris
France

Terwijl ze de trap op loopt, steekt ze haar vinger onder het papier om te kijken wat erin zit. Het is een boek.

Argot. Het geheime gezang der dieren

Mistral scheurt het papier van het pakje. Op het omslag staat een vergulde muziekdoos met geopend deksel, waaruit tientallen verschillende dieren over regenbogen heen draven. Op de eerste pagina staat een opdracht geschreven.

New York, 12 juni

Lieve Mistral,
Toen ik mijn appartement aan het opruimen was, vond ik dit oude boek van Alfred. Vladimir, de antiquair en onze gemeenschappelijke vriend, vertelde me dat jij van zingen houdt... dus ben ik zo vrij om je een klein souvenir uit New York te sturen.

Agata

'Agata!' roept Mistral, vergezeld door de galmende echo van het stenen trapportaal. Verheugd over die onverwachte attentie van de vroegere vriendin van professor Van den Berger die ze in New York hebben leren kennen, bladert Mistral snel door het

boek dat prachtige, kleurige illustraties bevat. De verschillende dierengeluiden staan erin beschreven. En dan vooral de manier waarop je ze kunt imiteren.

Lied voor raven. Lied voor katten. Lied om vissen bijeen te roepen. Roep voor honden.

Wat geweldig! denkt Mistral verrukt, terwijl ze doorloopt naar boven. *Lied van de bijen. Lied van de walvissen...*

Bij de huisdeur aangekomen kijkt ze nog een keer naar het omslag. *Het argot.*

De geheime taal die dieren onderling gebruiken om elkaar op gevaren te wijzen, om de weg naar huis te vinden, om de plaats van hun hol te achterhalen, om een schuilplek te zoeken...

Langzaam draait ze de sleutel om in het slot. En dan blijft ze stilstaan.

'Mama?' vraagt ze zonder naar binnen te gaan.

Ze doet de deur zo luidruchtig mogelijk open en roept haar moeder nog een keer.

Dat doet ze altijd zo, sinds ze haar moeder een keer betrapt heeft terwijl die een man stond te kussen. Een verrassing die aanvankelijk vervelend was geweest, en later vooral verwarrend. Haar moeder had haar excuses aangeboden, maar dat was eigenlijk helemaal niet nodig. Ze was niet getrouwd. Mistral had nooit een echte vader gehad, en haar moeder had haar in haar eentje opgevoed en geprobeerd het moederschap te combineren met haar werk als parfumontwerpster. Het was dus niet vreemd dat ze af en toe eens een vriend had. Maar waarom zou het dan zijn dat Mistral, telkens als ze vermoedde dat haar moeder een nieuwe relatie had, zo'n wee gevoel in haar buik kreeg, en een gevoel van angst dat haar nooit losliet? Als ze zich zo voelde,

hield ze zich altijd voor dat haar moeder in alle gevallen uiteindelijk voor haar had gekozen. En ook al moest ze voor haar werk vaak weg en was Mistral dan wekenlang alleen, ze wist heel goed hoeveel haar moeder voor haar had opgeofferd. Ze mochten juist van geluk spreken dat het werk in de parfumbusiness zo goed was gegaan en dat Cécile zo'n bliksemcarrière had gemaakt. Dat was een zeldzaam geluk, waardoor Mistral was opgegroeid zonder dat het haar ergens aan ontbrak en waardoor ze in Parijs kon wonen op de bovenste verdieping van een mooi huis begroeid met klimop, dat uitkeek over de stad.

Een appartement waar Mistral dol op is: met de lichte houten vloer die kraakt onder haar blote voeten, met de witgeschilderde balken van de vliering, de afgeronde deuren, de eetstoelen die bewust allemaal anders zijn, de rieten manden die ze als krukjes gebruikten, de schilderijen zonder lijst aan de muren en de witte banken in de woonkamer die in een kring zijn gerangschikt.

Nadat ze heeft vastgesteld dat er verder niemand in huis is, gaat Mistral naar binnen en loopt naar haar kamer. Ze legt het boek over het argot op haar bed van paars gelakt messing en loopt naar het raam om te kijken of de bijen er nog zijn.

Er hangt een geur van schone was in huis. In de badkamer hangt een briefje van haar moeder: *Wacht maar niet op me met eten. Kus. Mam.*

Mistral zucht. Ze kijkt naar het beertje boven de wasbak. En de vlinders die uit de afvoer van de douche lijken te komen. Die hebben ze geschilderd en opgeplakt toen zij vijf jaar was. Mistral ziet haar moeder nog zo voor zich met haar handen onder de lijm, als de dag van gisteren.

Ze haalt het briefje van de spiegel en gaat terug naar haar kamer.

De telefoon begint te rinkelen.

Het is Harvey. Een paar minuten later is het de beurt aan Elettra. Dat is geen toeval. Ze komen eraan.

'Hallo Vladimir.'

'Hallo? Zoë? Ben jij dat?'

'Hoe gaat het met je?'

'Hoe gaat het met jou, verdorie! Ik ben al maanden naar je op zoek. Waar was je gebleven?'

'Weg, voor mijn werk.'

'Net nu alles begonnen is?'

'Het is toch in Rome begonnen?'

'Bel Irene. Waar zat je?'

'Op reis rond de wereld.'

'Wáár op reis rond de wereld? Had je niet op z'n minst één keertje kunnen bellen? Hebben ze daar geen telefoons?'

'Precies. En je hoeft echt niet zo kwaad te worden. Ik ben nu toch weer hier?'

'Waar was je eerst dan?'

'In Siberië.'

'Ben je teruggeweest naar Tunguska?'

'Waar ik ook ben geweest, ik ben nu weer thuis. Ik ben in Parijs.'

'De kinderen zijn onderweg.'

'Mooi.'

'Herinner je je de instructies van Alfred nog?'

'Natuurlijk.'

'Alfred is dood.'

'Ik weet het.'

'Hoe kun jij dat weten?'

'Ik heb hem als eerste gebeld. En hij nam niet op.'

5
De bagage

De luchthaven van Parijs is een zee van licht. De grote ramen van de internationale aankomsthal van Charles de Gaulle kijken uit op landingsbanen en lange gangen.

Terwijl je je bagage ophaalt, zie je de mensen die aan de andere kant van het glas staan te wachten.

Harvey loopt achter de andere passagiers van zijn vlucht aan naar de zwarte kunststof band. Hij geeuwt en rekt zich uit, moe van de lange uren die hij heeft doorgebracht met films kijken op het tv-schermpje in de rugleuning van de stoel voor hem. Hij heeft ervoor gekozen om ze in het Frans te kijken, met Engelse ondertitels, in de hoop dat hij er iets van zou leren.

De bagageband komt in beweging. Te midden van de andere passagiers valt Ermete De Panfilis behoorlijk op in zijn hawaïshirt en broek met duizend zakken; hij loopt mank en wrijft

slaperig in zijn ogen. Ter gelegenheid van zijn terugkeer naar het *Oude Continent* heeft de eigenaar van Lagers & Lopers in de taxfreeshop een heel opvallende zonnebril met schildpadmontuur aangeschaft. Die schittert nu op zijn inmiddels vrijwel kale hoofd en past goed bij zijn rugzak van nep krokodillenleer die hij bij Macy's in de uitverkoop zag liggen en die hij absoluut onmisbaar achtte. In de rugzak zitten de Ster van Steen en de tol van Ermete, in vele lagen krantenpapier gewikkeld. In Harvey's tas zit een andere tol.

Harvey en Ermete groeten elkaar niet. Ze reizen afzonderlijk, uit voorzorg.

Terwijl de lege bagageband knarsend ronddraait, kondigt een stem door de luidspreker iets in het Frans aan dat alleen een paars aangelopen meneer met een oranje plastic zonneklep en een megadikke reisgids weet te verstaan, tot vreugde van zijn drie dochtertjes. Als Harvey het zich goed herinnert, zaten die naast Ermete en hebben ze geen moment hun mond gehouden. De meisjes huppelen naar de volgende bagageband, waarboven even later de gegevens van hun vlucht verschijnen. Met een klap worden de eerste koffers uitgebraakt door het gat.

Harvey kijkt door de glazen deuren en probeert de vriendin van zijn vader te ontwaren. Wie zou het zijn? Die lange, dommige vrouw die een gebloemde lampenkap aan lijkt te hebben? Of dat meisje dat op roze kauwgum staat te kauwen? Of zou het dat oudje zijn dat een bediende met een bagagekarretje tegen de muur aan heeft geparkeerd?

Door de verheugde kreten van de meisjes wordt Harvey's aandacht weer naar de bagageband getrokken, waar het drietal

staat te worstelen met een koffer die even groot is als zijzelf en hen dreigt mee te sleuren. Even verderop ligt de koffer met wieltjes van Harvey.

Het is de eerste keer dat hij amper hoeft te wachten.

Vive la France, denkt hij.

Hij pakt zijn koffer en zorgt ervoor dat Ermete hem ziet, dan keert hij de bagageband de rug toe en loopt met zijn koffer achter zich aan naar de uitgang. De glazen deuren gaan met een zucht open.

'Meneer Miller?' klinkt na een paar tellen een barse mannenstem, die blijkt te horen bij een donkere jongen, lang en mager, met een wit overhemd en een zwart vlinderdasje.

'Dat ben ik.'

Achter hem gaan de glazen deuren weer open en dicht.

'Komt u met me mee? Mademoiselle Cybel verwacht u al.'

'Mademoiselle Cybel?' glimlacht Harvey. 'Ik vrees dat er een vergissing in het spel is. Ik ken helemaal geen Cybel...'

Maar dan flitst er vanuit de zak van de jongen een mes tevoorschijn dat razendsnel tussen Harvey's schouderbladen gedrukt wordt. 'Nee, geen vergissing, meneer Miller. Ik verzoek u om geen woord meer te zeggen. En meekomen graag.'

Ermete, die nog bij de bagageband staat, kan zijn ogen niet geloven. Wie is die donkere jongen in vredesnaam? En waarom loopt hij tien centimeter achter Harvey?

Harvey doet zijn rechtervuist open en dicht. Drie keer snel, drie keer langzaam, drie keer snel.

Morsetekens. S.O.S.

Er is geen tijd om na te denken. Ermete strompelt de terminal van internationale aankomsten uit en laat zijn koffers voor wat ze zijn.

'Daar gaan we weer...' moppert hij zonder het tweetal uit het oog te verliezen.

Als hij de ruimte met airconditioning verlaat, door uitgang nummer 20, valt er een warme deken over de ingenieur heen. Het hawaïshirt plakt als een tweede huid aan zijn buikje dat zo kenmerkend is voor computernerds.

De donkere jongen heeft Harvey twee asfaltbanen laten oversteken en duwt hem nu naar een Citroën met geblindeerde ramen en een motorkap die is beschilderd als een alligator.

Ermete mompelt iets tussen zijn tanden door. Als ze in de auto stappen, kan hij het wel vergeten.

Hij kijkt om zich heen. Honderd meter verderop is een taxistandplaats waar een hele rij mensen op hun beurt staat te wachten. Met een snelle pirouette gaat de ingenieur op weg naar de taxi's. Blik achterom: Harvey wordt aan boord van de auto-alligator geduwd. Ermete begint zo goed en zo kwaad als het gaat te rennen. Hij loopt de hele rij voorbij, waardoor er een golf van protesten losbreekt.

'Sorry! Sorry! Dit is een noodgeval!'

'*Les Italiens!*' schreeuwt iemand, alsof dat een verklaring is.

Ermete wringt zich met een sprong tussen een mevrouw en haar taxi in, en dwingt haar met een lichte tik van zijn rugzak achteruit. 'Neem me niet kwalijk!' roept hij nog een keer.

Hij stapt achterin en slaat het portier achter zich dicht voordat de vrouw ook maar een woord kan uitbrengen.

'Volg die auto!' roept hij in het Italiaans tegen de taxichauffeur met de lange snor vol brillantine.

Die vouwt enkel zijn krant dicht en legt hem op de stoel naast zich. '*Pardon?*'

De Citroën-alligator rijdt op dat moment voor hen langs. Ermete gebaart er verwoed naar en herhaalt in het Engels: 'FOLLOW THAT CAR!'

'*Mais oui!*' begrijpt Langsnor dan, en hij trekt op.

Ermete laat zich tegen de rugleuning aan zakken en legt zijn rugzak van nep-krokodillenleer op de stoel naast hem.

En pas dan denkt hij aan zijn koffers die zielig rondjes draaien op de zwarte bagageband van de luchthaven.

6

De trein

'Hao! Nog veertien uur en negenenveertig minuten en dan zijn we er,' zegt Sheng zodra de TGV het station Rome Termini uitrijdt.

Hij kijkt nog even op zijn horloge en richt zijn blik dan op zijn reisgenoten, Elettra en Fernando Melodia.

'Dat stelt niks voor... toch?' zegt de vader van Elettra terwijl hij zijn spullen op het tafeltje rangschikt.

'Dit is voor het eerst dat ik de trein neem sinds ik in Italië ben,' verklaart Sheng.

'En gelukkig is het geen Italiaanse trein,' zegt Elettra. 'Ook al is het natuurlijk niet uitgesloten dat hij nog een keer stopt voordat we bij de Fréjus-tunnel aan de Franse grens zijn...'

Ze hebben besloten per trein te reizen omdat de vader van Elettra hen duidelijk had gemaakt dat hij weigerde om aan

boord van een vliegtuig te stappen. Hij wilde alleen maar reizen met wielen onder zijn voeten.

Bovendien beweert hij dat de trein je creativiteit stimuleert, en daar heeft hij grote behoefte aan; hij is dan ook uitgerust met een indrukwekkende hoeveelheid notitieblokjes, pennen en potloden, evenals een reeks boeken waaruit hij inspiratie hoopt te putten.

'Hoe ver bent u met uw roman?' vraagt Sheng, wat hem een boze blik van Elettra oplevert.

Fernando aarzelt, probeert de vraag te ontwijken. 'Goed. Redelijk ver, vind ik. Laten we zeggen... je zou kunnen stellen dat ik het tweede deel vrijwel af heb.'

'Hao, fantastisch.'

'Waar het nu om gaat... is het einde bedenken. En natuurlijk het eerste deel.'

Sheng en Elettra kijken elkaar bezorgd aan, en dan besluit de Chinese jongen door te vragen: 'Sorry, maar... hoe kan het dat u het tweede deel hebt geschreven zonder dat u het eerste deel had?'

Fernando stopt een potlood in zijn mond. 'Er gelden geen vaste regels voor dit soort dingen. Je schrijft wat er in je opkomt, toch?'

'Hoor eens, Sheng...' komt Elettra tussenbeide, wiegend op het schommelen van de trein. 'Mijn vader is een genie. En zoals alle genieën moet hij kunnen werken zoals hij dat wil.'

Ze grinniken.

Later, als ze bijna in Florence zijn, wordt er zachtjes op de deur van hun wagon geklopt. Het volgende moment vraagt een

conducteur met een wit overhemd en een zwart vlinderdasje om hun kaartjes.

'De eerste keer naar Parijs?' grapt hij als hij de kaartjes teruggeeft.

'Hao, ja!' roept Sheng.

'Op vakantie?'

'Niet echt,' antwoordt Elettra, van binnen voelt ze weer die energie aanzwellen waardoor ze instinctief weet dat er gevaar dreigt.

De conducteur doet de deur achter zich dicht.

Als hij vijf stappen verder in het gangpad staat, kiest hij een intern telefoonnummer en fluistert: 'Ik heb ze gevonden in nummer twaalf. Waarschuw Parijs.'

Als de zaken ontzettend ingewikkeld zijn, kan Ermete erop rekenen dat ze nog veel ingewikkelder zullen worden. En het telefoontje dat hij heeft ontvangen zodra hij zijn mobiel weer aanzette is daar een duidelijk voorbeeld van.

'Luister, mama, het is heel normaal dat je bezorgd bent, maar ik verzeker je dat ik veilig en wel ben geland...' mompelt de ingenieur in een poging haar gerust te stellen.

Hij houdt de telefoon tussen zijn schouder en zijn wang geklemd en telt intussen euromuntjes af in de hand van de Franse taxichauffeur. De ruim dertig kilometer tussen de luchthaven en het pleintje waar ze zijn gestopt kost hem zowat al zijn spaarcenten. 'Nee, ik ben niet kwaad! Nee. Dit is gewoon niet zo'n goed moment om erover te praten...'

'*C'est bon,*' zegt de taxichauffeur op dat moment, terwijl hij zijn andere hand opheft. Hij laat de rivier van muntjes heftig rinkelend op de passagiersstoel stromen.

Ermete pakt zijn rugzak, glijdt van de achterbank van de taxi en staat op straat. Hij heeft geen flauw idee welke straat het is, maar voor het restaurant op de hoek is de Citroën-alligator gestopt waar Harvey in zat.

'Mama, luister...' herhaalt Ermete geïrriteerd. 'Als ik je zou vertellen waar ik mee bezig ben...'

Hij zet een paar stappen langs de muur en probeert te doorgronden wat er gebeurt. Het restaurant heet *Cybel, Cuisine de Ter*. De letters staan gerangschikt rond het profiel van een vrouw met een torenvormig hoedje. Ermete loopt langs de muur en probeert zich te verschuilen achter een aantal bloempotten met zonovergoten vetplanten.

'Mama!' roept hij weer in de telefoon. 'Ik ben... o, hoe moet ik het je uitleggen?'

Op dat moment verstijft hij. Hij heeft de donkere jongen door het restaurant zien lopen.

'Sorry. Ik moet ophangen.' En zonder zich iets aan te trekken van de kreten van zijn moeder, verbreekt hij de verbinding.

Heel nonchalant slentert hij naar de menukaart die in een smeedijzeren vitrine aan de voorgevel van het restaurant hangt. De namen van de verschillende gerechten, in sierlijke krulletters geschreven, glijden voor hem langs terwijl hij vanuit zijn ooghoek probeert te zien wat er binnen in het restaurant gebeurt. Hij meent wel enige heen en weer geloop te ontwaren.

Hij kijkt op zijn horloge en beseft dat dit nog de tijd van

New York aangeeft. Hoe moet hij de wijzers verplaatsen? Vooruit of achteruit? En hoeveel uren?

Hij probeert te redeneren.

Er zijn geen klanten binnen. Het moet dus al voorbij lunchtijd zijn, maar nog lang geen tijd voor het avondeten. Misschien een uur of vier. Hooguit vijf uur.

'Mama?' zegt hij nadat hij haar vlug heeft teruggebeld. 'Hoe laat is het? Ja. Hoe laat is het? Nu, uiteraard! Niet over een maand...'

Lange stilte.

'Natuurlijk weet ik het niet, anders zou ik het toch niet vragen? Kun je me vertellen hoe laat het is of moet ik eerst een schriftelijk verzoek indienen? Nee, het horloge van papa staat al twintig jaar stil. En begin nu niet weer met dat gezeur dat ik een batterijtje moet kopen. Kapot. Het is kapot, snap je?'

Korte pauze.

'Oké. 4.44 uur, dankjewel.' Hij hangt weer op en realiseert zich dat dat tijdstip een palindroom is: als je het achterstevoren leest staat er hetzelfde. Voor hem zijn dat soort toevalligheden absoluut onweerstaanbaar.

In het restaurant lopen nog twee jongens met zwarte vlinderdasjes voorbij.

'Oké,' mompelt Ermete terwijl hij wegloopt van de menukaart en een rondje om het blok gaat maken. 'Wat zal ik doen?'

Hij probeert alles op een rijtje te zetten. Ze hebben Harvey gegrepen. En wat heeft Harvey bij zich... een tol en een mobieltje.

Hij probeert Harvey's nummer te bellen. Uitgezet. Dan beseft hij dat hij op deze manier vast en zeker een van die nutteloze

diensten heeft ingeschakeld, waardoor degene die Harvey heeft ontvoerd nu ook zijn nummer te weten kan komen.

'Denk na, Ermete...' zegt hij tegen zichzelf terwijl hij om het gebouw heen loopt. 'Je zou nu toch inmiddels moeten weten hoe je die dingen aanpakt. Het is tenslotte al de derde keer dat ze iemand van ons ontvoeren.'

De eerste keer overkwam het Mistral. De tweede keer hemzelf. Alleen al als hij eraan denkt, krijgt hij weer pijn in zijn botten.

'Waar ben ik in godsnaam?' vraagt hij zich af.

Hij bevindt zich in een wijk met keurige, lage huisjes, met kronkelige middeleeuwse straatjes die om hun eigen as lijken te draaien. Hij herinnert zich dat ze de Seine zijn overgestoken. Het restaurant ligt niet ver van een pleintje en een bredere straat. De zon schijnt onverstoorbaar, en het enige fonteintje in de buurt staat droog, de afvoer verstopt met duivenveren. Een straatnaambordje op de hoek van twee straten luidt: *Rue Galande*.

Dan ziet Ermete een Algerijns barretje aan de overkant van het plein, een gunstige plek van waaruit hij het restaurant in de gaten kan houden.

Buiten staat een plastic tafeltje met een plastic geel tafelkleedje. Een groezelig bord met foto's van allerlei ijscoupes in onwaarschijnlijke vormen. En een apparaatje om muggen te elektrocuteren, dat zelfs op dit tijdstip al aanstaat. Ermete neemt plaats op een van de twee stoelen bij het tafeltje.

Er verstrijken een paar minuten voordat een Noord-Afrikaan met een ketting van aluminium schedeltjes hem van binnenuit iets toeschreeuwt.

Ermete gebaart dat hij geen Frans verstaat.

Vervolgens gaat de man warempel meteen over op het Italiaans: 'Er wordt niet aan de tafeltjes bediend.'

Even heeft Ermete de neiging om ironisch te antwoorden: 'Hoezo, tafeltjes?' Maar de punkarmband en de gespierde armen van de Noord-Afrikaan brengen hem op andere gedachten.

Eenmaal binnen wordt hij getroffen door een Saharatemperatuur. De ijsjes zijn op. Er is alleen lamskebab te krijgen.

'Doe dan maar een kebab... en een biertje met ijs.' Onder het bestellen werpt de ingenieur voortdurend blikken op het restaurant.

'We hebben geen...'

'Goed dan. Een biertje zonder ijs.'

'We hebben geen bier,' zegt de verkoper. 'Alleen zure yoghurt.'

'Perfect,' slikt Ermete. 'Dan ga ik voor de zure yoghurt.'

Hij wil naar buiten lopen.

'Vooraf betalen graag.'

Absurd, denkt Harvey. Dit is allemaal absurd.

De lift waar hij in is geduwd gaat nu open en hij ziet een benauwde, vochtige, donkere ruimte. Een verstikkende ruimte die eruitziet als een tuin. Vanaf het plafond hangen gordijnen van bladeren en overal moet je over wortels heen stappen. Een tapijt van echt gras bedekt de hele vloer. Langs de wanden staan orchideeën in verschillende kleuren en vreemde, buisvormige planten. Op een plaat van leisteen, steunend op twee ruwe lavastenen, staan een stuk of twaalf reusachtige planten met

glanzende, vlezige bladeren. En er is ook een vrouw, gekleed in een zijden tuniek.

De eigenares van die plantaardige nachtmerrie is kolossaal, ze heeft een misvormde nek waarin tussen de plooien een ketting van grijze parels verstopt zit. Haar vochtige, wijd opengesperde ogen lijken weg te zakken in haar wangen. Haar vuurrode mond hangt omlaag. Over haar blote armen hangt een weke huid die bij elke beweging wiebelt als een drilpudding. Ze bestaat uit allemaal huidlagen boven op elkaar.

Ze laat net een grote termiet in een van de buisvormige planten vallen. Zodra de plant het insect heeft ontvangen, wordt de opening van de buis afgesloten met een groen dekseltje.

'Hopla!' roept de vrouw vergenoegd. Dan, als ze Harvey opmerkt, begroet ze hem in vreselijk aanstellerig Engels: 'Bij Diana! Eindelijk is daar meneer Miller junior. Meneer Miller junior.'

Harvey heeft tijdens de vijfendertig kilometer van de luchthaven naar hier alleen maar geprobeerd te communiceren met de jongen met het zwarte vlinderdasje, die nu achter hem staat. En waarom? Om bij deze oude walvis terecht te komen?

Wie deze mensen ook mogen zijn, ze begaan een grote vergissing, denkt hij. 'Leuke kamer,' zegt hij grinnikend.

De vrouw gebaart met haar hand, en de jongen met het zwarte vlinderdasje verdwijnt ogenblikkelijk, alsof hij is verzwolgen door de vloer van gras en de klimop tegen de muren.

'Echt waar? Vind je hem mooi?' kwettert de vrouw, ook al klinkt haar stem een beetje schor. 'En dan te bedenken dat je nog niets hebt gezien. Dat je nog niets hebt gezien.'

Vanuit zijn ooghoek ziet Harvey iets bewegen tussen het gebladerte en het gras. Hij schrikt. Zitten daar ergens beesten?

De vrouw loopt met ruisende tuniek achter de leistenen plank langs.

'Het vergt heel wat inspanning om dit kleine tropische paradijs midden in Parijs te onderhouden...' vervolgt ze. 'En ik moet zeggen dat je gelijk hebt. Je hebt gelijk. Het is een leuke kamer. Heel leuk. Maar...'

'U weet wie ik ben,' valt Harvey haar onbeleefd in de rede. 'Maar ik heb geen idee wie u bent. En ik weet ook niet waarom ik... waarom ik...'

'... verdorie. Zeg het maar gerust: waarom ik verdorie... wat?' spoort de vrouw hem aan.

'Waarom ik verdorie hierheen ben gebracht!' valt Harvey uit.

Ze spreidt haar armen. 'Zodat je met je eigen ogen *La Maison Secrète* van Mademoiselle Cybel kon aanschouwen! *La Maison Secrète* van Mademoiselle Cybel!' roept ze twee keer uit, en ze laat haar dubbele onderkin deinen op een blubberig lachje. 'Je moest eens weten hoeveel mensen me hebben gesmeekt om mijn geheime rijk te mogen zien... Je moest eens weten hoeveel. Ze zouden alles doen om mijn collectie *Nepenthes albomarginata* te kunnen aanschouwen...' En ze wijst op de buisvormige vleesetende planten die zich met termieten voeden. 'Of die lieve, schattige zonnedauw van me... die lieve, schattige zonnedauw.' Ze strooit een regen van mieren uit over de reusachtige planten op de plank. De kleverige bladeren trekken zich samen, waardoor de insecten blijven plakken terwijl ze in hun gevangenschap tevergeefs hun pootjes proberen te bewegen.

Harvey kijkt de andere kant op, maar hij verstijft als hij een vuistgrote zwarte spin vlug onder het gebladerte ziet wegkruipen. Hij kijkt geschrokken naar zijn voeten, die half bedekt worden door het vochtige gras, en hij is blij dat hij zijn gymschoenen aan heeft.

'Luister, Mademoiselle... Cybel...' zucht Harvey. 'Ik ben echt blij dat ik uw groene kamer mocht bekijken, of hoe hij ook mag heten, maar nu wil ik als u het goed vindt...'

'Kleine kans dat ik het goed vind,' grinnikt de vrouw. 'Kleine kans dat ik het goed vind. Kleine kans, kleine kans.'

Ze bukt zich achter het glazen tafelblad met een geluid dat doet denken aan een nijlpaard in een modderpoel, en als ze weer opduikt houdt ze een witte muis aan het staartje vast.

'Waar zou Marcel zijn? Waar zou hij zijn?' vraagt ze zich af terwijl ze om zich heen kijkt. 'Ach, daar is hij!' roept ze met een blik van herkenning in haar grote vochtige ogen. 'Blijf alsjeblieft stilstaan, meneer Miller junior. Marcel zit vlak bij je voeten. Echt vlak bij je voeten.'

Harvey heeft geen idee wie of wat Marcel is, maar hij verandert op slag in een zoutpilaar. Mademoiselle Cybel gooit het muisje door de kamer en datgene waarvan Harvey dacht dat het een plantenwortel was, blijkt een slang te zijn, die zijn bek openspert, de muis opvangt en in het gras verdwijnt.

'Mijn jonge anaconda,' verklaart Mademoiselle Cybel met een akelige glimlach. En ze voegt eraan toe: 'Je ziet er bleekjes uit, meneer Miller junior. Heel bleekjes. Heb je een vermoeiende reis gehad? Heb je een hekel aan dieren?'

Harvey balt alleen maar zijn vuisten en probeert een manier

te verzinnen om daar weg te komen. De vrouw komt met ruisende zijde op hem af.

'Bij Diana! Dat is ook normaal, voor een stadsjongen. Wat weet jij van de wereld, behalve dan wat je in de krant leest of op tv ziet? Grappig. Heel grappig. Ook omdat...' Mademoiselle Cybel loopt vlak voor Harvey langs naar een deurtje dat half schuilgaat achter de klimop. 'Omdat ik degene ben die bepaalt wat er in de kranten en op tv komt!'

Ze grijpt de deurknop vast en kijkt om. 'Wil je meekomen, meneer Miller junior? Of blijf je liever bij Marcel? Die is jammer genoeg niet zo'n prater als hij aan het eten is.'

Harvey besluit met haar mee te gaan.

'Ik heb heel belangrijke dingen gehoord over jou. Heel belangrijke dingen,' zegt Mademoiselle Cybel in het nieuwe vertrek.

'Zoals?' Harvey heeft het idee dat de nieuwe kamer wat normaler is. De muren zijn wit, de tafel en de vloer zijn van glas.

'Zoals dat je heel dapper bent. Heel dapper.'

Mademoiselle Cybel gaat achter de werktafel zitten. Door een groot raam dat op het pleintje uitkijkt vallen ruitjes wit licht binnen. Aan de muren hangen duizenden kleine schermpjes met portretten van mensen op postzegelformaat, en een heleboel groene en rode lampjes.

Harvey zet één stap. Dan blijft hij ineens staan.

'Toe maar,' moedigt Mademoiselle Cybel hem van achter haar schrijftafel aan. 'Toe maar. Ze bijten niet. Het is gewoon een aquarium.'

Harvey schudt ongelovig zijn hoofd. Onder de glazen vloer zwemmen tientallen piranha's die tegen het glas aan bonken in een poging om in Harvey's voeten te bijten.

'U bent gek.'

'Kan zijn,' beaamt de vrouw. 'En wat zou dat?'

'Mijn vrienden komen me zoeken,' zegt Harvey, en hij dwingt zichzelf om zich niets aan te trekken van de krankzinnige dans van de vissen onder zijn voeten.

'Ben je daar zo zeker van? Parijs is Parijs! Als iemand hier wil verdwijnen, kost dat geen enkele moeite. Hoe noemen ze dat tegenwoordig ook alweer... privacy. En trouwens, wie zou je moeten komen zoeken? Je ouders uit New York? Je vrienden uit Rome?'

'Hoe kunt u...' roept Harvey.

Het kwabbelige gezicht van de vrouw wiebelt en haar ogen deinen heen en weer als kersen op slagroom. 'Ja, ja! Ga door! Ga dan door! Bij Diana! Hoe kunt u dat weten? Want dat was wat je wilde vragen, hè? Was dat het? Wel, dat is makkelijk. Ik heb het nieuws! Al het nieuws! Heb je je ooit afgevraagd hoe kranten worden gemaakt? En tv-uitzendingen? Wie degene is die... de feiten levert, de dingen waarover geschreven wordt?'

'De journalisten,' antwoordt Harvey.

'De journalisten! Pfff!' De vrouw kan haar lachen maar amper onderdrukken. Ze schuift een hand tussen de plooien van haar hals om de parelketting ertussenuit te trekken. 'Jij bent nog heel klein, jochie. Heel, heel klein.'

'Hoezo? Ik wil journalist worden.'

'Geweldig! Geweldig!' Mademoiselle Cybels handen klappen tegen elkaar als haaienvinnen. 'Misschien gaan we dan wel samenwerken! Je kunt niet zonder mij!'

Ze wijst op de duizenden minuscule schermpjes aan de

muren, de groene en rode lampjes, de teksten die voorbij glijden als een muurkrant.

'Ik... ik snap het niet,' stamelt Harvey.

'Hoe zou je dat moeten snappen? Dit zijn mijn hoogstpersoonlijke... feitenvangers!' Onder de vingers van de vrouw is het toetsenbord van een computer verschenen. 'Moet ik op zoek naar een Amerikaanse jongen genaamd Miller die aan boord is gegaan van een internationale vlucht van New York naar Parijs? *Tik tik.* Ik breng mijn hostessen op de hoogte met een sms. *Tak.* En zodra jij aan boord stapt van een of ander vliegtuig, *tik*, dan weet ik het. Moet ik een meisje van een jaar of veertien, vijftien zoeken, met zwarte krullen, dat vanuit Rome hierheen komt, waarschijnlijk in gezelschap van een Chinees vriendje? *Tik tik.* Hoe zal ze reizen? Met de auto? Sms naar mijn vrienden bij de tunnels van de Mont Blanc, Fréjus en de Grote Sint-Bernard. En voor de zekerheid ook nog eentje naar de dubbele grens van Ventimiglia. *Tik tak.* Maar stel dat ze de trein neemt? O, bij Diana! We sturen meteen een mededeling aan het personeel dat op de TGV werkt. Kunnen jullie even rondkijken wanneer je de kaartjes afstempelt? O, geweldig! Hé, daar komt het antwoord al! Rijtuig twaalf, ingestapt in Rome, meisje, Chineesje en volwassen man. Klaar is Kees!'

Mademoiselle Cybel gaat onverstoorbaar door, terwijl ze de groene en rode lampjes aan en uit doet: 'Wil je weten wat er in de wereld gebeurt? Vraag het aan de obers, conciërges, portiers, taxichauffeurs. Winkelmeisjes in modezaken. Hostessen. Huishoudelijk personeel. Treinconducteurs. Matrozen op cruiseschepen. Barmannen. Cafépianisten. Bewakers. Met een handjevol kleingeld kunnen ze stuk voor stuk hun karige, armzalige loon-

tje aanvullen met een mogelijke nieuwsprimeur. En wie heeft dat alles georganiseerd? Wie?' De vrouw buigt zich over het bureau heen, waardoor haar dubbele onderkin wiebelt als het slappe zeil van een galjoen. 'Mademoiselle Cybel en haar roddelnetwerk! Mademoiselle Cybel!'

Harvey kan zijn oren niet geloven. Een netwerk van volkomen onverdachte spionnen in het dagelijks leven. Een enorm, wijdvertakt netwerk, waaraan je niet kunt ontkomen. 'Maar dat is... monsterlijk.'

'Zo denkt niet iedereen erover. Niet iedereen,' antwoordt Mademoiselle Cybel terwijl ze haar lijf over de stoel heen laat vloeien. 'Wie zich tot mij wendt, oftewel de meeste mensen die op de hoogte willen worden gebracht van de roddels en willen weten wat er in de stad gebeurt... hebben veel waardering voor de efficiënte werkwijze van mijn feitenvangers.'

'En dat verklaart waarom ik hier ben.'

'Precies. Precies!' kweelt de vrouw.

'Wie heeft zich tot u gewend?'

'Dat is beroepsgeheim, Miller junior! Beroepsgeheim. Ook al denk ik dat jij dat best wel kunt raden.'

'Laat me raden. Een meneer zonder gezicht die in Shanghai woont.'

'Precies. Precies!'

'En wat willen jullie van mij?'

De broze hand van Mademoiselle Cybel doet een la open en dicht. 'Vijf tollen. Een houten kistje. En alles wat je nog meer hebt. Anders moet je me vertellen wie ze wel heeft. Elettra, Mistral, of dat Chinese vriendje van jullie, van wie ik niet weet hoe hij heet?'

'Genghis Khan,' grapt Harvey, blij dat het inschrijvingsregister van Hotel Domus Quintilia zo'n zooitje is en dat ze de afgelopen maanden zo voorzichtig zijn geweest. Kennelijk hebben zíj nog steeds geen idee wie Sheng is, en beschouwen ze Ermete niet als onderdeel van de groep.

'Heel grappig. Echt heel grappig!' kakelt Mademoiselle Cybel. 'Ik zal het doorgeven aan mijn opdrachtgever. Maar, meneer Miller junior, zou je nu zo vriendelijk willen zijn om je zakken leeg te maken? Mijn bediende heeft je bagage al uitgeplozen. En afgezien van die afschuwelijke witte badstof sokken van je heeft hij niet gevonden wat we zochten. Witte badstof sokken! En jullie Amerikanen willen de wereld overheersen?'

De houten tol, verstopt in de zak van zijn spijkerbroek, voelt ineens loodzwaar aan. 'Ook al zou ik iets hebben, waarom zou ik het dan aan jou geven?'

'Omdat je maar twee mogelijkheden hebt, meneer Miller junior. Maar twee mogelijkheden,' antwoordt Mademoiselle Cybel terwijl ze het blaadje terug in de la stopt. 'De eerste is meewerken en vervolgens genieten van de eerste zomerdagen in Parijs. In Parijs.'

'En de tweede?'

'De tweede is niet meewerken...' Mademoiselle Cybel stampt met haar voet op de vloer. 'En feestvieren met die tropische schatjes in mijn aquarium.'

Tak tak tak. De piranha's beuken tegen Harvey's schoenzolen aan.

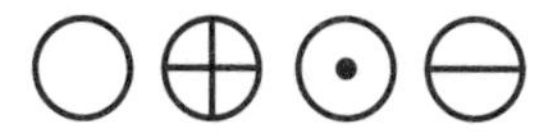

De stilte in Rue de l'Abreuvoir wordt verbroken door het schelle, indringende geluid van de telefoon. Mistral schrikt op. Ze lag op haar buik op bed te lezen, volkomen in beslag genomen door het geheime dierenboek. Ze draait een pirouette op het bed als een circusartieste en steekt haar slanke arm uit om de hoorn te grijpen. Er klinkt gekraak op de lijn. Het is Ermete.

'Wat geweldig!' roept het meisje met haar verrukkelijke Parijse accent. 'Jullie zijn aangekomen.'

Als ze de bezorgde stem van de ingenieur hoort, verdwijnt de glimlach echter algauw van haar gezicht.

Het gekraak van de telefoon doet pijn aan haar oren, als een krassend krijtje op een schoolbord. En terwijl Ermete haar vertelt wat er is gebeurd, wordt Mistral ineens getroffen door de herinnering aan Jacob Mahler, aan haar gevangenschap in dat huis in Rome en haar ontsnapping in de gele Mini van Beatrice.

'Waar ben je?' vraagt ze.

Mistral doet de oude kersenhouten kast open en haalt er een rok met rode, zwarte en witte stippen uit, waar ze snel haar lange benen doorheen steekt.

'O, verdorie. *Rue Galande*. Ja, die ken ik,' zegt ze. 'Het zal wel even duren voor ik er ben. Blijf alsjeblieft waar je bent! Nee, natuurlijk. Ik zeg het tegen niemand. Tot zo.'

Als hij het meisje naar buiten ziet komen rennen, laat Jacob Mahler even de krant zakken. Hij zit aan een tafeltje op een terras van waaruit hij haar in de gaten kan houden. Hij haalt de koptelefoon van zijn oren en noteert: *Rue Galande*. Dan bekijkt hij zijn plattegrondje van Parijs, legt de digitale recorder op tafel en schrijft het mobiele telefoonnummer op waarmee gebeld is.

Daarnaast schrijft hij een naam: Ermete.

Hij wenkt de ober.
'Een cassis,' bestelt hij kalm.
Voorlopig komen er geen telefoontjes meer.
En ook geen raar gekraak meer op de lijn.

'Hé!' roept Sheng terwijl de trein het moderne TGV-station van Turijn uit rijdt. 'Moet je hier kijken.'

Elettra's ogen vliegen over het sms-bericht dat op het mobieltje van haar vriend is binnengekomen.

'Slecht nieuws?' vraagt Fernando Melodia, bladerend in zijn blaadjes. Hij stopt zijn potlood achter zijn oor en, kijkend naar de ring van Alpen die boven de lelijke gebouwen in de buitenwijk uitsteekt, merkt hij peinzend op: 'De bergen... Ik zou een achtervolging over bergweggetjes kunnen doen. Misschien met motoren...'

De twee kinderen kijken onverstoorbaar als een sfinx.

'Ik heb niets gezegd,' begrijpt Fernando en hij verfrommelt het zoveelste blaadje. 'Geen achtervolging in de bergen.'

De trein raast onder spinnenwebben van elektriciteitskabels door. Elettra springt overeind. 'Wil je wat drinken?'

Sheng loopt achter haar aan de coupé uit. Ze gedragen zich allebei volkomen nonchalant, maar zodra ze buiten gehoorsafstand van Elettra's vader zijn...

'Ze hebben Harvey te pakken!'

'Dat betekent dat ze hem in de gaten hielden.'

'Hij had niet weg moeten gaan uit New York!'

'En dus hadden wij ook niet weg moeten gaan uit Rome...'

'En Mistral moet niet de deur uit gaan!'

'We zijn onvoorzichtig geweest.'

Elettra kan er niet over uit. 'We hadden het moeten weten. We hebben ons veel te voorspelbaar gedragen. Ze wisten dat we elkaar rond deze tijd zouden terugzien.'

'Hoezo dan?'

'Het is 19 juni.'

'Wat is daarmee?'

De deur van de restauratiewagon gaat open en dicht. Er staan allemaal tafeltjes op een rij, en er is een kleine toonbank, waarachter een serveerster haar best doet om haar evenwicht te bewaren. Door de raampjes zijn de eerste berghellingen te zien.

'Denk na, Sheng,' vervolgt Elettra. 'We hebben elkaar leren kennen in Rome vlak voor oud en nieuw. Toen zagen we elkaar eind maart terug in New York.'

'21 maart, het begin van de lente.'

'Precies. En nu duurt het nog maar twee dagen voor de zomer begint.'

'En dus?'

Elettra zou het liefst met haar vuist op de toonbank slaan. 'En dus moet deze vervloekte trein ons zo snel mogelijk naar Parijs brengen! Zo snel mogelijk! O, waarom zijn we niet met het vliegtuig gegaan?'

'Omdat jouw vader...'

'Ik weet het. Maar het idee dat Harvey...' Elettra voelt haar vingers tintelen van de energie. 'Denk je dat ze hem kwaad zullen doen?'

'Ze willen ons niet... kwaad doen.'

'Wat willen ze dan wel?'

'Dat weet je best. De dingen die de professor ons heeft gegeven. En de dingen die we zelf hebben gevonden.'

De energie in Elettra's vingers wordt nog heviger. 'Zíj kennen ons. Net zoals de professor ons kende.' Ze legt haar hand op de toonbank. Er slaat een vlam uit de koffiemachine en de serveerster slaakt een verschrikte kreet.

Ze staan elkaar alledrie doodstil aan te kijken. Dan haalt Elettra langzaam haar hand van de toonbank.

'Twee sinas,' bestelt Sheng met een glimlach.

7
Het gif

'Alsjeblieft, help me,' fluistert Ermete tegen Mistral zodra zij zich bij hem voegt op het pleintje in het Quartier Latin. 'Ik kan niet meer.'

Hij reikt haar een papieren tuit aan waar een gigantische lamskebab uit puilt vol met sla, ui, komkommer, stukjes tomaat, yoghurt en pittige saus.

'Dit is al de derde die ik van ze moet eten,' legt hij uit. 'En ik durf niet te protesteren.'

Mistral werpt een blik op de brasserie, die een geur van ui en gebakken vlees verspreidt waar zelfs een mummie nog van wakker zou worden.

Als hij de kebab aan het meisje heeft gegeven, wijst Ermete haar op het restaurant aan de overkant van het pleintje. 'Harvey is nog steeds daar binnen,' zegt hij. 'Er is niemand naar binnen gegaan of naar buiten gekomen.'

'En wat is... daar?'

De Romeinse ingenieur wijst naar de brasserie. 'Ik heb geprobeerd te vragen of zij er iets van weten.'

'En...?'

'Ze antwoordden met de vraag of ik Materazzi kende.'

'Dat snap ik niet.'

'Dat is een Italiaanse voetballer. En volgens mij was dat een vriendelijke manier om me duidelijk te maken dat ze helemaal geen zin hebben om met mij te praten.'

'Aardig...' merkt Mistral op.

Ermete vertelt haar alles wat hij heeft gezien. Dan gebaart hij naar het restaurant en vraagt: 'Ken jij het niet?'

'Ik woon helemaal aan de andere kant van de stad.'

'O ja,' zegt Ermete. 'Natuurlijk.'

Zijn mobiel rinkelt en trilt tegelijk. Het is een Frans nummer.

'Dat zullen die lui van het vliegveld wel zijn...' verklaart hij terwijl hij opneemt. 'Ze willen vast mijn toestemming om mijn koffers aan het goede doel te schenken. Ja, hallo?' Dan houdt hij zijn hand voor de hoorn en kijkt Mistral aan. 'Ze vragen of ik Frans spreek.'

'En spreek je Frans?'

'Nee!'

'Geef dan maar aan mij. Met wie spreek ik?'

Het is de ruzieachtige stem van een vrouw. 'Horen mijn oren dat goed? De stem van een lief meisje? Van een lief meisje? Ben jij soms Mistral?'

'Met wie spreek ik?' antwoordt het meisje terwijl ze opstaat. 'Hoe kent u mijn naam?'

'Bij Diana, kleine Parisienne! En die van net, wie was dat? Dat Chinese vriendje van je? Ach nee... dat kan niet, die moet nu nog in de trein zitten.'

'Mag ik misschien weten met wie ik spreek?' schreeuwt Mistral bijna, terwijl ze zenuwachtig heen en weer begint te lopen.

Ermete springt achter haar aan, grijpt haar bij de schouders en probeert haar weg te leiden van het restaurant.

'Met wie je spreekt is voor jou niet interessant, kleine Parisienne,' vervolgt de honingzoete stem van Mademoiselle Cybel. 'Ik denk dat jij wel weet dat je vriend Harvey Miller hier bij mij is. En dat hij het hier totaal niet naar zijn zin heeft.'

'Laat hem direct gaan!'

'Goed zo, bij Diana! Goed zo! Dat is precies wat we van plan zijn. Maar daarvoor moeten we zien te vinden wat we zoeken. Je weet wel wat ik bedoel.'

'Nee, dat weet ik niet. Zeg jij het maar.'

'Zoals je wilt. We hebben nog vier houten tollen nodig, een kist, of houten kaart, en een aantal oude voorwerpen die jullie her en der hebben opgepikt. Heb ik nog iets overgeslagen?'

Mistral seint wanhopig naar Ermete: 'Ze weten alles!'

De ingenieur gebaart dat ze tijd moet rekken.

'We hebben die dingen helemaal niet,' verklaart Mistral.

'Volgens mij hebben jullie ze wel. Harvey in ruil voor een paar frutsels. Wat zeg je daarvan? We zien elkaar over een uur en dan ronden we dit zaakje af.'

Mistral houdt haar hand voor de telefoon en vertelt het voorstel aan Ermete, die fluistert: 'Op een plek waar heel veel mensen zijn.'

'Op de Eiffeltoren,' oppert Mistral. 'Op de negenhonderdnegenennegentigste tree.'

'Dat is goed,' antwoordt Mademoiselle Cybel. 'Over een uur.'

'We zullen er zijn.'

Het gesprek wordt beëindigd.

'Ze weten alles,' zegt Mistral. 'En deze keer hebben we geen keus. Ze weten echt elk detail; ook dat Elettra en Sheng in de trein zitten.'

'We moeten ze waarschuwen!' besluit Ermete, terwijl hij zijn mobieltje weer pakt. Dan slaat hij bemoedigend zijn arm om Mistral heen en wijst op de nep krokodillenleren tas die hij op zijn rug heeft. 'Nog niet alles is verloren. We hebben ze nog niets gegeven.'

'Als je het niet erg vindt, jongeheer Miller junior, wil ik graag dat je mij je woord geeft dat je niet zult weglopen,' beveelt Mademoiselle Cybel aan Harvey, nadat ze hem heeft teruggebracht naar de groene kamer.

De jongen heft zijn hand op. 'U hebt mijn belofte als scout.'

'Bij Diana, nee! Ik heb een hekel aan scouts! Met die lelijke kniebroeken en die zakdoek om hun hals. Ik heb een hekel aan scouts! Aan die belofte van jou heb ik dus ook niets.'

'Ga ik dan niet met u mee naar de Eiffeltoren? Voor de uitwisseling?' waagt Harvey, die het telefoontje van Mademoiselle Cybel met Mistral heeft gevolgd.

'O nee, ik dacht het niet! En als het dan onverhoopt mis zou gaan? Jij kunt beter hier blijven wachten. Hier blijven wachten.

Het duurt maar een paar uurtjes, dat zul je zien.'

Mademoiselle Cybel geeft hem de telefoon aan. 'Maar eerst moet je naar huis bellen om te zeggen dat alles goed is.'

'Nooit.'

'Ik heb je stem op een bandje. Ik kan het ook in jouw plaats doen, als je wilt. Dit is het nummer toch?'

Harvey kijkt wanhopig naar de hemel en pakt de telefoon aan. Hij krijgt het antwoordapparaat eraan en spreekt een heel beknopt bericht in.

'Goed zo, Miller junior. Heel goed. Je kunt wel merken dat je een intelligente jongen bent. En nu, gewoon om er zeker van te zijn dat je geen gekke dingen zult doen...'

Met onverwachte snelheid grijpt Mademoiselle Cybel iets zwarts van de bladeren waarmee de kamer is behangen en zegt het op Harvey's pols. De jongen heeft niet eens de tijd om zijn arm terug te trekken. Hij ziet de spin, hij voelt het gekriebel van een beet en het is al voorbij.

'Au!' schreeuwt hij meer van de schrik dan van de pijn. 'Hij heeft me gebeten!'

De oude vrouw schikt de schoudervullingen van haar zijden tuniek. 'Inderdaad. Hij heeft je gebeten.' Er verschijnt een doorzichtig flesje tussen haar grimmige vingers. 'En dit is het tegengif.'

Harvey wil het grijpen, maar opnieuw toont de vrouw zich veel sneller dan je zou vermoeden. 'Een goede raad...' voegt ze eraan toe. 'Een goede raad van een vriendin. Hoe meer je je beweegt, hoe meer het gif door je bloedbaan verspreid wordt. En hoe minder tijd je te leven hebt.'

'Heks!' schreeuwt Harvey, maar hij blijft op slag staan.

'Precies.' Mademoiselle Cybel schuifelt over het gras naar de deur. 'Eindelijk heb je het door. Blijf braaf hier, dan zal je niets overkomen. Als de uitwisseling op de Eiffeltoren goed verloopt, kom ik terug met het tegengif. Dan kom ik terug en dan ben jij vrij. Maar als het niet goed verloopt...'

Ze laat het flesje tussen haar vingers glinsteren.

Harvey staart machteloos naar haar vanuit het midden van de groene kamer. 'Dit is nog niet afgelopen!'

'Hoe zou het dan moeten aflopen, als ik vragen mag? Hoe zou het dan moeten aflopen?' vraagt Mademoiselle Cybel terwijl ze weg schuifelt. 'Als je je verveelt, mag je de planten te eten geven. De insecten vind je achter de plank. Maar wel langzaam, hè? Heel langzaam.'

8
De plot

Door het raampje worden de bergen steeds hoger. De TGV zoeft langs het enorme fort van Exilles, dat ineengehurkt over de vallei waakt als een gigantische stenen mammoet, en schiet dan weg in een eindeloze reeks tunnels.

Elettra en Sheng kijken naar buiten, controleren hun mobieltje, schudden hun hoofd.

'Ze doen de uitwisseling op de Eiffeltoren,' zegt Sheng als hij het laatste sms'je van Mistral leest.

'Wanneer?'

'Over een uur.' Sheng kijkt op zijn horloge.

'Dit is zenuwslopend!'

'Wij doen er nog minstens zes uur over.'

Elettra stampt op de vloer. 'Dit is de laatste keer dat ik met de trein ga. De allerlaatste keer. Verdorie. Harvey is ontvoerd en ik... wij... kunnen niets doen!'

Ze wappert machteloos met haar handen door de lucht.

'Mistral schrijft dat de vrouw die ze aan de telefoon had, wist dat wij per trein onderweg zijn.'

Er valt een lichtstraal door het raampje, en er klinkt het geluid van een klapperend gordijn in de wind. Dan wordt de trein opgeslokt door de volgende tunnel.

'Hoe is het mogelijk?' vraagt Elettra zachtjes terwijl ze om zich heen kijkt in de restauratiewagon, waarin de elektrische verlichting is ontstoken.

'Ik weet het niet. We hebben onze kaartjes contant betaald. Niet gepind, niet met creditcard. En we hebben er het met niemand over gehad aan de telefoon.'

'Behalve met Mistral.'

'Misschien worden haar telefoontjes afgeluisterd.'

'Of er is iemand die ons verraadt.'

'Die wat verraadt? En wie dan?'

'Hoe moet ik dat weten?'

'Misschien jouw tante Irene,' suggereert Sheng. 'Of je vader. Behalve wij zijn zij de enige twee mensen die wisten dat we op reis gingen.'

'Of misschien is het Ermete.'

'Dan kan ik net zo goed zeggen dat jij het bent.'

'Hou toch op!'

Elettra bijt op haar lip. De restauratiewagon is half leeg en het lijkt alsof de serveerster hen in de gaten houdt.

'Wat staat dat mens daar toch te staren?' fluistert Elettra.

'Hao! Ze kijkt naar mij.'

'Maar waarom?'

'Mijn oosterse aantrekkingskracht?' grapt Sheng terwijl hij zijn enorme witte tanden bloot lacht.

'Misschien moet ze op ons letten.' Elettra begraaft haar handen in haar haren en besluit: 'Het eerste wat ik doe als ik uit deze trein stap is mijn haar blond verven.'

'En wat moet ik dan doen? Een permanentje nemen?'

Ondanks de spanning barst Elettra in lachen uit bij de gedachte aan Sheng met een hoofd vol springerige krullen.

De trein verlaat de tunnel en begint af te remmen. Door de luidspreker klinkt een stem die aankondigt dat ze het station van Oulx naderen. De volgende halte is Bardonecchia, en dan komt de tunnel door de Fréjus-berg. Als ze daar uit komen, zijn ze in Frankrijk.

'Deze trein is niet veilig,' besluit Elettra strijdlustig.

'Wat wil je doen?'

'Kom mee.'

'Hoezo?'

'Ik weet het nog niet. Maar ik ben aan het nadenken.'

Ze keren terug naar hun coupé. Fernando zit een paar boeken te lezen en onderstreept hier en daar een passage. Als hij hen ziet terugkomen, voelt hij zich duidelijk betrapt. Snel verstopt hij de boeken onder een berg paperassen. 'Ha jongens, jullie zijn het...'

'Wat zit je te lezen?' vraagt Elettra argwanend.

'O, niets, niets belangrijks.'

De trein stopt op het kleine stationnetje van Oulx. Er zijn twee perrons, omringd door beboste bergen.

Elettra gluurt onder de paperassen van haar vader. Het eerste

boek is *De Da Vinci Code*, de koning van alle detectives. Het tweede is *Het geheim van Loch Ness*.

'Ik wil alleen maar wat ideeën opdoen...' zegt Fernando schouderophalend.

Er zijn wat mensen die instappen, koffers die worden verschoven, mensen die hardop hun reserveringsnummer oplezen. Dan vertrekt de trein weer.

'Hoor eens, papa,' zegt Elettra als de deuren van de TGV kreunend dichtgaan en de reis verder gaat naar Bardonecchia. 'Ik heb een idee gekregen voor het eerste deel van jouw roman. Moet je horen: vier hoofdpersonen. Uit vier verschillende steden ter wereld.'

Fernando steekt zijn potlood in zijn mondhoek. 'Ga door.'

'Ze ontmoeten elkaar, om de een of andere geheimzinnige reden die hen zelf ook niet duidelijk is, op een stormachtige avond... laten we zeggen... in Rome?'

'Uitstekend, ja. Die stad ken ik. En dan?'

'Het viertal... steekt een brug over... bijvoorbeeld de brug naar het Tibereiland...' Onder het praten maakt Elettra haar koffer open en haalt er een doek uit waarin de Ring van Vuur gewikkeld zit, een kleine, eeuwenoude spiegel, die ze achteloos aan Sheng geeft zodat hij hem in zijn onafscheidelijke rugzak kan stoppen. 'En terwijl ze de brug oversteken... komen ze een oude professor tegen die een beetje gek is, en die hun een koffertje geeft en hen smeekt om het alleen die nacht voor hem te bewaren.'

'Geweldig,' mompelt Fernando terwijl hij zijn potlood ronddraait in zijn vingers.

'Maar de volgende dag...' vervolgt Elettra, terwijl ze Sheng ook de tol geeft.

'De volgende dag...' vult Fernando aan, 'komt de professor het koffertje ophalen en dan maakt hij zich uit de voeten!'

Met andere woorden: hoe verpest je een plot?

'Dat is een geweldig begin,' beaamt Fernando. 'En mijn tweede deel zou er trouwens prima op kunnen aansluiten.'

Vervolgens stort Elettra's vader zich op zijn paperassen in een koortsachtige poging om zijn gedachten op een rijtje te zetten.

Elettra gebaart dat Sheng haar moet volgen uit de coupé, en wijst op zijn rugzak. De Chinese jongen fronst zijn wenkbrauwen, heel even maar.

'Papa, luister, wij gaan eruit.'

'Ja, ja. Ga maar.'

Elettra doet voldaan de deur achter zich dicht.

'We hebben het tegen hem gezegd.'

'Wat hebben we tegen hem gezegd?'

'Dat we eruit gaan.'

De trein begint weer af te remmen.

'Bedoel je... dat we uit de trein gaan?'

'Precies. Al moet ik hem met mijn blote handen tegenhouden.'

'Hoe dan?'

'Weet je hoe treinen werken?'

'Nee.'

Elettra steekt haar handen op, die zinderen van de energie. 'Ze rijden op elektriciteit.'

9
De deur

Harvey heeft de gave om planten te laten groeien en naar de stem van de aarde te luisteren. Maar daar in de groene kamer is geen aarde. Het is een laagje potgrond dat net dik genoeg is om het gras op de vloer te laten groeien. De klimplanten langs de wanden zijn geworteld in grote potten die in de hoeken van de kamer verstopt staan.

Het vertrek is niets anders dan een kunstmatige broeikas die is gebouwd om zeldzame dieren te herbergen.

Harvey's arm jeukt vreselijk, maar hij weigert eraan te krabben. Rondom de beet van de spin heeft zich een kleine rode bloeduitstorting gevormd.

Ook al beweegt hij zich heel langzaam om het gif niet door zijn bloed te laten stromen, hij kan maar aan één ding denken: hij moet hier weg zien te komen.

Het enige raam waardoor de kamer licht krijgt, heeft extra dik glas, want het zou natuurlijk geen goed idee zijn om Marcel naar de buren te laten ontsnappen. En Harvey heeft aan één blik naar buiten genoeg om te begrijpen dat hij op de bovenste van de drie verdiepingen boven het restaurant zit.

'Niet krabben, Harvey...' houdt hij zich voor. 'Niet krabben.'

Er beweegt iets tussen het gras. Misschien is het Marcel. Misschien een andere slang. Een spin. Of een kruipende vleesetende plant. De planten, daar wil Harvey nou juist invloed op uitoefenen. Als hij ze sneller zou kunnen laten groeien, zouden hun wortels misschien de muren kunnen laten barsten zodat hij kan ontsnappen.

Hij weet niet goed hoe hij het anders zou moeten aanpakken, dus pakt Harvey de dikste ranken en takken en klemt zijn vingers eromheen.

'Groei maar, schatjes...' mompelt hij en hij sluit zijn ogen in een poging om zijn gave te gebruiken. 'Groei maar en breek alles kapot.'

Hoezeer hij zich ook concentreert, er gebeurt niets. Harvey wil het net opgeven als hij achter een van de muren een geluid hoort. Tegelijkertijd klinkt er lawaai op straat: een claxon, en iemand die schreeuwt.

Harvey laat de klimplanten voor wat ze zijn. Het geluid klinkt nu nog luider. Er komt iemand aan rennen.

Dan roept een vrouwenstem: 'Harvey? Harvey Miller?'

'Hier ben ik!' schreeuwt de jongen en hij loopt naar de muur waarachter de stem klonk. Hij legt zijn oor ertegenaan en hoort opnieuw rennende voetstappen.

'Zeg iets! Blijf praten? Waar is hier?' vraagt de stem weer.

'Hier!' herhaalt Harvey en hij bonkt met zijn vuisten op de muur.

De voetstappen komen dichterbij. De stem ook. 'Hierachter?' klinkt het een paar centimeter van Harvey's oor af.

'Ja! Ja! Hier ben ik!'

De jongen hoort dat er op de deur gebonsd wordt.

'Verdorie,' moppert de vrouw. 'Er moet een ingang zijn. Maar hoe gaat hij open? Wat is er aan die kant?'

'Een kamer die helemaal begroeid is met planten!' schreeuwt Harvey. 'Er zijn ook slangen. En spinnen. Giftige spinnen!'

Achter de muur klinken verwarde bewegingen. Kloppende geluiden. Zoekende handen.

'Ik vind de deur niet!'

'Alstublieft! Haal me hieruit!'

'Ik doe mijn best, Miller. Ik doe mijn best! Zie jij niets dat een sleutelgat zou kunnen zijn?'

Harvey ziet het. Een piepklein sleutelgat.

'Ja!' schreeuwt hij. 'Er is hier een gaatje!'

'Waar?'

De jongen zet een paar stappen achteruit, breekt een takje van een klimplant, bukt zich voor het slot en steekt het takje erdoorheen. Het botst nergens tegenaan.

'Ziet u het?' vraagt hij.

Zonder erbij na te denken krabt hij aan de spinnenbeet.

'Hebbes!' roept de vrouw aan de andere kant.

In een paar tellen is het gebeurd. Dan gaat het stuk muur met een *klik* open.

Harvey deinst naar achteren. Aan de andere kant staat een vrouw van middelbare leeftijd, met een glanzend zwart, kort-

geknipt pagekapsel. Een prachtige vrouw van middelbare leeftijd.

'Harvey Miller?' vraagt ze terwijl ze achterom kijkt.

'Ja.'

'We hebben niet veel tijd om kennis te maken,' verklaart ze terwijl ze haar hand uitsteekt. 'Ik ben Zoë. De vriendin van je vader. We moeten hier vlug wegwezen.'

'Ik kan niet mee,' antwoordt Harvey terwijl hij zijn rode arm laat zien. 'Ik ben door een spin gebeten en ik heb het tegengif nodig.'

'Wat voor spin was het? Zwart? Harig? Ongeveer zó groot?'

'Precies.'

'En jeukt het?'

'Heel erg.'

De vrouw grijpt zijn hand vast. 'Mooi zo.'

'Wat doet u nu?'

'Je bent gebeten door een Lycosa tarantula. Die is minder giftig dan een horzel,' zegt Zoë. 'Maar hij ziet er wel veel enger uit.'

10
De Eiffeltoren

'Achthonderdtwee, achthonderddrie, achthonderdvier, achthonderdvijf...' puft Ermete terwijl ze de eindeloze treden van de Eiffeltoren beklimmen om op de ontmoetingsplek te komen. Hij leunt tegen een ijzeren balustrade, ziet hoe hoog ze al zijn en trekt zich geschrokken terug. 'Mamma mia! Waarom moest je nu uitgerekend de negenhonderdnegenennegentigste tree kiezen?'

Mistrals rok met zwarte, witte en rode stippen wappert in de windvlaag die haar haren voor haar ogen waait, zodat haar kapsel twee halvemaantjes vormt.

'Hadden we niet bij de lift kunnen afspreken?' hijgt Ermete weer, wijzend op het gele hokje met vier raampjes dat onder hen op de verdieping van het restaurant stilstaat. 'Of anders met de lift omhoog gaan en dan met de trap omlaag?'

'Het spijt me,' zegt Mistral. 'Ik had geen tijd om na te denken. Ik riep gewoon het eerste wat in me opkwam. Als je wilt gaan we terug.'

Ermete legt zijn handen op de bloedhete, zwarte verf van de toren en kijkt wanhopig naar de tweehonderd treden die hij nog te gaan heeft.

'We gaan verder,' beslist hij, en hij legt zijn hand bijna eerbiedig op een van de anderhalf miljoen spijkers waarmee de Eiffeltoren is gebouwd. 'Tienduizend ton staal, en toch lijkt hij bijna doorzichtig.'

Rondom Ermete en Mistral flitsen helderwitte lichtstralen door de netvormige structuur van de toren die een schaduw van die stalen mazen op de omliggende plantsoenen werpen.

'Vroeger...' zegt Ermete, 'werden belangrijke gebouwen neergezet op uitzonderlijk ontvankelijke plekken van de aarde. Plekken beladen met energie.'

'Zoals die plekken waar Harvey... stemmen hoort?'

'Precies.'

Terwijl ze praten wordt een van de grote stalen kabels van de hydraulische lift met een kreun aangespannen, om aan te geven dat een van de cabines op het punt staat om op te stijgen.

'Er lopen allemaal energielijnen door de Aarde die elkaar kruisen. En op het kruispunt van de grootste lijnen stichtte men een stad. Daar vestigde men zich om te kunnen profiteren van die energie.'

'Je broekzak knippert,' laat Mistral hem weten.

Ermete stopt met praten en haalt het telefoontje tevoorschijn. Hij neemt op: 'Hallo? Harvey? HARVEY? Ben jij het echt? Waar zit je? Ben je ontsnapt? Geweldig, jongen! Natuurlijk! Maar dat is fantastisch! Ja. Zeker. Nee, nee, nee. We zijn

nog niet bij de ontmoetingsplek. We gaan ervandoor. Hoezo niet? We dalen die verdomde treden weer af en we smeren 'm. Net op tijd, zou ik zeggen! Ja! Tot straks. Fantastisch!'

'Geweldig!' roept hij terwijl hij de telefoon weer in zijn zak stopt. 'Harvey heeft weten te ontsnappen! Wegwezen!'

Onder hen begint de gele lift langzaam op te stijgen.

'Waar gaan we heen?' vraagt Mistral terwijl haar zilveren sandaaltjes op de treden klepperen.

'Weg van hier!'

'We kunnen naar mijn huis gaan,' stelt het meisje voor.

'En we kunnen mijn koffers ophalen!'

Als ze op gelijke hoogte komen met de gele liftcabine blijven ze staan en grijpen zich aan de leuning vast. Zwijgend wachten ze tot de lift voorbij is met zijn lading aan toeristen. Door de ronde raampjes zien Ermete en Mistral al die fotocamera's aan halzen hangen, al die zonnebrillen, al die verbrande armen.

'O nee...' kreunt Mistral.

'Wat? Wat is er?' vraagt Ermete.

Hij ziet dat het meisje naar een van de ronde raampjes staart, maar dan is het moment al voorbij.

Mistral gaat op de trap zitten.

'Wie heb je gezien?'

'Dit kan niet...'

'Wat?'

Mistral heeft het gevoel dat de hele toren wankelt als een kaartenhuis.

'Ik heb Jacob Mahler gezien,' fluistert ze.

'Waar? In die lift?'

'Ja.'

'Dan is hij dus niet dood; hij is ons weer op het spoor,' barst Ermete uit. Hij grijpt Mistral vast en dwingt haar de trap af te dalen. 'Maar hij mag niet met ons meespelen.'

De gele lift gaat omhoog, en Mistral heeft het gevoel alsof haar hoofd een ballon vol water is.

'Ik zeg je dat hij dood was,' mompelt ze. 'Beatrice heeft hem neergeschoten in Rome. Ik heb het zelf gezien,' houdt Mistral vol. 'Beatrice heeft de politie gebeld, en toen is het hele huis... afgebrand. Hij kan niet hier zijn. Dat is onmogelijk.'

Ze heeft het koud. Ze voelt een ijselijke kou, die noch de junizon, noch de roerloze lucht van de stad kunnen verdrijven.

En het gekrijs van de vogels doet denken aan knarsende kettingen die moeizaam worden voortgesleept door de lucht.

'Hao! Wat een geweldig idee!' sneert Sheng als ook de laatste wagon van de TGV over de bocht van het spoor is verdwenen. 'En wat wou je nu doen?'

Elettra draait zich snel om en loopt het stationnetje van Bardonecchia door. Eenmaal buiten kijkt ze om zich heen. Een steile, kaarsrechte weg voert naar het centrum van het mooie stadje tussen de bergen.

'*Via Medail*,' leest Elettra.

'De Medaillestraat, betekent dat! Ze zouden jou een medaille moeten geven voor je geweldige idee!' moppert Sheng door. 'Wat moet je vader niet denken als hij merkt dat we uit de trein zijn gestapt?'

'Dat merkt hij pas in Parijs,' antwoordt Elettra. 'En dat bete-

kent dat we nog zes uur de tijd hebben voor de hel losbreekt.' Ze ziet een klein cafeetje met een houten pergola en de aankondiging van een jeu de boules-toernooi. 'Laten we even wat eten in Café Medail.'

'Welja! Hallo, meneer Melodia? We wilden u even laten weten dat we in Bardonecchia zijn uitgestapt om een ijsje te eten! Tot morgen!'

Elettra stuift op. 'Is het nu afgelopen? Als je het geen goed idee vond, had dat dan gezegd!'

'Doe eens rustig, straks laat je nog alle televisies binnen een straal van een kilometer ontploffen,' zegt Sheng. 'En trouwens, ik roep al een kwartier dat we dit niet moeten doen. Maar luisteren, ho maar!' Hij kijkt zijn vriendin recht aan. 'Ik ben alleen maar uitgestapt omdat ik jou niet alleen wilde laten. En daar zou je me dankbaar voor moeten zijn!'

Sheng heeft gelijk, denkt Elettra. Ze kent zichzelf goed genoeg om te weten dat zij zich door niemand iets uit haar hoofd laat praten als ze eenmaal iets van plan is. Ze sluit zich gewoon voor de hele wereld af tot ze haar doel heeft bereikt.

'Ik heb het warm,' zegt ze terwijl ze naar binnen gaat bij het café met de pergola.

'Ik wacht hier op je,' mompelt Sheng. 'Roep me maar als je de diepvries hebt laten ontploffen.'

'Waarom doe je toch zo dom?'

'Misschien omdat die *intelligente* vriendin van mij me net heeft laten uitstappen in een bergdorpje op honderden kilometers afstand van Parijs?'

'In die trein zaten allemaal mensen die je wilden ontvoeren!' helpt Elettra hem herinneren.

'Dat valt nog maar te bezien.'

'Hoe dan ook, we moeten iets eten.'

'Laten we hopen dat de eigenares van het café ons niet raar aankijkt...' moppert Sheng. 'Anders zie je haar ook nog voor een ontvoerder aan.'

Elettra blijft in de deuropening staan. 'Weet je, Sheng, je bent zo aardig, zal ik je eens wat zeggen?'

'Wat wil je zeggen?'

'Ga jij maar iets bestellen binnen.'

'En wat doe jij dan intussen? Een raket naar Parijs huren?'

'Ik zal je verrassen.'

'Alsjeblieft niet!' Sheng snuift nog een keer, maar dan wint zijn goedmoedigheid het: 'Wat zal ik voor jou meenemen?'

'Wat je maar wilt,' antwoordt Elettra terwijl ze hem een tikje op zijn wang geeft.

'Je hoeft me niet te knuffelen. Bewaar dat maar voor Harvey.'

Tien minuten later komt Sheng met een brede glimlach aanlopen.

'Pak aan,' roept hij terwijl hij Elettra een gigantisch broodje aanreikt. 'Heb je iets bedacht?'

'Ja,' antwoordt het meisje, en ze wijst naar de overkant van de weg. 'Vandaag is het marktdag en er zijn heel veel Franse kooplui. Het moet niet moeilijk zijn om een lift te krijgen.'

'Een lift? Waar naartoe?'

'Tot waar ze ons brengen. En daar zoeken we dan een nieuwe lift.'

Sheng trekt een gezicht alsof hij de mummie van Toetanchamon uit zijn sarcofaag ziet komen. 'Jij bent gek.'

'Geloof me maar. Het werkt. Wat heb je voor mij genomen?'

'Hetzelfde als ik heb.'

Elettra staart argwanend naar het stomende broodje van Sheng en het papier waarin het gewikkeld is.

'En dat is?'

'Een broodje met brie, rucola, frietjes en pikante salami.'

'En dan durf je te beweren dat ík gek ben?'

Sheng pakt het broodje terug. 'Wou je er ook ketchup op?'

De markt van Bardonecchia wordt gehouden op een klein pleintje in de zon. En het is praktisch afgelopen; de verschillende kooplui zijn bezig de kraampjes in hun vrachtwagens te laden en de onverkochte waren weer in te pakken.

'Een lift? Ach, waarom niet?' roept een van de eerste handelaren tot wie ze zich wenden, half nors, half geamuseerd. 'Maar waar gaan jullie precies naartoe?'

'Daarheen,' antwoordt Sheng, met een snor van kaas onder zijn neus.

'Ik ga naar Chambéry,' zegt de man terwijl hij aan zijn baard krabt.

'Chambéry!' roept Elettra, die geen flauw benul heeft waar dat ligt. 'Dat zou perfect zijn!'

'Stap dan maar in. Schuif de rommel op de voorbank maar aan de kant en maak het je gemakkelijk.'

Sheng slaat zijn armen over elkaar en kijkt Elettra net zo lang boos aan tot zij zich overgeeft: 'Is Chambéry op de weg naar Parijs?' vraagt ze voordat ze het portier opent.

De man lacht. 'Ja, natuurlijk ligt het op de weg naar Parijs. In Frankrijk leiden alle wegen naar Parijs!'

'Zie je wel?'

Sheng veegt zijn kaassnor af aan zijn mouw. 'Ik zeg niets. Beslis jij maar.'

Ze stappen in. Sheng snuift wantrouwig de geur op, maar hij wil niet al te kritisch overkomen en besluit te blijven zwijgen.

Ze vertrekken. Bij de tunnel van Fréjus vraagt de handelaar of de kinderen de raampjes willen dichtdoen.

Na tien minuten in de tunnel wordt de geur in de cabine zo ondraaglijk dat Sheng uitroept: 'Neem me niet kwalijk, maar wat vervoeren we eigenlijk?'

De man begint te grinniken. 'Je ruikt het, hè?'

'Nou en of ik het ruik! Mag ik weten wat dat is?'

'Overjarige geitenkaas!'

11
Het café

De ontsnapping uit het restaurant van Cybel is razendsnel verlopen: de trap af en dan naar buiten, door een zijdeurtje. Eenmaal op straat lopen Zoë en Harvey snel naar metrohalte La Sorbonne, waar de vrouw hem een metrokaartje geeft.

'Omlaag,' legt ze uit, terwijl ze hem laat zien hoe hij het kaartje in de gleuf moet stoppen en het er weer uit moet pakken voor hij door het hekje loopt.

'Waar gaan we naartoe?'

'Naar een plek waar we rustig kunnen praten,' glimlacht Zoë.

Die plek ligt op drie haltes en één overstap vanaf het vertrekpunt. Het is een café met veel tafeltjes in de openlucht, omringd door zonovergoten, loofrijke bomen. Een oud draaiorgeltje speelt een droevige melodie. De naam van het café, *Les Deux Magots*, staat meerdere malen op de groene zonneschermen gedrukt. Zoë kiest een tafeltje, legt haar tas op de rieten stoel en gebaart naar Harvey dat hij moet gaan zitten.

Dan zegt ze, alsof ze hem nu voor het eerst ziet: 'Het spijt me vreselijk wat je is overkomen. Ik weet niet wat ik moet zeggen.'

'Ik eigenlijk ook niet,' antwoordt Harvey die nog steeds voor haar staat. 'En... eerlijk gezegd...snap ik ook niet hoe u me hebt weten te vinden.'

Hij bekijkt de beet op zijn arm.

'Het was helemaal mijn schuld,' legt Zoë uit. 'Ik heb er gewoon niet bij nagedacht. Maar ik had niet gedacht dat het zo gevaarlijk zou zijn.'

Als de ober met het zwarte vlinderdasje verschijnt, bestelt Zoë een koffie met cacao. 'En jij, Harvey?'

Hij vraagt een cola en gaat eindelijk zitten. 'Noem nooit mijn naam in het bijzijn van een ober. Die maken deel uit van haar netwerk aan informanten.'

Zoë knikt. 'Dat weet ik.'

Ze legt beide handen op tafel. Handen vol piepkleine donkere vlekjes, als bij een oude vrouw, die in contrast staan met haar glimmende, beweeglijke ogen. Ze heeft een parfum op dat ouderwets aandoet en tegelijkertijd fris, lenteachtig is. En haar kapsel is prachtig Frans.

'Het probleem is dat ik een ramp ben, met sommige dingen. Toen ik je vader belde, een maand geleden... En toen hij me vervolgens de stukjes steen stuurde om te onderzoeken...'

'Dus u hebt mijn vader gebeld?'

'Ja, omdat ik hem al een hele tijd niet had gesproken. We hadden dezelfde specialisatie.'

'En het was niet zo dat hij contact had opgenomen met u?'

'Harvey, alsjeblieft...' glimlacht Zoë. 'Zou je alsjeblieft geen u meer tegen me willen zeggen? Ik ben een vriendin, oké?'

'Oké.'

'Toen ik die stukjes steen zag, waar ik het net over had, stond ik er helemaal niet bij stil dat ik het nieuws geheim moest houden.'

'Welk nieuws?'

'De mogelijkheid dat we... er nog een hadden gevonden.'

'Nog een wat?'

'Een moedersteen.'

Als hun bestelling wordt gebracht, vervolgt Zoë: 'Het is heel simpel, ik ben archeologe. Ik heb me vele jaren geleden gespecialiseerd in het bestuderen van fossiele resten en andere doodsaaie dingen. Zes jaar geleden, in IJsland, had een college van me zo'n klassieke ontdekking waar ieder van ons vurig op hoopt. Hij was in de baai van Stykkishólmur, die wordt bevolkt door zeehonden. Terwijl mijn vriend de dieren observeerde merkte hij dat ze een dutje gingen doen in een grot die half onder water stond, waar je gebukt in kon lopen. Toen bleek dat de grot was bedekt met een vreemd soort rossig marmer, van onbekend materiaal. Hij bevond zich op een plek waar geen enkel levend wezen ooit eerder voet had gezet: in de binnenkant van een meteoriet die miljoenen jaren geleden op Aarde was neergestort.'

Harvey slikt en neemt een slok van zijn cola.

'En wat deed je collega toen?'

'Hij nam er wat fragmenten van en onderzocht ze onder de microscoop. Door de details twintigduizend keer te vergroten

ontdekte hij een soort wittige afzetting die geen deel uitmaakte van het marmer. Een bezinksel. Afgeschermd. Bewaakt.'

Zoë glimlacht en wacht tot Harvey de onvermijdelijke vraag stelt.

'Wat was het?'

'Een stukje menselijk DNA. Een stukje DNA van een oneindig klein mensje. Een piepklein minimensje, dat slechts één essentiële stof nodig had om uit zijn stenen schil te kunnen kruipen. Een stof waar hij puur toevallig in terecht was gekomen.'

'Water...' fluistert Harvey.

'Precies: water. Die stenen schil wordt op dit moment onderzocht in de wetenschappelijke laboratoria van drie verschillende universiteiten ter wereld. Maar als de ontdekking wordt bevestigd, worden alle theorieën van eeuwen omver geworpen. Dat wil zeggen dat de mensen niet van de apen afstammen, maar van de sterren, zoals de wijzen in de Oudheid ook al dachten: Anaxagoras, Seneca en vele anderen. Het zou zo kunnen zijn dat we hier zijn gekomen in stenen wiegjes, in meteorieten die miljoenen jaren geleden op de Aarde zijn neergestort, en die onze voorouders in miniatuur met zich meedroegen. Kleine mannetjes van vuursteen en koolstof die groter groeiden... tot ze ons werden.'

'En mijn steen?'

'Dat is dezelfde soort steen, Harvey. Dezelfde steen als die in IJsland is gevonden. Een steen die van levensgroot belang zou kunnen zijn, en die Cybel voor zichzelf wilde hebben. Daarom heeft ze jou ontvoerd.'

In Harvey's hoofd vallen een paar puzzelstukjes op hun plek: professor Van der Berger die de sterren bestudeert, het boek

over kometen van Seneca, de onderaardse ruimte in New York met afbeeldingen van mensen en goden die uit steen geboren worden. Het is alsof hun zoektocht plotseling betekenis begint te krijgen. Harvey schudt zijn hoofd, steeds meer verward. 'Je moest eens weten hoe ik die steen heb gevonden...'

Zoë laat zich met een voldaan lachje tegen de rieten rugleuning zakken en vervolgt: 'Eerlijk gezegd denk ik dat ik dat precies weet.'

Ze haalt de houten tol met de tekening van de draaikolk uit haar tas, die Harvey heeft moeten afstaan aan Cybel.

Ze geeft hem terug.

'Als ik me niet vergis is deze van jou.'

12
Het parfum

'Papa, maak je geen zorgen. Alles is oké!' schreeuwt Elettra aan de telefoon.

'Hao! Alles gaat op rolletjes!' beaamt Sheng naast haar, en hij probeert zijn evenwicht te bewaren in de bocht. Dat valt nog niet mee, want hij staat rechtop in een vrachtwagen die tweehonderd snaterende ganzen in even zo vele kooitjes vervoert. 'Stil, beestjes! Stil!'

'Wat? Ik hoor je niet goed?' vervolgt Elettra. 'Nee, we zijn niet weggelopen! Ik kan het je niet uitleggen aan de telefoon, misschien wordt die afgeluisterd... Je moet me vertrouwen, papa! Je moet mijn nummer uit je hoofd leren en het uit de telefoonlijst wissen. Je moet alles weggooien. En in Parijs moet je een ander hotel nemen. Ik maak geen grapje! Ik weet zeker dat we worden achtervolgd! Wat? Dat zijn ganzen. Ja, ganzen, en vraag me niet waarom!'

'Hij zou het toch niet geloven,' merkt Sheng op en hij grijpt zich aan de kooien vast om niet te vallen. Een gans hapt in zijn vinger. 'Au!' roept hij. 'Stom beest, je hebt me pijn gedaan!'

'Kun jij alsjeblieft wel je mond houden?' smeekt Elettra hem terwijl ze haar hand voor de telefoon houdt en het gesprek met haar vader beëindigt.

De vrachtwagen hobbelt over een gat in de weg. 'We moeten er nu toch bijna zijn,' zegt ze.

Sheng kijkt naar de aantekeningen die hij heeft gemaakt. 'Ja, in Vézelay. Daar stappen we over op een vrachtwagen die pittige mosterd vervoert naar Dijon, en vervolgens naar Fontainebleau met de wijntransporteur. Op dat moment is het nog maar vijfenzestig kilometer naar het huis van Mistral.'

'Je hebt ganzenveren in je haren zitten.'

'Die wil ik houden als souvenir, als je het niet erg vindt.'

Elettra snuift en denkt: Harvey, ik kom eraan.

Maar ze moet via de zij-ingang komen, en ze moet zich verborgen houden als ze er eenmaal is.

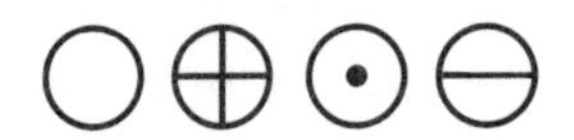

De avond daalt als een frisse mantel over de stad en Parijs ontsteekt haar duizenden lichtjes, waardoor de kronkelige straatjes worden omgevormd tot feeërieke huizen met slingers van lampen. Een miljoen kleine barretjes doen hun neonlampen aan en een miljoen kleine keukens beginnen pittige kruiden en uien, oesters en slakken te mengen. Het volk van de nacht spoelt muziek over de trottoirs, de pleintjes, de rondvaartboten glijden over de Seine op de klanken van een accordeon. Zwermen

nachtvogels doorklieven de ijle lucht met het geluid van schelpenkettingen. Andere vogels zitten ineengedoken op de koepels en gluren naar de geesten die rondwaren. De lampen van het Louvre blijven branden, alsof er nog steeds iemand de kunstwerken aan het bewonderen is, iemand die zich liever niet onder de menigte toeristen mengt. Het Palais Royal, het koninklijk paleis, is verlicht alsof het overdag is. En de Eiffeltoren is een kostbare, scherpe naald in de Jardins du Trocadéro.

In de studentenwijk Quartier Latin is het restaurantje van Cybel geopend. Haar netwerk aan obers en serveersters met zwarte vlinderdasjes doorzoekt elk café, met een beschrijving van de vier gezochte kinderen op zak.

Mistral loopt over de lichte houten vloer van haar huis en gunt zich geen rust. Ermete zit aan de eettafel te bladeren in het boek van Agata. Ze wachten.

Ze kan haar handen niet stilhouden, ze trillen van de zenuwen, van de onzekerheid. Ze kijkt wel honderd keer op de klok: Harvey zou nu toch elk moment moeten komen. Met een nieuwe vriendin genaamd Zoë.

De ingenieur leest een paar zinnen voor uit het boek. *Hoe je zwerfhonden moet roepen. Kreet om ratten te verjagen.*

'Heb je het al geprobeerd?' vraagt hij aan Mistral.

'Nee,' antwoordt ze.

'Argot is een woord van weifelachtige herkomst,' legt Ermete uit. 'Het betekent "geheime taal", "codetaal", in het Frans. Van het argot is de gotische kunst afgeleid, omdat de kerkenbouwers voor het merendeel Fransen waren die beschikten over geheime bouwtechnieken die ze niet met anderen wilden delen. En ook

vandaag de dag nog heeft elke gotische kerk geheimen te verbergen.'

Mistral denkt aan het donker. En ze knikt.

'Wist je...' vervolgt Ermete, 'dat de grootste Franse kathedralen die zijn opgedragen aan de Madonna precies zijn gerangschikt als de sterren van het sterrenbeeld Maagd? Parijs, Chartres, Evreux, Bayeux, Rouen, Amiens, Laon, Reims...'

Mistral luistert niet naar hem. Ze controleert of de pan voor de fondue bourguignonne in orde is, of ze het juiste aantal gekleurde fonduevorken heeft klaargelegd en of er voldoende stukjes vlees en sausjes zijn. En terwijl Ermete praat en theorieën uiteenzet die Harvey en Sheng misschien wel sensationeel zouden vinden, kijkt Mistral voor de laatste keer op de klok en vraagt zich af hoelang het nog zal duren voordat Harvey bij haar is, voordat haar moeder thuis komt om te eten, voordat Elettra en Sheng in Parijs aankomen.

Dan trekt ze zich terug in de badkamer. Ze leunt uitgeput tegen de deur, haar hoofd tolt. Ze draait de kraan open en houdt haar handen onder de koude waterstraal. Ze kijkt zichzelf aan. Haar ogen zijn nog wel groot en glanzend, maar het lijkt of er een waas over ligt. Ze wou dat ze alles kon uitwissen, dat ze de spiegel kon laten beslaan en er met haar hand over kon wrijven om zichzelf weer te zien zoals ze eerst was. Vóór Rome. Vóór de professor. Vóór dat koffertje van hem. En vóór de houten tollen.

'We hebben vijf tollen...' mompelt ze terwijl ze vijf keer tegen de spiegel tikt. Er verschijnen vijf rondjes op het glas.

Mistral schudt haar hoofd. Er zit haar iets niet lekker.

Dan tekent ze er nog twee.

Een kwartier later bellen Harvey en Zoë aan en komen ze naar boven. Zodra het warrige hoofd van Harvey op de overloop verschijnt, rent Mistral hem tegemoet en vliegt hem in de armen.

'Het is allemaal voorbij,' glimlacht hij terwijl ze elkaar omhelzen.

Dan gaan ze naar binnen, waar Ermete en Harvey een wat stoerdere high five uitwisselen met hun rechterhand.

Harvey laat de anderen zijn spinnenbeet zien en stelt dan zijn metgezel voor: 'Dit is Zoë.'

De eerste blik van Ermete is argwanend, maar als zijn tweede blik de ogen van de vrouw ontmoet, laat hij meteen al zijn vijandigheid varen. En ook al ziet de ingenieur er niet bepaald charmant uit, hij stelt zich voor met de gezichtsuitdrukking van een geroutineerd acteur. 'Het is me een waar genoegen, Zoë. Ik ben Ermete. Harvey heeft me erg veel over je verteld.'

En hij denkt: Wat een prachtige vrouw. Zou ze achtendertig zijn? Veertig? Tweeënveertig?

'Ik heb fondue bourguignonne gemaakt voor ons allemaal, als jullie zin hebben,' zegt Mistral. 'Dan kunnen we alvast wat eten terwijl we wachten op... de anderen. En mijn moeder.'

Dat vindt iedereen een prima idee. Ze kiezen een plekje rond de tafel en vertellen om beurten wat ze die dag hebben meegemaakt. Ze scheppen de stukjes vlees en de sausjes op en wachten tot de olie in de fonduepan warm genoeg is om er een stukje in gaar te laten worden.

'Weet je...' zegt Harvey dan. 'Zoë is niet zomaar een vriendin van mijn vader. Ze is op de hoogte van het bestaan van de

tollen...' Hij legt de tol met de draaikolk op tafel. 'En dat allemaal dankzij een gemeenschappelijke... vriend.'

'Professor Alfred van der Berger,' verklapt Zoë.

'Heb jij die gekend?'

Ze knikt. 'Ik heb hem acht jaar geleden voor het eerst ontmoet.'

Acht jaar geleden, denkt Mistral. Dat was dus nadat de professor was vertrokken uit New York.

Ze dringt er bij haar vrienden op aan dat ze beginnen met eten, en al gauw ziet de fonduepan eruit als een stekelvarken waar allemaal vorken met stukjes vlees uit steken.

'Hoe kan dat?' vraagt Ermete.

'Niets is toevallig in dit verhaal,' antwoordt Harvey. 'Wacht maar tot je de rest hoort.'

Ermete tilt zijn fonduevork onhandig op, waardoor het bijbehorende stukje vlees in de pan valt.

'De professor had een archeoloog nodig die iets van Parijs wist. Maar niet zomaar een archeoloog. Hij had een beetje een originele nodig...'

'Hoezo, originele?'

'We ontmoetten elkaar acht jaar geleden in de sterrenwacht van Parijs, waar ik bezig was met mijn doctoraat over de astronomische kennis in de Oudheid. In die tijd wist men er namelijk bijna net zoveel van als wij nu,' voegt Zoë eraan toe, terwijl ze haar vierde stukje vlees in de mond steekt.

'Dat klopt!' beaamt Ermete en hij grijpt zijn vork. 'Wisten jullie dat de Franse gotische kathedralen zijn gerangschikt...'

Er zit niets aan zijn vork vast. Nu hij alweer een stukje vlees is kwijtgeraakt heeft hij geen zin meer om verder te praten. Hij

heeft nog niet één stukje vlees binnengekregen. 'Volgens mij is een van jullie bezig mijn eten te stelen.'

'Alfred had iemand nodig die zijn eigenaardigheden kon aanvaarden zonder al te veel vragen te stellen,' vervolgt de archeologe. 'Ik moest vaak dingen voor hem onderzoeken die me ronduit krankzinnig voorkwamen.'

Harvey trekt een wenkbrauw op, alsof hij wil zeggen: Nu komt het mooiste. Mistral daarentegen volgt de gebaren en de woorden van de vrouw met enig voorbehoud. Alsof er iets is in haar verhaal dat haar niet helemaal lekker zit.

'Alfred van der Berger was bezeten door het idee dat er een heel bijzonder voorwerp was verstopt in Parijs. Een belangrijk voorwerp dat een van de best bewaarde geheimen der natuur zou kunnen ontrafelen.'

'Daar weten wij wel iets van,' zegt Ermete. 'Ook al hebben we nog geen idee wat dat geheim precies is.'

'We hebben ook in Rome en in New York dat soort voorwerpen gevonden,' legt Harvey uit. 'Maar we hebben nog niet door op welke manier ze met elkaar verbonden zijn, en welk nut ze kunnen hebben. Behalve dan dat we het voorwerp uit Rome nodig hadden om dat in New York te vinden. Het was verborgen... door een reeks aanwijzingen, waarvan de professor ons de eerste had verschaft.'

Zoë wacht nog een paar tellen, maar als ze merkt dat de jongen is uitgepraat, zegt ze: 'De professor was ervan overtuigd dat de reeks aanwijzingen ook in Parijs werd voortgezet... om iets te vinden dat in deze stad was verstopt.'

'Door hem?' vraagt Mistral.

De vrouw schudt haar hoofd. 'Nee, niet door hem. Want ook de professor was... op zoek. Hij wist vanwaar hij moest vertrekken en waar hij moest aankomen, maar hij wist niet hoe. Turend naar de plattegrond van Parijs zei hij altijd: "Het is net ganzenbord, zie je? Wij zijn de pionnen, de aanwijzingen zijn de dobbelstenen, en de wijken zijn de vakjes." En volgens hem was het eindpunt dicht bij de Seine.'

'Waarom?'

'Omdat het water het natuurlijke element van Parijs is,' zegt Zoë. En ze zegt het met een stelligheid die geen ruimte voor twijfel laat, maar Mistral heeft het idee dat er wel een soort wrok in door klinkt.

Wrok jegens wie, daar heeft het meisje geen idee van. Het is gewoon een onbestemd gevoel, een kleine ergernis. Een verkeerd parfum. De anderen daarentegen hebben totaal niets aan te merken op Zoë's verhaal en haar parfum.

'Parijs...' legt ze nu uit, 'heeft zelfs haar naam te danken aan het water: *par île*, oftewel "rond het eiland", omdat de stad is ontstaan rond het Ile de la Cité, het stadseiland midden in de Seine.'

De derde stad en het derde eiland, bedenkt Mistral. Na het Tibereiland in Rome en het eiland van Roosevelt in New York.

'En het was specifiek op het Ile de la Cité, in het centrum van Parijs, waar volgens Alfred het voorwerp verborgen lag dat hij wilde vinden. Een boot was het volgens hem.'

'En die hebben jullie uiteraard nooit gevonden.'

Zoë schudt haar hoofd. 'Nee. Ondanks alle jaren van onderzoek hebben we nooit iets gevonden. Hij bleef maar volhouden dat het daar ergens moest zijn, maar... het leverde niets op.'

Ze eten weer een hapje vlees. Met haar blik op Zoë gericht vraagt Mistral zich af hoe goed zij en de professor bevriend waren. En ook of hij Agata en New York misschien heeft verlaten om met Zoë in Parijs te gaan wonen. Maar ze vraagt er niet naar.

'Kom je uit Parijs, Zoë?' vraagt ze in plaats daarvan.

'O nee,' antwoordt de vrouw. 'Ik ben hierheen gekomen voor mijn studie. En dat beviel goed.'

'Waar ben je geboren?' vraagt Ermete.

'In Istanbul.'

'Kun je hen ook laten zien... welke aanwijzingen de professor jou heeft gegeven?'

'Heeft hij jou aanwijzingen gegeven? Waarom?' vraagt Mistral.

Zoë grinnikt alsof ze twijfelt wat ze moet antwoorden. Ze steekt nog een stukje vlees in de kokendhete olie, dat ze vervolgens bijna rauw opeet.

'Hij had tegen me gezegd dat jullie zouden komen. Niet wanneer. Maar in zekere zin... verwachtte ik jullie. Ik wist hoe jullie heetten. Elettra uit Rome, Mistral uit Parijs, Harvey uit New York en...'

'Sheng,' laat Mistral zich ontvallen.

'Sheng uit Shanghai,' besluit Zoë.

'En wat zei hij dan over ons?' dringt Harvey aan.

'Dat jullie wel zouden weten hoe je deze moest gebruiken...' antwoordt de vrouw.

Ze rommelt in haar tas en haalt een enorm, protserig gouden zakhorloge tevoorschijn.

Bij het zien van dat ding beginnen Ermetes ogen te glimmen van verrukking.

Zoë vertelt: 'Dit staat bekend als... het horloge van Napoleon. Het is een wonder van techniek, gebouwd door een Venetiaanse klokkenmaker genaamd Peter Dedalus. De wijzerplaat is verdeeld in vijf vlakken, zien jullie? Ze vormen een soort vijfpuntige ster. Als je hierop drukt slaat hij het uur, de minuten, de seconden. Met deze knop start je de stopwatch, en met deze zet je hem stil. Als je harder drukt, verschijnt de datum. Als je dit schuifje naar links duwt, komt er een druppeltje parfum uit, en als je het naar rechts duwt... klinkt de Marseillaise uit een verfijnd speeldoosje.'

Ze geeft het horloge aan de kinderen, die het bewonderend bekijken. Op één van de vijf vlakken van de wijzerplaat staat een mooie tekening, maar ze krijgen niet de tijd om die aandachtig te bekijken, want Zoë is nog niet klaar. 'En ook dit...'

Het is een klein rood-wit wapenschild dat een wit bootje op zee weergeeft, met opbollend zeil in de wind, de voorsteven gericht naar een ster hoog aan de hemel. Boven de boot en de ster, in de vuurrode lucht, zijn drie bijen te zien.

'Dit is het wapen van Parijs dat Napoleon Bonaparte liet ontwerpen toen hij keizer werd. Het origineel, uit 1811, bevindt zich tegenwoordig in de Bibliothèque Nationale.' Zoë wijst op het bootje. 'En dit schip... dat is waar wij naar op zoek waren.'

Na het eten vertrekken Ermete en Zoë uit Mistrals huis. Harvey daarentegen blijft slapen in de logeerkamer. Als het informantennetwerk van Cybel echt zo omvangrijk is, kan hij beter niet naar een hotel gaan. En Zoë heeft niet aangeboden dat hij bij haar thuis kan logeren.

Ze nemen snel en hartelijk afscheid en spreken af dat ze elkaar de volgende ochtend weer zullen treffen, dan met Elettra en Sheng erbij. De stem van Ermete verdwijnt langzaam in het trappenhuis, net als het vreemde parfum van Zoë.

Een paar minuten later kan Mistral eindelijk de deur achter zich dicht doen.

'Wat denk je ervan?' vraagt Harvey zodra ze alleen zijn.

'Dat was echt geluk hebben,' antwoordt het meisje. 'Ook al...'

'Ook al wat?'

'Ook al lijkt het bijna te mooi om waar te zijn.'

De twee vrienden lopen terug naar de tafel, die nog steeds gedekt is voor de moeder van Mistral.

'Ik zal intussen je kamer klaarmaken.'

Mistral trekt een paar laden open, haalt schone lakens en handdoeken tevoorschijn en brengt haar vriend naar de logeerkamer.

'Er is iets vreemds met haar,' zegt ze terwijl ze het bed opmaakt. 'Iets waar ik mijn vinger niet op kan leggen.'

'Vind je?' vraagt Harvey. 'Ze is een vriendin van mijn vader. Ze heeft professor Van der Berger gekend. En hij heeft haar het horloge en het wapenschild gegeven zodat zij het aan ons kon overhandigen.'

'En ze heeft je bevrijd van Cybel. Snap je? Het klinkt allemaal net iets té... perfect.'

'Ze heeft me een aantal belangrijke dingen over de Ster van Steen verteld.'

'O ja?'

Harvey helpt Mistral met het beddengoed en vertelt haar

over de ontdekking van de grot in IJsland en van de afdruk van menselijk DNA die in de meteoriet is gevonden.

'De professor had gelijk,' besluit Mistral. 'Wij zijn enkel pionnen in een partij van wit tegen zwart. Wij tegen Jacob Mahler, Egon Nose, zijn meiden... en nu die Mademoiselle Cybel.'

'Het team van de slechteriken.'

'Van de man in Shanghai.'

'Inderdaad.'

Harvey en Mistral gaan weer aan tafel zitten.

'Is je trouwens opgevallen hoe het zit met die elementen?' vraagt de Amerikaan.

Hun gesprek wordt onderbroken door het geluid van de sleutels in het slot van de voordeur. Daar komt Cécile, de moeder van Mistral, met een hele stapel dozen en pakjes. 'Wat ruikt het hier lekker! Heb je al gekookt?'

'Het is bijna tien uur, mama.'

De vrouw gooit de pakjes op de bank en haalt haar schouders op. 'Ach ja, sorry. Het is laat geworden.'

Ze drukt een kus op het voorhoofd van haar dochter, die even lang is als zij, en dan pas ziet ze Harvey zitten.

'Ken je Harvey nog, mama?'

'Natuurlijk! Hoe is het met je, Harvey?'

De handdruk is stevig.

'Heel goed, mevrouw. En met u?'

'Nog net zo druk als altijd.'

Ze wast vlug haar handen en komt terug naar de tafel.

'Harvey is vandaag in Parijs aangekomen. Maar hij had problemen met zijn hotel en vroeg of hij een paar dagen hier kan logeren.'

'We hebben wel pech met onze hotels, hè?' grapt mevrouw Blanchard, doelend op de dubbele boekingen tijdens de jaarwisseling in Rome.

'Blijkbaar wel, ja.'

Cécile Blanchard gaat zitten, pakt een bord en stopt een paar stukjes vlees in de olie, waarna ze geamuseerd de lucht opsnuift. 'Dat is wel heel raar...'

'Wat?'

'Is er vanavond nog iemand anders hier geweest?'

'Twee vrienden van ons, ja,' beaamt Mistral.

'Onder wie een jongedame.' Cécile kijkt de tafel rond, tot ze de stoel van Zoë vindt. 'En die zat hier.'

'Hoe weet jij dat?'

'Haar parfum; dit heb ik al in geen jaren meer geroken... maar ik zal het nooit vergeten.' Mevrouw Blanchard snuift nog een keer de lucht rond de stoel op, en besluit dan geamuseerd: 'Geen spoor van twijfel: dit is *L'Air du Temps*.'

Ze barst in lachen uit: 'Mijn allereerste parfum. Ik had niet gedacht dat er nog iemand was die dat gebruikte. Wat ontzettend leuk! Die vriendin van jullie lijkt me heel sympathiek.'

Mistral en Harvey kijken elkaar aan en denken hetzelfde: Dat kan geen toeval zijn.

'Ik was destijds nog helemaal niemand, vol twijfels,' vertelt de moeder van Mistral. 'Jij was nog niet geboren, ik was heel jong en onzeker... maar toch maakte ik *L'Air du Temps* voor een klein bedrijfje in de provincie. Het werd op de markt gebracht in een flesje in de vorm van een boot.'

'Boot?' Mistral springt op. 'Wat voor boot?'

Mevrouw Blanchard knippert. 'Gewoon, een boot!'

'Heb je er nog een flesje van?'

'Nee,' geeft Cécile toe. 'Want het werd letterlijk uitverkocht. Het was zo'n succes dat je moeder van het ene op het andere moment in alle belangrijke bladen stond. Van een onervaren meisje ineens een parfumexpert.'

'Ik zou dat parfum wel eens willen zien...'

'We gaan morgen kijken of we het in een winkel kunnen vinden,' stelt Harvey voor.

'Ik denk niet dat jullie het tegen zullen komen. *L'Air du Temps* was *L'Air du Temps*: mijn eerste, unieke parfum. Maar kennelijk heeft iemand er toch nog een flesje van...'

Een windvlaag doet de gordijnen opwapperen, als een voorteken.

Aan de overkant van de straat staat een man met wit haar naar hen te kijken door een militaire verrekijker die hij bij een kraampje heeft gekocht, en hij luistert hen af met behulp van een zendertje dat hij een maand geleden in hun vaste telefoon heeft gemonteerd door zich voor te doen als monteur van France Télécom.

De man maakt dankbaar gebruik van het appartement dat leeg staat doordat de eigenares in het buitenland op vakantie is, en hij heeft overal doorzichtige plastic hoezen overheen gedaan zodat hij geen sporen van zijn verblijf achterlaat. Naast hem staat een muziekkoffer met een handgemaakte viool erin. Het is niet zijn originele viool, want die is in Rome vernietigd, maar het is wel een goede kopie die naar zijn eigen ontwerp is gemaakt door een bepaalde vioolbouwer in Cremona. Een vioolbouwer die heel goed betaald is voor zijn werk en zijn stil-

zwijgen... Stilzwijgen: dat is inmiddels het sleutelwoord voor hem. Dat wil zeggen, sinds hij genoodzaakt is zich verborgen te houden: eerst in dat dorpje net buiten Rome, waar hij lag te genezen van de verwondingen die hij had opgelopen bij die ontploffing in het huis in de wijk Coppedè, en later in de bossen, toen hij probeerde te ontsnappen aan de moorddadige meiden van Egon Nose. En ten slotte in Parijs, waar hij kosten noch moeite heeft gespaard om het meisje dat hij had ontvoerd weer op het spoor te komen. Hij heeft besloten het geschikte moment af te wachten voor hij zich bekend maakt.

De vioolstok schittert in het licht, als een mes.

De man kijkt en luistert geduldig. Hij drinkt mineraalwater, dat hij in het winkeltje in de straat koopt, hij eet heel weinig en het enige wat hij zelf klaarmaakt is sterke zwarte koffie, waardoor hij beter wakker kan blijven.

Vele blokken verderop heeft Ermete De Panfilis Zoë naar de voordeur gebracht van een huis dat vast en zeker het allersmalste gebouwtje van de hele stad is, op Rue Saint-Séverin nummer 22, en hij heeft niet door dat hij zich vlakbij het restaurant van Cybel bevindt.

Moe van de lange dag gaat hij op zoek naar een zo klein mogelijk hotelletje en schrijft zich in onder een valse naam.

In de kamer die hij krijgt, ligt lichtblauwe vloerbedekking vol vlekken, en de stoffen bekleding is doordrongen van de rook. De ingenieur zet de warme kraan van het bad open en laat zich ten slotte uitgeput in bad zakken, terwijl hij nog een laatste keer zijn moeder belt.

Een kwartier nadat Ermete is weggelopen van de hoge, smalle voordeur, komt Zoë weer naar buiten. Ze kijkt om zich

heen en glipt dan stilletjes langs de etalages met neergelaten rolluiken naar het pleintje aan Rue Galande. Ze gaat het restaurant van Cybel binnen via de zijdeur. Ze loopt de trap op en gaat zonder te kloppen naar binnen in de kamer met de aquariumvloer.

Mademoiselle Cybel zit enkele glossy tijdschriften door te bladeren. Ze wendt haar vloeibare ogen van de foto's af en laat een klein lachje zien.

'Ik weet waar het Parijse meisje woont,' zegt Zoë tegen haar. 'En ik weet ook hoe de Chinese jongen heet. We moeten ook nog een andere persoon checken: hij heet Ermete De Panfilis. Hij is hier in de buurt op zoek naar een hotel.'

'Hoe hebben ze je ontvangen, liefje? Hoe hebben ze je ontvangen?'

'Heel goed, vind ik. Ik heb morgenochtend met ze afgesproken, zodra de laatste twee zijn aangekomen.'

'Ja, die twee die uit de trein zijn gestapt, bij Diana!' Mademoiselle Cybel vlecht haar vingers ineen alsof het mikadostokjes zijn. 'Daar hebben we nog niets over gehoord. Maar we houden de vader van het meisje in de gaten in hotel Le Saint-Grégorie. Vroeg of laat zullen ze elkaar wel ontmoeten. En als ze elkaar niet ontmoeten, zal ik daar wel voor zorgen.'

Zoë gaat zitten. De piranha's beuken tegen de zolen van haar sandaaltjes.

'Ik heb de telefoon nodig.'

'Natuurlijk, liefje, natuurlijk. Maar ik waarschuw je dat het tijdstip...'

'Hij slaapt nooit.'

'Zoals je wilt. Jij bent degene die belt.'

Mademoiselle Cybel geeft haar een satelliettelefoon waarop je maar één nummer van drie cijfers kunt bellen: 666.

Na wat geruis klinkt er een messcherpe stem: 'Devil.'

'Met Zoë. Ik heb ze gevonden.'

'Heb je hen de aanwijzingen gegeven?'

'Ja. Nu hoeven we ze alleen nog maar te helpen. En af te wachten.'

'Heel goed.'

Zoë praat heel zachtjes, alsof ze dodelijk vermoeid is.

Mademoiselle Cybel kijkt naar haar door het vlechtwerk van haar vingers en constateert jaloers hoe jong Zoë's gezicht nog is. Ze beweert dat ze meer dan honderd jaar oud is. En dat ze in 1896 in Istanbul is geboren.

Ze draagt een aangenaam parfum. Een parfum waarvan Zoë de complete oplage heeft opgekocht en heeft opgeslagen in een garage ergens in Parijs. Het was een noodzakelijke stap, net zoals allerlei andere kleine dingetjes noodzakelijk zijn geweest om ervoor te zorgen dat de jonge Cécile Blanchard aan het werk zou gaan. Dat ze succesvol zou worden. En dat ze haar dochtertje zou houden.

Het was noodzakelijk om ervoor te zorgen dat alles wat moest gebeuren uiteindelijk ook kon gebeuren.

'Irene?'

'Dag Vladimir. Er zit een storing op de lijn.'

'Ik heb Zoë gesproken. Ze is in Parijs. Bij de kinderen, denk ik.'

'Ik weet niet of dat goed of slecht nieuws is.'

'Ik ook niet.'

'Je kunt niet zomaar verdwijnen op die manier. Net in het jaar dat alles begonnen is.'

'Vertrouw je haar niet?'

'Alfred vertrouwde haar ook niet. Nadat we in Parijs gefaald hadden, is hij op haar gaan letten. Hij heeft nooit gezegd dat onze zoektocht door haar schuld is mislukt, maar... misschien heeft hij dat wel altijd gedacht.'

'En ik ook.'

'Daarom hebben we de identiteit van Sheng ook voor haar verborgen gehouden, weet je nog?'

'Precies. En daarbij, vlak na onze ontmoeting in IJsland is ze verdwenen. Ze zou wat gaan relaxen in de Blauwe Lagune... maar sindsdien zijn er zes jaar verstreken. Zes jaar. En pas nu is ze teruggekomen. Precies aan het begin van de zomer.'

'Ze is in elk geval stipt. Heeft ze jou verteld wat ze al die tijd heeft uitgespookt?'

'Ze heeft door China en Siberië gereisd.'

'En waarom?'

'Ze zegt dat ze daarheen is gegaan om haar onderzoek voort te zetten, maar volgens mij is ze gewoon teruggegaan naar Tunguska.'

'Is er een manier om daar achter te komen?'

'Eentje maar. Een van ons gaat erheen om het na te trekken.'

'Dat is gevaarlijk. En ik kan niet. Ik zit met mijn benen.'

'Heb jij een ander idee?'

13
Het horloge

Door de halfgesloten luiken van de kamer van Mistral sijpelt het grauwe, melkachtige licht van de nacht binnen, dat lichte strepen en vierkantjes op het bed tekent. Mistral kan de slaap maar niet vatten. Ze staart naar de schappen vol boeken aan de tegenoverliggende muur en probeert de titels in het donker te onderscheiden.

Steeds als ze haar ogen dichtdoet, spert ze ze bij het minste gekraak van meubels of van het dak weer wijdopen, uit angst dat ze het boosaardige gezicht van Jacob Mahler voor zich zal zien.

Als ze voor de zoveelste keer op de wekker kijkt, is het drie uur 's nachts. Sheng en Elettra hebben niets meer van zich laten horen, en hun mobieltjes staan uit. Er is iets niet goed, denkt Mistral. Er is iets helemaal niet goed.

Ze zoekt het knopje van haar nachtlampje en doet het met een zucht aan. Het licht valt op de muren en het plafond in de

vorm van allemaal vlinders, die uit de lampenkap zijn gesneden.

Mistral gaat op haar bed staan en pakt de drie voorwerpen die boven op de kast aan het voeteneind liggen. Dan nestelt ze zich op haar bed met het boek van Agata, het gouden horloge van Napoleon en het wapen van Parijs.

Het boek brengt haar op prettige gedachten, zodat ze de akelige gemoedstoestand waar ze sinds kort in beland is even kan vergeten. Het gouden horloge daarentegen lijkt de zaak alleen maar ingewikkelder te maken. Het is zwaar, massief, en in de bovenkant van de kast is een opvallende N gegraveerd. N, dat wil zeggen: Napoleon. Rechts van de N staat ook een ster. De onderkant is wiebelig, en lijkt elk moment los te kunnen laten; hij wordt op zijn plaats gehouden door een grote drukschroef in het midden. Als je die schroef indrukt, komt de horlogekast een paar millimeter omhoog, als het deksel van een pan, en draait een halve slag.

Mistral bekijkt het horloge van opzij: het is een centimeter dik en heeft vier knopjes voor de wijzers. Door een piepklein gaatje komt een druppel parfum, heeft Zoë verteld.

Van voren is de wijzerplaat prachtig. Helemaal wit, verdeeld in vijf vlakken, met de uren aangegeven in Romeinse cijfers. Op een van de vlakken staat een tekening van een vrouw met een sluier voor haar gezicht. Ze zit op een troon en draagt een lange witte jurk waarop allemaal piepkleine dieren zijn getekend. De vrouw heeft een oud muziekinstrument in haar hand. Tussen haar voeten staat een tekst in piepkleine lettertjes, te klein om met het blote oog te kunnen lezen. Dus draait Mistral een halve pirouette, reikt naar het laatje van haar nachtkastje en pakt haar oude vergrootglas eruit. Dan gaat ze met een koprol terug

naar haar plek om de tekst te bestuderen. *De natuur houdt ervan zich te verstoppen*, leest ze.

Mistral bekijkt de hele wijzerplaat door het vergrootglas en stopt bij de drie wijzers. In de ene is een soort zon gegraveerd. In de tweede een maan. En in de derde een ster.

Het meisje bekijkt het hele horloge door het vergrootglas en ook het wapen van Parijs. Dan pakt ze een van haar schetsboeken en tekent de dingen die haar zijn opgevallen. Het mooist vindt ze de drie gouden bijen die aan de hemel prijken, naast de ster die de koers aangeeft. Het zeil van het schip staat bol en strak van de wind, en de boot heeft een detail dat haar met het blote oog was ontgaan. Op de voorsteven zit een vrouw op een troon.

'Heb je iets ontdekt?' fluistert op dat moment een stem, waardoor ze zich een hoedje schrikt.

Het is Harvey, die door de kier van de deur naar haar staat te kijken.

Mistral legt een hand op haar hart en zegt: 'Ik schrik me rot.'

'Dat was niet de bedoeling. Ik kan alleen niet slapen,' zegt de jongen. 'En toen ik bij jou het licht aan zag, dacht ik dat jij ook... mag ik binnenkomen?'

'Natuurlijk, kom maar.' Mistral trekt haar lange nachthemd over haar knieën en maakt plaats op haar grote bed. 'Ik zat al die dingen die ik vandaag heb gekregen nog eens te bekijken.'

'En heb je iets ontdekt?'

'Zowel op het horloge als op het wapen is een vrouw op een troon getekend.'

'Een boegbeeld?'

'Niet echt. Ze lijkt eerder... de kapitein van het schip.'

'Waarom zou Napoleon Bonaparte in godsnaam hebben gewild dat zijn schip werd geleid door een vrouw?' mompelt Harvey terwijl hij het met eigen ogen bekijkt. 'Hm... maar je hebt wel gelijk.'

De wekker op het nachtkastje geeft aan dat het halfvier is. Harvey en Mistral zitten stijfjes naast elkaar en kunnen allebei om dezelfde reden niet slapen: Elettra en Sheng.

'Heb je nog iets gehoord?'

Mistral schudt haar hoofd. 'Nee,' mompelt ze somber.

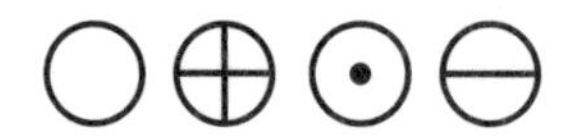

'Help! Genoeg! Alsjeblieft!' schreeuwt Sheng in Elettra's oor.

Dan begint hij haar in haar zij te kietelen. 'Ik meen het! Ik wil wisselen. Ik kan niet meer!'

'Rustig! Straks slip ik nog!'

'Slip maar! Rij ons maar te pletter! Als ik er maar af mag!'

Het tweetal klampt zich vast aan een wrakkige brommer uit de jaren vijftig; de motor trompettert als een olifant en de oververhitte knalpijp stoot meer zwarte rook uit dan een steenkolenfabriek. Elettra zit aan het stuur, terwijl Sheng in wankel evenwicht achterop zit. Nu Sheng zo zit aan te dringen, geeft Elettra toe en laat ze de gashendel een beetje los, zodat de brommer hortend en stotend vaart mindert.

Meteen worden ze omhuld door hun eigen stofwolk, die algauw het hele landschap om hen heen uitwist. Parijs is een muur van lichtjes aan de horizon.

'Zet de motor uit!' schreeuwt Sheng als ze stilstaan.

'Dat kan niet!' roept Elettra terwijl ze haar voeten op de grond zet, maar wel gas blijft geven. 'Dan slaat hij af!'

'Ik stap af,' besluit Sheng, en terwijl hij de daad bij het woord voegt wankelt hij naar achteren. Hij kan amper lopen en wrijft over zijn onderrug. Zijn rugzak gooit hij op de grond en hij schreeuwt: 'Mijn god!'

Hij voelt aan de onderkant van zijn spijkerbroek of alles er nog aan zit. Dan ontdekt hij dat een flink stuk van zijn gymschoen aan de kant van de uitlaat helemaal weggesmolten is. 'Moet je zien! Geen wonder dat het pijn deed! Mijn schoen is gewoon gesmolten!' Hij probeert tevergeefs zijn rug te strekken. 'Au, au, au!' jammert hij bij elke poging.

'We moeten verder!' zegt Elettra die nog op het stokoude wrak zit. 'We hoeven nog maar een paar kilometer.'

'Als je maar niet denkt dat ik nog op dat ding stap,' zegt Sheng. 'Dat kun je echt vergeten.'

'Sheng! Dit is onze enige mogelijkheid om in Parijs te komen.'

'Over mijn lijk. Moet ik het nog een keer zeggen? OVER MIJN LIJK! Mijn kont staat in brand en mijn benen zijn helemaal gevoelloos. En de rest van mijn lijf voelt als een mierennest.'

Sheng hoest van het stof, dat langzaam maar zeker wegtrekt.

'Vijfenzestig kilometer over een onverharde weg op een gloeiend heet speldenkussen! Dat ontploft als je harder dan vijftig gaat. Zonder helm. 's Nachts, met een koplamp die een lichtstraal werpt ter grootte van een citroen!' moppert hij tussen twee hoestbuien door. 'En dat allemaal omdat de supersnelle TGV-trein wel eens *gevaarlijk* zou kunnen zijn!'

Elettra geeft gas. *'Wat maakt het uit langs welke weg je de waarheid zoekt? Zo'n groot geheim ontrafel je niet langs één... weg!'*

'Heel grappig! Echt heel grappig!'

'We kunnen hier niet de hele nacht blijven, Sheng. Wat wil je doen?'

'Ik weet het niet!' Hij haalt zijn mobieltje uit zijn rugzak. 'En dit ding heeft geen bereik. Welja!' Hij wijst naar de lichtgevende streep van de autoweg die niet ver van hun weggetje af loopt. 'We zitten één kilometer van de beschaving af!'

'Ik ga,' besluit Elettra en ze laat de brommer een meter vooruit springen. 'Ga je mee?'

'Dan rijd ik.'

'Heb je al vaker op een brommer gereden?'

Sheng gaat met een hand door zijn haren. 'Waar zie je me voor aan? Natuurlijk heb ik al vaker brommer gereden.'

'Goed dan.' Elettra schuift naar achteren over het zadel. 'Maar we moeten snel wisselen, anders slaat de motor af. En ik weet niet of hij dan nog wel wil starten.'

Sheng komt een beetje al te aarzelend dichterbij. Hij kijkt naar de brommer, hij kijkt naar Elettra en dan naar de gashendel. 'Oké.'

'Geef me de rugzak aan. Klaar?'

'Ja.'

'We wisselen bij drie. Eén...'

Sheng kijkt naar de gashendel.

'Twee, en... drie!'

Elettra laat de gashendel los, die Sheng nu zou moeten vastgrijpen. De jongen stapt op het zadel alsof hij een duiker onder

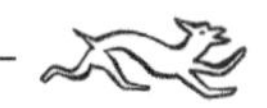

water is, hij pakt de hendel en geeft flink gas, maar vergeet daarbij de brommer tegen te houden met de rem.

'Kijk uit!' roept Elettra.

Het is al te laat. De brommer springt met een enorm geronk vijf meter naar voren, waardoor Elettra eraf valt, terwijl Sheng als een rodeorijder aan het stuur vastgeklemd blijft zitten.

'Laat het gas los! Laat los!' roept Elettra.

Sheng doet wat ze zegt en laat de gashendel in één keer los. De brommer blokkeert, de motor slaat af.

Rondom hen klinkt alleen het gesjirp van de krekels en het geraas van de snelweg op de achtergrond.

'Nee! Verdorie!' schreeuwt Elettra terwijl ze overeind krabbelt. 'Je hebt hem laten afslaan!'

'Sorry,' zegt Sheng. 'Ik... snap niet hoe dat kon gebeuren...'

Elettra probeert vergeefs om de brommer weer te starten, maar er klinken alleen wat treurige uithalen.

'Dat kon gebeuren omdat jij totaal geen ervaring met brommers hebt! Waar of niet?'

Sheng krabt verward op zijn hoofd en geeft geen antwoord. 'Wat doen we nu?'

'Duwen!' beveelt Elettra, terwijl ze hem het stuur voorhoudt.

'Dat is toch niet te geloven! Echt niet te geloven!' roept Linda terwijl ze de trap van het Domus Quintilia op komt met een handdoek als een tulband om haar hoofd gewikkeld. Als ze langs de deur loopt, houdt ze haar pas in en herhaalt: 'Niet te geloven!'

'Wat is er niet te geloven?' vraagt haar zus vanuit haar kamer.

Linda draait zich vlug om.

'Dat het twee weken duurt voor ik de uitslag van de onderzoeken krijg,' antwoordt ze. 'In de tussentijd kan ik allang dood zijn!'

'Maar je zei toch dat je je prima voelde?'

'Natuurlijk voel ik me prima,' reageert haar zus. 'Maar als je bedenkt dat ze me een maand in het ziekenhuis hebben gehouden...'

'Drie dagen, Linda. Ze hebben je maar drie dagen daar gehouden.'

'En wat dan nog? Voor mij leek het wel een maand! O, ik ben het zo zat! Zo beu! Ik ben het zat en beu!' Als ze de kamer binnenkomt, gaat ze op een bank zitten en doet even haar ogen dicht. Dan doet ze ze weer open om de kussens te controleren. 'Hm...'

'Wat je ook op die bank hebt aan te merken, het is niet mijn schuld,' haast haar zus zich te verontschuldigen. 'Ik heb er niet op gezeten.'

'Ze moeten allemaal worden opgeklopt. Het lijkt wel of er een olifant op gelegen heeft...' Met grote precisie plukt Linda een zwarte haar van de rand van een kussen, die ze in het licht bestudeert. 'Kort, zwart, glad... Zo te zien was het een Chinese olifant!'

Irene grinnikt en draait haar rolstoel over het kleed. 'Jou ontgaat ook niets.'

Linda brengt het haartje naar het houten balkon en gooit hem buiten op de binnenplaats.

'Als je zo doorgaat, durven die kinderen hier geen voet meer in huis te zetten.'

'Des te beter! Als je die schoenen van ze ziet: plastic, rubber, smerig, zweterig. In mijn tijd waren wij...' Als ze de bel van de intercom hoort, doet ze er abrupt het zwijgen toe. 'Verwachten we gasten? Die zouden toch morgen komen?'

Irene rijdt naar de intercom in haar kamer en drukt op het knopje om de voordeur open te doen. 'O ja. Dat zal Assunta wel zijn.'

'Assunta?' Haar zus verstijft. 'Wie mag Assunta dan wel zijn?'

'Dat is een schoonmaakster die ik heb gebeld om je de komende tijd een handje te helpen.'

'Een schoonmaakster? Heb je een schoonmaakster gebeld?' vraagt Linda zwaar beledigd.

'Nou, ja,' geeft Irene toe. 'Ik wist niet zeker wanneer je naar huis zou mogen en...'

'Dan had je Fernando en Elettra niet moeten laten vertrekken!'

'En ik wist ook niet hoe je je zou voelen. Je zei net toch dat je het allemaal zat en beu was?'

'Ja... hoezo?'

'Misschien kan Assunta je helpen. Laat haar de dingen doen waar jij geen zin in hebt, en dan...

'Die kan ik haar toch niet laten doen! Hoe doet ze dat dan? Ik zal je één ding zeggen: dat wordt een ramp! En waar komt ze vandaan? Zei je dat ze Assunta heet? Is ze soms Napolitaans?'

'Ze is Singalees.'

'Singa-wattes?'

'Ze komt uit Sri Lanka.'

'Mijn hemel!' roept Linda terwijl ze de deur uit rent. 'Wat moeten we nu beginnen?'

14
De partituur

De volgende ochtend om achttien over acht komt een gehaaste Cécile Blanchard de voordeur van Rue de l'Abreuvoir 22 uit rennen met slechts één gedachte: Waar heb ik gisteravond de auto geparkeerd?

Ze kijkt allebei de kanten op. De andere auto's in matte kleuren helpen haar niet verder. En evenmin de voorgevels van de andere huizen, die ze nu al veertien jaar lang elke ochtend voor zich ziet, soms fit, soms slaperig. Naar links of naar rechts? Ze kiest op goed geluk een richting en loopt over het trottoir, vertrouwend op haar intuïtie, maar dan eist een stem haar aandacht op: 'Goedemorgen mevrouw Blanchard.'

Aanvankelijk loopt ze door, druk bezig met de sluiting van het appelvormige tasje dat Mistral als souvenir voor haar heeft meegebracht uit New York. Dan moet ze wel blijven staan, want

degene die haar heeft begroet verspert haar de weg. Dus kijkt ze verbaasd op.

Het is een man met een baseballpetje op zijn witte haar en een vioolkoffer in de hand.

'Goedemorgen mevrouw Blanchard,' herhaalt hij.

De vrouw schuift haar haren uit haar ogen om tijd te rekken en probeert zich te herinneren of en waar ze hem eerder heeft gezien.

'Goedemorgen,' zegt ze. 'Neem me niet kwalijk, maar...'

'Maakt u zich geen zorgen,' antwoordt hij. 'Ik heb zelf ook haast. Ik heb alleen iets bij me voor uw dochter.'

'Voor mijn dochter?' Cécile doet haar uiterste best, maar wat ze ook probeert, ze kan zich absoluut niet herinneren wie die man zou kunnen zijn. En hij heeft iets kils in zijn doen en laten, ze krijgt er een beetje de rillingen van.

De man reikt haar een muziekpartituur aan. Als ze die ziet, komt Cécile op slag tot bedaren. Hij is vast de vader van een van Mistrals vriendinnetjes, en ze zullen elkaar wel ontmoet hebben op de muziekschool van Madame Cocot. Misschien is hij een van die mensen die hun dochter aan het Conservatorium willen inschrijven. Hoe dan ook, ze besluit verder geen ongemakkelijke vragen te stellen; ze vindt het al vervelend genoeg dat ze zo bekend staat als verstrooide moeder en ze wil het niet nog erger maken.

'O, natuurlijk...' zegt mevrouw Blanchard en ze pakt de partituur aan.

De man glimlacht. 'Ik raad u aan niet op de uiterlijke schijn te letten.'

Cécile draait zich om naar de voordeur. 'Als u mijn dochter zelf wilt spreken, kijk, we wonen daar: u kunt aanbellen en...'

'Ik weet heel goed waar u woont, mevrouw Blanchard.'

Maar als ze zich weer omdraait, is de man verdwenen.

Ze kijkt verbluft om zich heen. Hoe is dat mogelijk? vraagt ze zich af. Heb ik het gedroomd?

Ze zou het liefst onder de auto's kijken waar de man zich heeft verstopt, maar dat kan ze niet maken.

Terwijl ze weer op zoek gaat naar haar auto, werpt ze een vluchtige blik op het voorblad:

Gustav Mahler
Kindertotenlieder
(Liederen voor de dode kinderen)

'Oei...' zegt ze, 'wat griezelig.'

Het jaar van publicatie van het werk is met rode stift omcirkeld: *1907*. Onderaan zijn drie letters toegevoegd: *Z O E*. Mevrouw Blanchard propt de partituur in haar tas en loopt door.

Bij het kruispunt begrijpt Cécile Blanchard dat ze verkeerd gegokt heeft: haar auto is nergens te bekennen. Vijf voor half negen. Veel te laat. Misschien kan ze maar het beste naar een metrohalte rennen.

'Goedemorgen mevrouw Blanchard!' roept op dat moment een tweede stem.

Wie is dat nou weer? vraagt ze zich af.

Het is een Aziatische jongen, onder het stof en het vuil, die een oude brommer voortduwt. Naast hem loopt een meisje met

zwarte krullen, al even vuil, met een rugzak om haar schouders en twee stokbroden onder haar arm. Uit de papieren zak die ze bij zich hebben komt de onweerstaanbare geur van versgebakken *pains au chocolat*.

'Hoe maakt u het?' vraagt het zwartharige meisje dat haar aanstaart met twee ogen die wel elektrisch geladen lijken.

Deze keer twijfelt mevrouw Blanchard niet. 'De vrienden uit Rome!' roept ze uit en ze geeft hen beiden een hand.

'Met het ontbijt!' glimlacht Elettra terwijl ze de papieren zak omhoog houdt. 'Wilt u mee-eten?'

Cécile schudt vastbesloten haar hoofd. 'Ach, nee. Dat kan echt niet, ik ben vreselijk laat. Het is elke ochtend hetzelfde liedje. Slaperig en laat.'

'Ik weet er alles van,' antwoordt Sheng, leunend tegen de brommer.

'Harvey en Mistral zitten al op jullie te wachten,' zegt de vrouw.

'Is Harvey al bij jullie thuis?' vraagt Elettra.

'Jazeker. Hij heeft bij ons geslapen.'

Als ze dat hoort verstijft het meisje zichtbaar. Mevrouw Blanchard wijst welke deur ze moeten hebben en dan neemt ze haastig afscheid.

'Wat stom,' mompelt ze als het al te laat is om nog terug te gaan. Ze had de partituur voor Mistral aan hen kunnen meegeven.

15
Het ontbijt

Als ze de bel hoort gaan, slaakt Mistral een kreet van blijdschap.

Ze waarschuwt Harvey door de badkamerdeur en rent in haar nachthemd de trap af. De drie vrienden omhelzen elkaar in het trapportaal, het gelach en de vragen buitelen over elkaar heen.

Mistral neemt hen mee naar de bovenste verdieping en laat hen binnen in haar huis. 'Hm, wat ruikt daar zo lekker?'

'*Pains au chocolat* en stokbroden die net uit de oven komen,' somt Sheng op. 'En voor degenen die liever iets hartigs willen: een stuk of tien geitenkaasjes, paté en pikante mosterd.'

'Jullie moeten me alles in geuren en kleuren vertellen. Hoe zijn jullie hier gekomen?'

'We moesten een brommer duwen die we in Fontainebleau te leen hebben gekregen.'

'En wanneer zijn jullie aangekomen?'

'Nu net.'

'Elettra! Sheng!' roept Harvey. Hij heeft alleen zijn pyjamabroek aan en zijn huid en haren zijn nog vochtig van de douche. Hij loopt naar Elettra om haar te omhelzen, maar ze ontwijkt hem en loopt met Mistral mee naar de keuken.

Harvey blijft verbluft staan.

'Hao, als je wilt mag je mij wel knuffelen,' oppert Sheng.

De twee jongens pakken elkaar broederlijk vast. 'Wat is er in godsnaam aan de hand?' vraagt Harvey.

'Het gaat wel over,' zegt Sheng. 'Meidengedoe.'

'Zeg me nu niet dat ze jaloers is...'

'Goed, ik zal het niet zeggen. Heb je zin in een megaontbijt?'

Om negen uur precies gaat de bel bij Mistral thuis voor de tweede keer.

'*Et voilà! Petit déjeuner* voor iedereen!' roept Ermete even later, wapperend met een zak vol verse croissantjes.

Als hij Elettra en Sheng ziet, gooit hij de zak zowat in de lucht en zwaait hij opgetogen zijn armen omhoog, met zijn nieuwe hawaïshirt.

'Ik heb een déjà-vu,' roept Sheng terwijl hij de zak croissantjes opvangt en dan moet hij onbedoeld luidruchtig geeuwen. 'Tjonge jonge, wat heb ik slaap.'

Ermete gaat aan tafel zitten en probeert een samenvatting te krijgen van de reis die de kinderen achter de rug hebben. Tijdens het verhaal werpt Harvey voortdurend blikken op Elettra, maar zij negeert hem. Mistral heeft een blauwgroen jurkje tot op de knie aangedaan en een paar sandaaltjes met groene, blauwe en roze bloemetjes. Sheng loopt heen en weer op zijn half gesmolten gymschoenen en klaagt dat hij het zo warm heeft.

Dan krijgt hij een paar teenslippers van Harvey en komt hij eindelijk tot rust.

Terwijl Harvey een shirt van een Cubaanse revolutionair aantrekt, beschrijft Mistral aan de anderen de twee voorwerpen van Zoë, en ze laat de details zien die zij en Harvey hebben ontdekt tijdens hun slapeloze nacht.

Als ze dat hoort, staat Elettra van tafel op en loopt naar de badkamer. Ze komt Harvey tegen bij de deur, voor de logeerkamer.

Hij glimlacht tegen haar. 'Ik ben blij dat...'

'Mooi T-shirt,' onderbreekt ze hem kil.

'Vind je?'

'Misschien. Mag ik erlangs? Ik moet naar de wc.'

'Wat heb je toch?'

'Ik? Niets. Mag ik er nu langs?'

'Je kunt toch wel zeggen waarom je zo kwaad bent?'

'Ik ben niet kwaad. Ik moet gewoon naar de wc.'

'Dat kun je de anderen wijsmaken. Mij niet.'

'Waarom ben jij anders dan de anderen?'

'Jij bent jaloers,' lacht Harvey.

Elettra verschanst zich achter haar haren en probeert zich tussen de deur en Harvey door te wringen. 'Laat me!'

'Dit is niet te geloven, ben je jaloers op Mistral?'

'Laat me erdoor, nu meteen!' houdt ze vol.

'En anders?' grapt Harvey. 'Ga je me dan elektrocuteren?'

'Hao! Nee maar!' klinkt Sheng intussen in de andere kamer.

Hij staart naar de wijzerplaat van het horloge van Napoleon en roept: 'Dat is ze! O, niet te geloven. Ze is het echt!'

'Wie bedoel je, Sheng?'

'De vrouw van wie ik de hele tijd droom! Dit is ze: met haar jurk vol dieren, haar gezicht bedekt... ja! Alleen staat ze in mijn droom op een strand, maar... geen twijfel mogelijk!'

Het horloge gaat van hand tot hand.

'Wij komen aan zwemmen en zij staat op ons te wachten. En elke keer...'

'Wat elke keer?' dringt Ermete aan.

'Elke keer heeft ze iets anders in haar hand. En zodra ze het aan me laat zien, word ik wakker.'

Harvey verschijnt in de kamer. 'Wat gebeurt er?'

'Zijn jullie klaar met ruziemaken?' vraagt Sheng, van onderwerp veranderend.

'Sheng droomt van de godin Isis,' vat Ermete samen.

'Wat?'

Ingenieur-radiozendamateur-archeoloog-striplezer-spelletjesmeester Ermete De Panfilis bekijkt het horloge in zijn handen. 'De vrouw op dit horloge is Isis, godin van de natuur, vrouw van Osiris en moeder van Horus. Zij wordt ook aangeduid als witte dame, meesteres van magie, geest van de maan, of, heel simpel, de godin met de duizend namen.'

'Wat weet je nog meer over haar?'

Ermete schudt zijn hoofd. 'Niet zo veel, eerlijk gezegd. Ze is bij uitstek de godin van de natuur, ze wordt door talloze volkeren op talloze verschillende manieren aanbeden. Ze heeft een heel lange, mysterieuze geschiedenis: van Egypte gaat ze naar de Grieken, van de Grieken naar de Romeinen, van de Romeinen naar de rest van Europa.'

'Net zoiets als bij Mithra?'

'Mithra was een Perzische god. Isis was Egyptisch.'

'Mithra was de god van de zon. Isis de godin van de maan,' merkt Sheng op.

'Omdat ze ervan houdt zich te verbergen,' vervolgt Ermete. 'Net als de maan, waarvan één kant altijd donker blijft.' Hij legt het horloge op tafel. 'Net als Mithra had Isis een mysterieuze cultus, dat wil zeggen, voorbehouden aan een klein aantal ingewijden... die het geheim ervan goed bewaard hielden.'

'Welk geheim?'

'Hoe moet ik dat weten?'

'Werd ze misschien de Zwarte Madonna genoemd?' komt Elettra tussenbeide, die terugkomt van de wc. Haar wangen zijn nog vuurrood.

Weer knikt Ermete. 'Ja. Dat komt omdat bij het ontstaan van het christendom bepaalde elementen van de cultus van Isis werden overgeheveld naar de Madonna. Net zoals is gebeurd met de cultus van Mithra, die op 25 december werd gevierd, net als ons Kerstmis. En omdat veel van de beelden van Isis zwart waren, heb je nu nog in sommige kerken een Zwarte Madonna. Eerst stelden ze Isis voor, en later Maria.'

'Maar dat verklaart nog niet waarom ik steeds van haar droom,' zegt Sheng.

'Het verklaart helemaal niets,' beaamt Harvey.

'Dat is niet waar,' werpt Elettra tegen.

'Wat verklaart het dan, volgens jou?'

'Net zoals Mithra in Rome de Ring van Vuur verborgen hield, verbergt de godin Isis hier in Parijs ook... iets.'

'Het schip,' vult Harvey aan.

'Dat de ster volgt.'

'Onder drie bijen.'

'Met Isis aan het roer.'

Het vijftal zwijgt een paar tellen.

'Het is echt een zooitje, hè?' concludeert Sheng dan, waarmee hij de gedachten van de anderen verwoordt. 'Ik heb misschien wel een idee...'

Van onder het bed van Mistral wordt de kaart van de Chaldeeën gehaald en naar de keukentafel gebracht. Het is een houten kistje waar talloze sporen in gegrift zijn en met tientallen inscripties aan de buitenkant. Het zijn opschriften, tekens en handtekeningen die herinneren aan de vele handen waar de houten kaart doorheen is gegaan: de Drie Wijzen, Christoffel Columbus, Marco Polo, Pythagoras, Plato, Seneca, Leonardo da Vinci... Vele personen die gebruik hebben gemaakt van concentrische groeven in het hout om er orakelen en adviezen aan te ontlenen. De kinderen spannen de plattegrond van Parijs eroverheen, die is verdeeld in concentrische wijken.

'Die worden arrondissementen genoemd,' legt Mistral uit. 'En het zijn echt delen van de stad die een soort spiraal vormen. Je gaat van nummer 1, in het centrum van Parijs, naar nummer 20 aan de rand van de stad.'

'De professor zei dat deze zoektocht een soort ganzenbord is,' merkt Harvey op.

'Maar nu moeten we een ander spelletje doen,' verklaart Elettra. Ze heeft haar tol in de hand, die met het symbool van de toren erop, de veilige plek.

In werkelijkheid weten de kinderen maar al te goed dat de tollen geen spelletje zijn, maar gewijde instrumenten die in harmonie met het universum ronddraaien.

In New York heeft de antiquair Vladimir Askenazy hen uitgelegd dat er in het houten omhulsel een gouden bol zit, die op zijn beurt een edelsteen omvat.

'Ik begin,' beslist Elettra en ze werpt haar tol op de plattegrond van Parijs. Terwijl hij op zijn eigen trage, regelmatige manier begint te draaien, kijken de kinderen elkaar vragend aan. De tol beschrijft een lange baan tussen de arrondissementen ten noorden van de stad, rond de wijk waar Mistral woont, en daalt dan langzaam af naar de loop van de Seine, tot hij op een tamelijk brede straat stopt.

'Avenue de l'Opéra.'

'Wat is daar?'

'Waarom zou dat een veilige plek zijn?'

'Dat is de straat die naar de schouwburg van Parijs voert,' antwoordt Mistral. 'En precies op de hoek, waar de tol is gestopt, is mijn muziekschool.'

'Oké, muziekschool,' prent Sheng in zijn hoofd. 'Nu ben ik.'

'Hoezo, waarom jij?'

'Omdat ik het beter kan doen zolang ik nog wakker ben.' Daarmee laat hij de tol met het oog los, die snel over de plattegrond wervelt.

'*Rient ne va plù,*' zegt de Chinese jongen. '*Le jeus son fé!*'

Mistral grinnikt om zijn Frans. 'Je hebt niet één woord goed!'

'Wat maakt dat uit? Zeg liever waar ik ben gestopt...'

'De oude wijk,' zegt Mistral. 'In een steegje dat ik niet ken.'

Sheng is zo moe dat hij niet eens de moeite neemt om de naam op de plattegrond te lezen.

'Rue de Montmorency,' leest Harvey voor hem.

'Rue de Montmorency,' herhaalt Elettra. 'Daar moeten we dus gaan kijken. Het oog geeft aan dat daar iets bijzonders valt te ontdekken.'

'Bedankt, dat weten wij ook wel,' sneert Harvey.

'Pas op!' dreigt Elettra.

'Ik gooi,' komt Mistral tussenbeide en ze schuift haar groenblauwe gestalte tussen de twee bekvechters in.

Ze pakt de tol met de hond en zet hem voorzichtig op de plattegrond, waar ze hem bijna met tegenzin overheen laat draaien. De tol die de aanwezigheid van een bewaker aangeeft wervelt onrustig en woest rond, bereikt snel het centrum van de plattegrond en stopt op een hoek van het Cour Carrée, de binnenplaats van het Louvre.

'Het Louvre...' zegt Mistral teleurgesteld. 'Dan kun je net zo goed de hele wereld zeggen. Dat kan alles betekenen wat daar tentoongesteld wordt.'

'Laten we dan heel precies noteren in welk deel van het museum de tol is gestopt,' stelt Ermete voor.

'Welke komt nu nog?'

'De mijne,' antwoordt de ingenieur. Hij heeft de tol met de brug vast, die een plek moet aanwijzen die twee andere plekken verbindt. En die hen een brug tussen Siberië en Parijs heeft aangewezen, die ze nog niet hebben gevonden. 'En...'

'Doe jij maar,' raadt Harvey hem aan. 'Ik ga als laatste.'

'Zoals altijd,' mompelt Elettra schamper.

'Hou op.'

'Hou zelf op.'

'Hou allebei op!' schreeuwt Mistral ineens. 'Jullie hangen ons onderhand behoorlijk de keel uit!'

HET ONTBIJT

Het is zo ongewoon om Mistral te horen schreeuwen dat Elettra en Harvey haar verschrikt aankijken.

'Als je het wilt weten, jullie gedragen je echt belachelijk,' vervolgt het Franse meisje. 'Na al die maanden en alles wat we hebben meegemaakt lijkt het me niet nodig om je als een stel baby's te gedragen!'

'Maar zij...' mompelt Harvey.

'Hij...' fluistert Elettra.

'Dat interesseert me niet,' zegt Mistral kortaf. 'Als jullie elkaar iets te zeggen hebben, dan ga je dat maar ergens anders doen, en als jullie weer terugkomen, komen jullie terug als de Harvey en de Elettra die wij kennen. Want die hebben we nodig. Niet twee van die... ik kan er niet eens een woord voor bedenken.' Mistral legt haar handen op tafel. 'Gooi je tol maar, Ermete.'

In de vreemde stilte die volgt op de uitval van Mistral wervelt de tol met de brug over de straten en parken van de stad, steekt de Seine over en komt dan eveneens tot stilstand op het Louvre.

'Het Louvre.'

'Nee...'

De tol springt over het museum en de aangrenzende Rue de Rivoli heen en begint over het Palais Royal heen te draaien, waar hij lijkt te stoppen, want hij draait steeds langzamer.

'Het Palais Royal.'

Net voordat hij stilvalt, maakt de tol een klein sprongetje en eindigt hij zijn baan op de straat recht achter het paleis, de Rue de Beaujolais.

Mistral knikt. 'Natuurlijk... een brug tussen het Palais Royal en de Rue de Beaujolais... dat is duidelijk. Dat is de Passage du Perron.'

'Wat is dat?'

'Een passage: een soort overdekte zuilengalerij. Ze zijn kenmerkend voor Parijs en heel handig op regenachtige dagen. Sommige hebben een glazen plafond, andere, zoals deze, zijn gewoon een soort tunnels.'

Ermete noteert het adres. 'Ik ga er een kijkje nemen.'

'Nu alleen ik nog,' zegt Harvey. Hij zet de laatste tol op de kaart, de draaikolk, en slingert hem bijna over de plattegrond. De tol schiet ervandoor met een dreigend gesis en begeeft zich meteen naar de noordelijke wijken van Parijs.

Tot ieders stomme verbazing stopt hij precies op het huis van Mistral.

Roerloos onder aan de trap controleert Linda Melodia hoe de schoonmaakster die haar zus heeft gebeld in haar eentje de planten voor de kelderdeur wegschuift.

'Er is een blad gevallen,' zegt ze als de vrouw klaar is.

Assunta raapt het op en lacht. Ze is een kleine, opgewekte vrouw met een theekleurige huid.

'Omlaag gaan, ik,' zegt ze, terwijl ze een emmer en poetsdoeken pakt.

'Ja, ja... omlaag gaan. Ik later komen,' zegt Linda langzaam, terwijl ze voor de zekerheid het hele werkwoord gebruikt.

Zodra Assunta door het deurtje is verdwenen, rent ze snel de trap op naar haar zus.

'En?' vraagt Irene. 'Wat vind je van haar?'

'Ze is klein!'

'Ja, maar afgezien daarvan?'

Linda kijkt omlaag, om zeker te weten dat ze niet wordt afgeluisterd. 'Ze lijkt me wel opgewekt. Ze lacht voortdurend.'

'Mooi. We kunnen hier wel wat vrolijkheid gebruiken, vind je niet?'

'Ach...' snuift Elettra's tante. 'Ik ben dat gezeur van jou beu. Beu, is dat duidelijk?'

'Wat heb je haar gevraagd om te doen?' vraagt Irene.

'De kelder.'

'Hoezo, de kelder? Daar hebben we al jaren niets meer aan gedaan.'

'Daarom juist.'

'Maar Linda! Ik heb Assunta gebeld om jou te helpen met de keuken, de eetzaal, de kamers...'

'Ben je gek? Ik laat toch geen onbekende onze kamers opruimen? Terwijl de kelder zo smerig is? Geloof me, daar beneden kan ze wekenlang aan de slag!'

'Maar dat kun je niet maken...'

Een harde dreun overstemt hun gesprek.

'O nee!' roept Linda uit en ze dendert de trap af. 'Ik wist het wel! Wat zou ze kapot hebben gemaakt?'

16
De bloemen

Het is bijna twaalf uur 's middags als Harvey en Elettra met een plattegrond van Parijs in de hand bij de halte Rambuteau uit de metro stappen.

'Rustig,' mompelt hij als ze boven komen en om zich heen kijken.

'Ik ben heel rustig,' sneert Elettra.

'Ik had het niet tegen jou. Ik praatte in mezelf.'

'Normaal gesproken doen alleen gekken dat.'

'Je moet ook wel een beetje gek zijn om het uit te houden met jou.'

Buiten is het een labyrint van straatjes, maar er is geen spoor van de Rue de Montmorency, die de tol met het oog heeft aangewezen.

Harvey draait de plattegrond om, dan nog een keer, hij slaat

de eerste straat in en dan de tweede. Hij komt terug en kiest een derde straat.

'Kunnen we het niet beter vragen?' zegt Elettra op dat moment.

'Nee. Beter van niet.'

De jongen kijkt om zich heen, meer dan ooit vastberaden om er zelf uit te komen. Maar dat is nog helemaal niet zo makkelijk. Hij krabt woest over zijn hand, waar een klein rood bultje zit door de beet van de tarantula, bedekt met flinke glanzende korst door het vele krabben.

Elettra snuift en houdt een voorbijgangster aan. Ze staat druk te gebaren met de dame en komt dan met een grote grijns terug naar Harvey.

'We lopen tot aan het museum, dan nemen we de Rue du Temple en dan de tweede zijstraat links.'

'Zeker weten?'

'Je hebt geluk dat ik ontzettende slaap heb, Harvey. Anders denk ik dat ik je een klap zou geven.'

Dat gezegd hebbende loopt Elettra de aangegeven richting in, en Harvey mompelt geërgerd: 'Welkom in Parijs. De stad van de liefde.'

'Wat zei je?' vraagt ze terwijl ze zich geërgerd omdraait.

Ze spert verschrikt haar ogen open. Harvey heeft haar schouder vastgepakt en drukt zonder haar de kans te geven om te reageren een kus op haar lippen.

'Niets,' lacht hij daarna en hij rent de Rue du Temple in.

'Ik zou veel liever willen dat dit een nachtmerrie was, weet je?' mompelt Sheng terwijl ze in de rij staan voor de glazen piramide die de toegang van het Louvre vormt. 'Dan zou ik tenminste uit bed kunnen vallen en wakker worden.'

'Je landgenoten denken er anders over dan jij,' zegt Mistral met een geërgerde blik op de honderden Aziatische mensen die in twee rijen voor hen staan te wachten. Eén rij voor mensen met een tas of rugzak die door de röntgencontrole moet, en een rij voor mensen die niets bij zich hebben. De glazen piramide glinstert voor hen als een kristallen serre.

'Ho ho, dat zijn geen Chinezen. Dat zijn Japanners,' protesteert Sheng. 'Dat is een groot verschil.'

'Wat dan bijvoorbeeld?'

'Bijvoorbeeld dat wij geen foto's maken van de rij om het museum binnen te komen.' De rij in kwestie gaat één stap naar voren. 'Verdorie, in dit tempo doen we er uren over.'

'Zo gaat het altijd. Het is tenslotte het beroemdste museum ter wereld.'

'Ze hoeven de Mona Lisa alleen maar ergens anders neer te hangen, dan zou de rij nog maar half zo lang zijn.'

'Ik wist niet dat je zo'n mopperkont was.'

'En ik wist niet dat jij zo bezorgd was.'

'Dat komt door die laatste tol.'

'Jouw huis?'

'Ja. Ik kan er niet over uit.'

Voor de zekerheid hebben de vier vrienden zich opgesplitst en al hun voorwerpen meegenomen; Elettra en Harvey hebben de houten kaart en de tollen bij zich, en zij tweeën hebben het horloge en het wapen van Napoleon.

Bij de volgende stap naar voren slaakt Sheng een angstaanjagende geeuw.

'Misschien zou je het wat minder duidelijk moeten laten merken,' berispt Mistral hem grinnikend.

'Misschien heb jij niet de hele nacht een kokendhete brommer geduwd van de buitenwijk tot aan jouw huis, en heb je ook niet samen met driehonderd schreeuwende ganzen gereisd.'

En daar komt weer een gigantische geeuw.

En nog een.

'Misschien had je beter thuis kunnen blijven.'

'Op de plek van het gevaar? Nou nee, bedankt, maar... maar...' Vierde geeuw. 'Ik ben bang dat ik het niet lang meer volhoud.'

Sheng doet alsof hij flauwvalt tegen Mistral aan, maar zij springt razendsnel opzij.

'Had je me zomaar op de grond laten vallen?'

'Je viel niet echt flauw.'

'Maar als ik echt was flauwgevallen?'

'Hou op,' zegt Mistral lachend.

Sheng glimlacht.

Hij vindt het heel fijn, bedenkt hij, als hij Mistral aan het lachen kan maken.

Nadat hij zich heeft ontworsteld aan de kluwen toeristen die door de steile straatjes van Montmartre wandelen, heeft Ermete De Panfilis zich rijkelijk besprenkeld met aftershave en is hij haastig de wijk Le Marais in gedoken op zoek naar de bloemenwinkel Mille Feuilles.

'Weet je zeker dat dit de allerbeste is, mama?' heeft hij nog aan de telefoon nagevraagd voor hij naar binnen ging. 'Oké, ik zal er maar op vertrouwen.'

Twaalf minuten later is hij naar buiten gekomen met een gigantische bos bloemen die bijna van zijde lijken, en is hij voldaan naar het park van het Palais Royal gewandeld. Daar is hij blijven staan op de grote laan, omzoomd door bomen die allemaal heel keurig gesnoeid zijn, niet ver van de centrale fontein die regenbogen omhoog spuit in het zonlicht.

En daar voelt hij zich ineens ontzettend onnozel.

'Ik ga hem niet geven,' besluit hij hardop.

Hij gaat op een bankje zitten naast een hoge, zwarte lantaarnpaal die er nogal brutaal uitziet. 'Of zal ik hem wel geven? Heel achteloos. "O ja, kijk, ik kwam hier langs en ik vond deze bos bloemen van de beroemdste bloemist in de stad..." '

Onder het praten gebaart hij als een acteur die zijn rol oefent voordat hij het toneel opgaat. Hij oefent het een paar keer en besluit dan: 'Nee, ik geef hem niet.'

Hij legt de bos bloemen op het bankje en kijkt ernaar. Achtenvijftig euro en vijftig cent zomaar achtergelaten bij het Palais Royal. Misschien kan hij proberen om de bloemen terug te brengen.

Hij kijkt hoe laat het is.

Te laat. Zoë zal er zo wel aankomen. Ze hebben hier afgesproken om een kijkje te nemen in de Passage du Perron, die aan de korte kant van het park begint. En waar iets verborgen zou moeten zijn dat heeft te maken met... de brug.

'De brug verbindt twee oevers... en twee personen...' mompelt Ermete. 'Misschien is het een teken.'

Dan draait hij zich met een ruk om, alsof hij voelt dat er iemand achter hem staat. Maar het is alleen zijn eigen wolk van aftershave, die bijna voelbaar in de lucht hangt.

Hij wacht nog een paar minuten, broeiend in de zon. Als hij opnieuw kijkt hoe laat het is, ontdekt hij dat het twaalf uur is.

'Hallo Ermete,' zegt Zoë ijselijk stipt.

Ze draagt een rookgrijs mantelpakje.

De ingenieur springt enthousiast op van het bankje en denkt nergens meer aan. 'Ha, Zoë. Perfect. Daar zijn we dan. Kom, we gaan.'

Zij werpt een twijfelachtige blik op het bankje.

'Hier is vast iets heel vervelends gebeurd...' begint ze.

'Wat?'

'Zo'n mooie bos bloemen laat je niet zomaar liggen!'

'O ja, die bloemen!' roept Ermete en hij wil ze oppakken.

Zoë kijkt hem echter afkeurend aan. 'Wat doe je? Je wilt ze toch zeker niet stelen?'

Ermete glimlacht zwakjes. 'O, nee. Nee, nee. Natuurlijk niet. Ze kunnen...' Hij kijkt om zich heen. 'Ze kunnen elk moment terugkomen om ze op te halen.'

'Precies. Zullen we?'

Ermete loopt als verstijfd achter haar aan.

'Het gaat regenen,' zegt Zoë terwijl ze de ingenieur meevoert naar de passage.

'Denk je?'

'Ruik je die muffe lucht niet? Zo stinkt de Seine altijd als het gaat regenen.'

Ermete zet een stapje naar achteren en hoopt maar dat Zoë niet door krijgt dat die muffe lucht eigenlijk zijn aftershave is.

17
De alchemist

'Dit straatje is het,' besluit Harvey terwijl hij de onbeduidende Rue de Montmorency inslaat. Elettra loopt zonder te protesteren achter hem aan. Na de kus is het alsof alles ineens weer normaal is geworden.

Als ze de Rue Beaubourg oversteken, pakken ze elkaars hand vast en dan lopen ze door de straat met eenrichtingsverkeer, waar een ongewone stilte heerst zodat de andere geluiden van de hoofdstad gedempt klinken.

'Waar moeten we zoeken?'

De Rue de Montmorency is smal en grauw, door de vele geparkeerde auto's kunnen ze er amper nog door.

'Wacht even.' Harvey kijkt het na. 'Rechtdoor. Daarginds moet het zijn.'

De plek die is aangewezen door de tol van de waakhond bevindt zich in het laatste stukje van de straat, vlak voor de

kruising met de drukkere Rue Saint Martin.

'Het moet hier aan de linkerkant zijn,' concludeert Harvey als ze dichterbij komen.

Op de plek die door de tol werd aangegeven bevindt zich een grijs huis van drie verdiepingen, dat weliswaar in de steigers staat maar toch de indruk geeft van een eeuwenoud, statig gebouw. Een bordje geeft aan dat je in een herberg komt als je door het vrijgehouden poortje gaat:

AUBERGE
NICOLAS FLAMEL

Op de voorgevel, boven een dwarsbalk van grijze steen, prijkt een lichter bord.

'Kun jij Frans lezen?'

'Net zo goed als Chinees.'

'Dan hebben we een online vertaling nodig. Mistral?' vraagt Harvey in zijn mobiele telefoon. 'Wat betekent "*Maison de Nicolas Flamel et de Pernelle sa femme?*"'

'Huis van Nicolas Flamel en van Pernelle, zijn vrouw,' vertaalt Mistral. En dan, als de rest haar wordt voorgelezen: '*Ter herinnering aan hun liefdadigheidsactiviteiten heeft de stad Parijs in 1900 het oorspronkelijke opschrift uit 1407 gerestaureerd.*'

'Het is een heel oud huis,' zegt Elettra terwijl ze het gebouw bekijkt.

'Zegt het je iets?' vraagt Harvey in de telefoon.

'Misschien wel...' peinst Mistral. 'Volgens mij is dat het oudste huis van Parijs. En die Flamel... Wacht even. Wat zeg je, Sheng?'

Mistral is even weg en praat dan verder: 'Hebben jullie *Harry Potter* gelezen?'

'Ik heb de films gezien.'

'Sheng zegt dat er in *Harry Potter* ook over Flamel wordt verteld.'

'In welk van de zeven delen?'

Mistral raadpleegt opnieuw de lezer van hun groepje en zegt dan: 'In *Harry Potter en de Steen der Wijzen* staat dat die Flamel een alchemist was.'

'Het huis van een alchemist? Fijne plek om eens een kijkje te gaan nemen.'

'Als jullie het niet zien zitten, moet je het niet doen. Wees maar voorzichtig.'

'Jullie ook. Hoe ver zijn jullie?'

'We zijn bijna bij de roltrap.'

Harvey verbreekt de verbinding.

'Ik ga kijken of ik naar binnen kan,' beslist Elettra.

'Ik neem een paar foto's.'

Hij loopt achteruit om het hele gebouw in beeld te krijgen met het fototoestel van Sheng, maar dat valt niet mee vanwege de steigers die tegen het hele huis aan staan. Aan de linkerkant zijn dikke ijzeren banden aangebracht die de voorgevel ondersteunen. De muren lijken pas geschilderd en de raamkozijnen zijn splinternieuw.

'Nee maar!' roept Elettra die het menubord in de vitrine leest. 'Wat dit ook voor gerechten mogen zijn, ze klinken verrukkelijk. *Coquillages et crustacés, baignés d'un aïgo boulido, fleurs épicées, gigot d'agneau de sept heures, purée de céleri rave, lingot choc-or de Flamel...*'

Door het raam aan de straatkant zijn twee zaaltjes met witte tafels en stoelen te zien.

Als hij inzoomt ontdekt Harvey dat er in de dwarsbalken en steunpilaren van de voorgevel talloze inscripties staan die zijn aangetast door de tand des tijds, en reliëftekeningen die zijn afgestompt door honderden regenbuien. Het zijn raadselachtige figuren: een man met een tulband, een aantal tovenaars met mantels en spitse hoeden, vier engelen die musiceren. Misschien zou Ermete er iets van kunnen thuisbrengen, maar het enige wat Harvey duidelijk herkent zijn enkele letters die hier en daar worden herhaald: N en F.

'Overal staan de letters N en F,' zegt Harvey terwijl hij foto's blijft maken.

'Misschien zijn dat de initialen van de eigenaar: Nicolas Flamel.'

'Of ze duiden op de regel van het huis!' roept op dat moment een stem van binnen. 'Niet Fotograferen!'

Harvey laat de camera zakken. In de deuropening van de herberg is een man verschenen met een bolle neus, een spits snorretje, kleine oogjes en een bourgondische buik. Hij draagt een vlinderstrikje in de kleur van een hanenkam, een wit-rood geruit schort en een paar houten klompen.

'Sorry,' zegt de jongen, terwijl hij hem aankijkt en zich afvraagt of het een van Cybels mannen zou kunnen zijn.

'Ik maakte maar een grapje. Er komen hier gewoon zoveel rare mensen op zoek naar dit huis dat...

'Rare?'

'Mensen die op zoek zijn naar de steen der wijzen, naar het levenselixer of naar een ander zonderling geheim. Maar jullie

zien er niet uit als aspirant-alchemisten; waar komen jullie vandaan?'

'Spanje,' antwoordt Elettra terwijl ze Harvey indringend aankijkt.

Wat slim, denkt die, en hij vult aan: 'Engeland.'

'Als jullie een hapje willen eten, we hebben vandaag een speciaal menu: 20 juni, 20 euro,' verklaart de man. 'En een paar interessante verhalen op de koop toe.'

Als Sheng en Mistral eindelijk naar binnen kunnen in het Louvre, lopen ze vanuit de grote onderaardse zaal van de kaartverkoop rechtdoor om als eerste de Sully-vleugel te bezoeken, die is gewijd aan kunst uit de oudheid. Ze lopen via een lange, donkere, spectaculaire loopbrug rond de middeleeuwse fundamenten van het museum en belanden dan in de zaal met Egyptische oudheden.

'Hao!' roept Sheng als hij voor de Crypte van de Sfinx staat waaruit het beeld van farao Nectanebo II verrijst.

Ze lopen door zalen met witte gewelven en bogen, waarin vitrines en reconstructies van het dagelijks leven in het oude Egypte zijn opgesteld: landbouw, huishouden, spel, visserij, het graan tellen, de schrijftechnieken.

'Sheng? Kom je?' vraagt Mistral als ze merkt dat haar vriend weer bij een sfinx staat te treuzelen.

'Geef me een sarcofaag en ik zal duizend jaar slapen,' mompelt hij.

Mistral loopt naar hem toe en kijkt bewonderend om zich

heen. Het is zo ongeveer de tiende keer dat ze in het Louvre is, en net zoals alle vorige keren voelt ze haar hart bonzen van opwinding.

'We moeten op zoek naar de waakhond,' zegt ze.

'Zou het een van deze apen kunnen zijn?' oppert Sheng geeuwend voor een rijtje bavianen die uit lichte steen zijn gehouwen.

'Misschien,' mompelt Mistral en ze blijft staan om een paar bordjes te lezen. 'O, heb je dat gezien?'

'Wat?'

'Hier staat dat de eerste mummie is gemaakt door Isis.'

'Ik dacht dat mijn lerares de eerste mummie was,' geeuwt Sheng.

'Gekkie. Toen haar man Osiris werd vermoord en in veertien stukken werd kapot gereten, ging zij de stukken bijeen zoeken en paste ze weer in elkaar.'

'Ik ben ook kapot,' mompelt Sheng terwijl hij doorloopt. 'Laat iemand me maar omzwachtelen!'

De volgende zaal heeft een torenhoog plafond en ontzagwekkende zuilen; hij lijkt wel speciaal ontworpen zodat zij zich klein en verloren zullen voelen. Mistral controleert waar ze zijn op de plattegrond van het museum. Ze moeten nu ongeveer in de buurt zijn van de plek die de tol heeft aangegeven.

'Ik moet je iets vertellen, Sheng...'

'Zeg op.'

'Als ik het goed heb, zou de waakhond zich in de komende zes, zeven zalen moeten bevinden. Of... in de zalen die er precies boven liggen. Of eronder.'

'Zijn er ook nog verdiepingen hierboven?'

'Minstens drie.'

'En hieronder?'

'Minstens één.'

'Ik val flauw.'

'Als je wilt gaan we uit elkaar.'

'Hmm.'

'Ik ga naar beneden... en dan naar boven.'

'Hmm.'

'Kijk jij dan hier rond?'

'Hmm.'

Sheng wacht geeuwend tot Mistral de trap af is en loopt dan weg van de twee houten vaartuigen die zich aftekenen tegen het raam, waarna hij wankelend van vermoeidheid om zich heen kijkt.

'Waakhond?' vraagt hij.

Achter hem is een zijzaaltje waar de stroom bezoekers niet lijkt te komen. Als hij er naar binnen gaat, is hij helemaal alleen, ondergedompeld in een lauwwarm schemerdonker. Hij geeuwt.

En hij geeuwt nog een keer.

Hij kijkt op om het nummer van de ruimte te controleren. 12B. Het is een smal, langwerpig zaaltje waarin maar twee voorwerpen worden tentoongesteld. Aan de ene kant de ruïne van een tempeltje of iets dergelijks. Aan de andere kant, als een soort plafond, een vierkante steen vol hiëroglyfen. Maar het belangrijkste is dat er een zwarte leren fauteuil staat die er onweerstaanbaar comfortabel uitziet.

Sheng kijkt om zich heen.

Niemand.

Met een zucht van verlichting gaat hij op de stoel zitten, en het volgende moment ligt hij tegen de rugleuning aan te slapen.

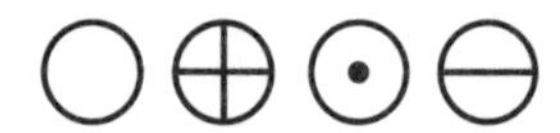

De Passage du Perron is een smalle tunnel met een gewit plafond dat een verbinding vormt tussen het park van het Palais Royal en de Rue de Beaujolais. Hij ligt iets onder het straatniveau, waardoor het er extra donker is. Ermete, die door Mistrals beschrijving en door de nabijheid van het Palais Royal iets totaal anders had verwacht, is een beetje teleurgesteld. Ook omdat er werkelijk niets te ontdekken valt in de passage: aan beide zijden zijn alleen maar winkeltjes en nog eens winkeltjes.

'Daar zijn we dan,' zegt Ermete.

'Wat moeten we hier zien te vinden?'

De ingenieur krabt op zijn hoofd. 'Eerlijk gezegd heb ik geen idee.'

Zoë knikt. 'Hoe werkt die tol eigenlijk?'

'Hij wijst een plek aan. Maar niet de reden waarom. In feite moet je de reden waarom afleiden uit de tekening die erop staat...'

'Een brug,' zegt Zoë, terwijl ze blijft staan voor een prachtig winkeltje met handgemaakte muziekdoosjes. *Maison Anna Joliet* heet de winkel.

'Precies,' beaamt Ermete. 'Oftewel een symbool dat van oudsher...'

'Varrone, *De Lingua latina*, V, 83,' citeert Zoë uit haar hoofd. '*Van oudsher was een pontifex iemand die bruggen bouwde. Het*

beroep werd als heilig beschouwd, en zo veranderden bruggenbouwers in priesters.'

Ermete kijkt haar bewonderend aan.

'Genesis, IX, 13. *Het verbond tussen God en de mens heeft de vorm van een regenboog. Een brug tussen hemel en aarde.*'

'Dat... dat klopt,' stamelt de ingenieur. Hij was bijna vergeten dat zij ook gestudeerd had.

'In de Middeleeuwen had men het gebruik om iemand levend te begraven in het fundament van een brug, zodat die persoon er de bewaker van zou worden. En ook nu nog worden vergelijkbare rituelen uitgevoerd in verschillende uithoeken van de wereld. Als je wilt kan ik nog uitweiden over andere begrippen uit de archeologie. Maar ik geloof niet dat dat is wat we zoeken.'

'Misschien niet, nee.'

De twee lopen door de passage en kijken achteloos in de etalages. Eenmaal aan de andere kant moet Ermete toegeven: 'Misschien heeft de tol zich vergist.'

'Of misschien moeten we beter zoeken,' oppert Zoë en ze drukt haar handpalmen tegen haar ogen. 'Mag ik je iets vragen, Ermete?'

'Natuurlijk.'

'Hoe ben jij eigenlijk bij deze zaak betrokken geraakt? Ik bedoel, was dat een idee van de kinderen, van Alfred, of...'

Ermete geeft geen antwoord. Al maandenlang deelt hij die geheimen met Elettra, Harvey, Sheng en Mistral en hij is er niet helemaal zeker van of hij ze wel aan haar moet vertellen. 'Dat is een lang verhaal,' zegt hij wegwuivend.

'Heb je zin in koffie?' stelt Zoë voor en ze wijst op de felgroene deur van Café Pistache. 'Slap, kleurloos en zonder enige smaak?'

Grinnikend accepteert Ermete de uitnodiging.

Als ze bij het terrasje aankomen, laat hij zich met een zucht gaan: 'Zij zijn naar mij toe gekomen. In mijn winkel.'

'Heb je een winkel?'

'Ik hád een winkel. *Lagers & Lopers*,' fluistert Ermete.

'Leuke naam.' Zoë bestelt twee koffie bij de ober met het zwarte vlinderdasje. 'En Alfred? Wanneer heb je die leren kennen?'

'Een paar jaar geleden alweer.'

18
De bewaker

De lunch in het restaurant van alchemist Flamel is heerlijk. Als een echt stelletje tegenover elkaar gezeten op de witte houten stoelen, proeven Elettra en Harvey een heel gepeperde, pikante garnalensoep, een lamsbout in zoetzure saus met verse pruimen, en ten slotte een stuk chocoladecake met vanillesaus en gegarneerd met een reuzenaardbei.

De chef komt bij hen aan tafel zitten met een glas geurige wijn en het beloofde verhaal. 'Alles wat bekend is over Flamel is in legendes gehuld...' begint hij. 'Net zoals het een legende is dat dit zijn huis zou zijn. Ze zeggen dat hij rond 1330 is geboren in Pontoise, ver weg van hier. En dat hij een publiek schrijver was, iemand die brieven schreef die door anderen werden gedicteerd. Hij trouwde met Pernelle, en nadat ze een paar jaar in Spanje hadden doorgebracht keerden ze schatrijk terug naar Parijs. Niemand wist hoe ze hun fortuin vergaard hadden, maar

ze werden een van de belangrijkste echtparen van de stad, en ze gebruikten hun geld om goede dingen te doen: ze bouwden hospitalen, tehuizen voor geesteszieken en kapelletjes in talloze kerken. In de kerk van Saint Jacques de la Boucherie, waar tegenwoordig praktisch niets meer van over is, werd tot 1789 altijd nog een mis voor hen opgedragen.'

'Het jaar van de revolutie.'

'Precies. Het jaar waarin de kerk werd verwoest en een van de graftombes van Flamel werd opengemaakt.'

'Hoezo, *een van de*?'

'Net zoals zijn leven is ook de dood van Flamel in raadselen gehuld. Men zegt dat hij in 1418 stierf en dat hij in die kerk zijn grote geheim liet begraven, bewaard in een cederhouten kist met zeven gouden platen.'

'Wat voor geheim?'

'Het was een boek met een koperen band, en dikke bladzijden beschreven met potlood. Op de eerste pagina waarschuwde de mysterieuze schrijver in gouden letters eenieder die geen rabbijn of schrijver was om de geheimen in dat boek niet te gebruiken, omdat het enkel was opgesteld met het doel om de joden van Frankrijk een manier te verschaffen om hun belastingen aan het Rijk te betalen. Om kort te zijn, het boek bevatte de instructies om ijzer om te zetten in zuiver goud.'

'De steen der wijzen.'

'Hoe je het ook wilt noemen. Het boek stond bekend als het boek van Abraham, of het boek van de Witte Dame...'

'Hoor je dat, Harvey?' onderbreekt Elettra hem. 'De Witte Dame; als ik me niet vergis... heeft Ermete ons verteld dat "de Witte Dame" een van de vele namen van Isis was.'

De jongen knikt.

'Het boek bevatte de grote geheimen van het universum en van de mens,' vervolgt de chef. 'Met de tien eenvoudige instructies om onsterfelijk te worden en de manier om zelf goud te maken.'

'Daar zou ik wel eens een blik in willen werpen,' grijnst Harvey.

'Net zoals miljoenen andere mensen.' De man staat op. 'Maar niemand is erin geslaagd. Einde van de legende. Het geld van Flamel werd allemaal aan goede doelen geschonken, en wat die onsterfelijkheid betreft, je weet maar nooit... Er wordt beweerd dat Flamel aan het einde van de achttiende eeuw is gezien in de Opéra van Parijs, anderen zeggen dat hij gewoon is begraven op het Cimetière des Innocents in Parijs, getuige zijn overigens heel raadselachtige grafsteen.'

'Daar zouden we eens kunnen gaan kijken,' oppert Elettra.

'Dat wordt lastig,' zegt de chef. 'De begraafplaats is vlak na de revolutie ontruimd. En de grafsteen van Flamel is naar een museum gebracht.'

'De kerk bestaat niet meer, de begraafplaats bestaat niet meer...' mompelt Harvey. 'Dat wordt wel heel moeilijk zoeken zo.'

Als hij weer alleen is met Elettra, begint Harvey met zijn vingers op tafel te roffelen. 'Wat zullen we doen?'

'Ik wil evengoed naar die begraafplaats gaan kijken...'

'Maar die bestaat toch niet meer!'

'Dat wil nog niet zeggen dat we er niet naartoe kunnen gaan.' Elettra staat op van tafel, legt haar servet naast haar bord en werpt Harvey een geamuseerde blik toe. 'Bedankt voor de lunch.'

'Graag gedaan,' antwoordt Harvey als een echte gentleman.

Dan loopt hij naar de balie om de rekening te vragen, en terwijl hij tegen de kassa leunt, ziet hij een dik boek met koperen beslag.

'Wat is dit?' vraagt hij aan de chef.

'Dat is ons gastenboek.'

'Mag ik het openmaken?'

'Je mag er ook iets in schrijven, als je wilt.'

In het Louvre schreeuwt ineens een bulderende stem: 'Ik zie dat we ons hier goed vermaken!'

Sheng schrikt wakker en staart verbluft naar een grote stok en de stevige benen van een dikke man. Hij kijkt om zich heen, die kale muren, het witte plafond en de ruïne van het tempeltje tegen de muur komen hem absoluut niet bekend voor.

'Waar ben ik?'

'Net terug uit je dromen, zo te zien,' antwoordt de stem van daarnet.

Hij behoort toe aan een reusachtige man met een vierkante kop en een stugge, grijzige baard. Hij draagt een onberispelijk blauw colbertje en houdt zijn handen gevouwen boven op zijn wandelstok, waarin twee kronkelende slangen zijn gekerfd.

'Ik...' mompelt Sheng, die nog steeds niet helemaal wakker is. 'Sorry, ik wilde niet... in slaap vallen.'

'Wat doe je hier?' vraagt de man met de bulderstem. En om zijn ergernis nog eens te benadrukken bonkt hij met zijn stok op de grond.

CENTURY

A R I A

CENTURY
PARIS
PLAN D'ENSEMBLE
PAR
ARRONDISSEMENTS
MÉTROPOLITAIN
Echelle : 33.000e
CARTES TARIDE
154, Boulevard St Germain _ PARIS
St Honoré S.E
Bourbon S.
Université S.
Varenne S.
Sève S.
Isle

1907
Kindertotenlieder
Gustav Mahler
1
Vorwärts
Voortbeweging
Mistral
De tollen
Cybel
Louvre/Eiffel-
Fl. picc.
Fl.
Ob.
Cor. ingl.
Cl.
Fg.
Cor.
Tr.
Tmp.
Trgl.
Tamb.
Ptti.
Voce
Vl.
Vla.
Vlc.
Cb.
ohne Nachschlag
Becken frei, mit Schwammschlägel
Den Ruf der Schildwachen nachahmen
offener Ton
Krieg!
Halt!
Wer da!!
poco a poco cresc.
Zoe

2

3

4

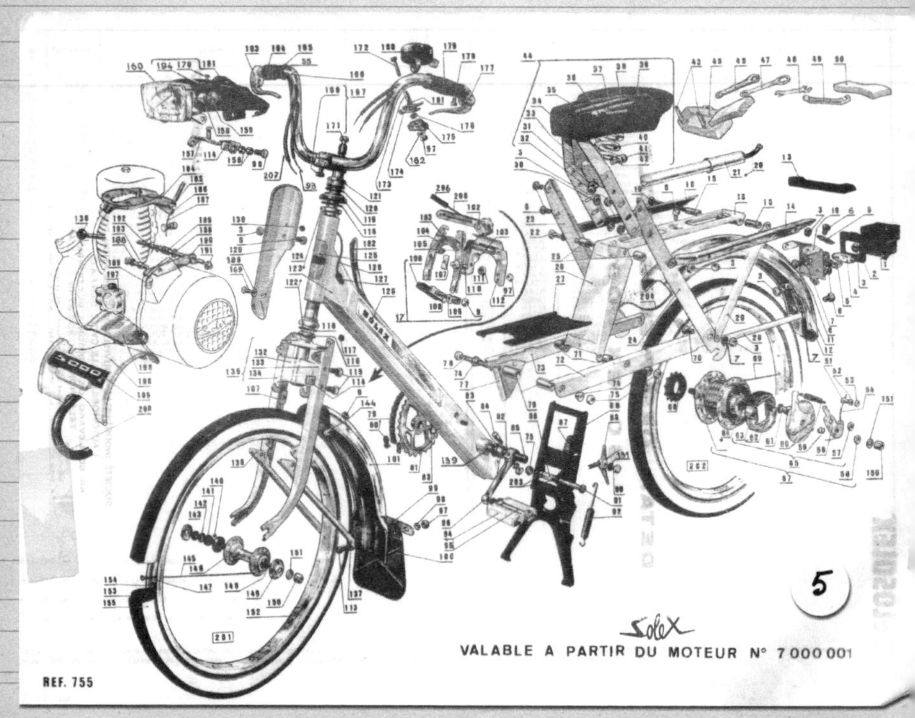
5
Solex
VALABLE A PARTIR DU MOTEUR N° 7 000 001
REF. 755

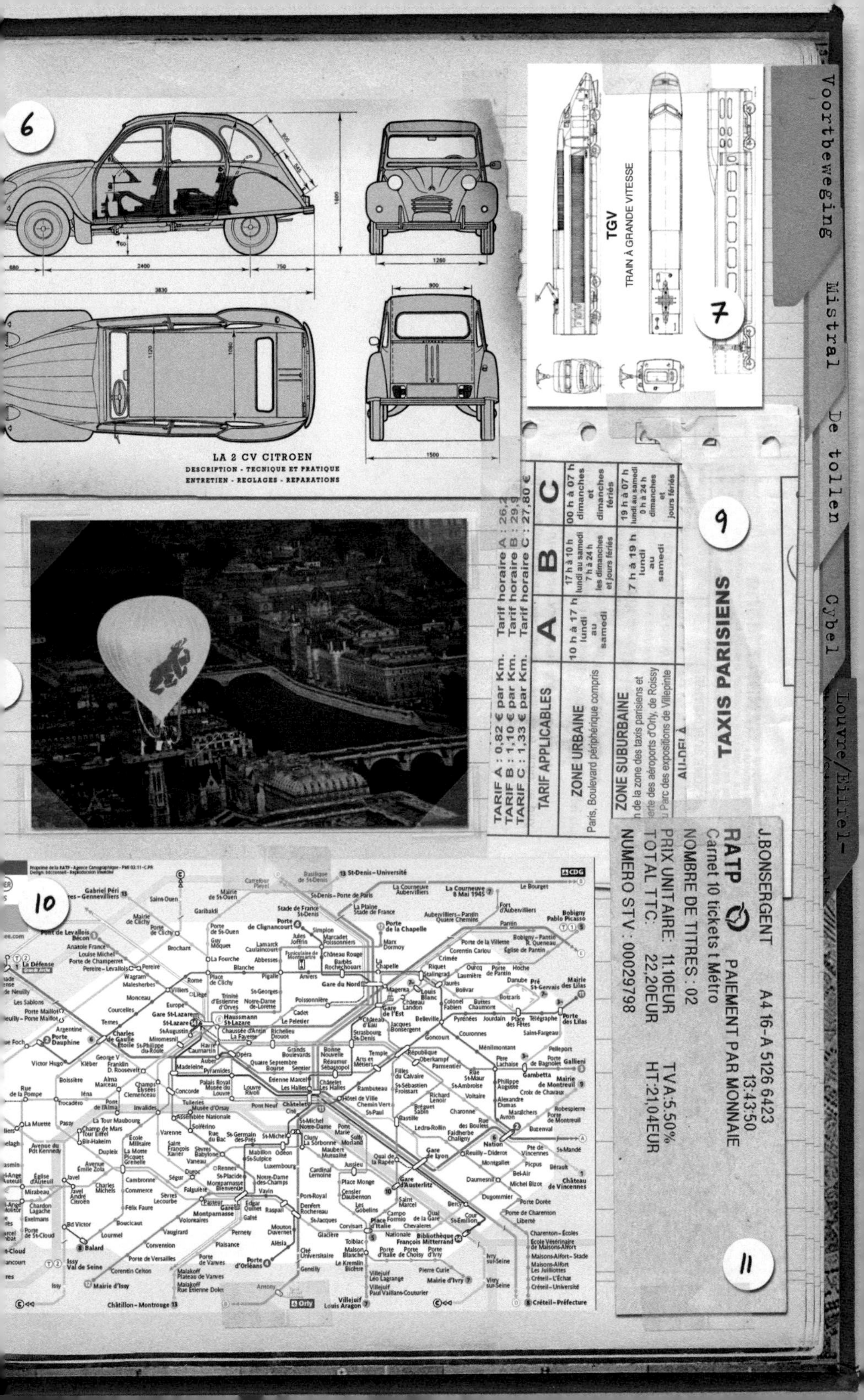

Voortbeweging
Mistral
De tollen
Cybel
Louvre/Eiffel-
6
LA 2 CV CITROEN
DESCRIPTION - TECHNIQUE ET PRATIQUE
ENTRETIEN - REGLAGES - REPARATIONS
7
TGV
TRAIN À GRANDE VITESSE
9
TARIF A : 0,82 € par Km. Tarif horaire A : 26,2
TARIF B : 1,10 € par Km. Tarif horaire B : 29,9
TARIF C : 1,33 € par Km. Tarif horaire C : 27,80 €
TARIF APPLICABLES
A
B
C
ZONE URBAINE
Paris, Boulevard périphérique compris
10 h à 17 h lundi au samedi
17 h à 10 h lundi au samedi 7 h à 24 h les dimanches et jours fériés
00 h à 07 h dimanches et dimanches fériés
ZONE SUBURBAINE
7 h à 19 h lundi au samedi
19 h à 07 h lundi au samedi 0 h à 24 h dimanches et jours fériés
TAXIS PARISIENS
10
11
J.BONSERGENT
A4 16-A 5126 6423
RATP
PAIEMENT PAR MONNAIE
13:43:50
Carnet 10 tickets t Métro
NOMBRE DE TITRES : 02
PRIX UNITAIRE: 11,10EUR
TOTAL TTC: 22,20EUR
TVA:5,50%
HT:21,04EUR
NUMERO STV : 00029798

from:
Agata - 122 East, 42nd Street
Chanin Building - New York NY
JFK INTERNATIONAL AIRPORT
18
PM
USA 22
First Concorde Flight
AIR FRANCE
NY
Mistral Blanchard
Rue de l'Abreuvoir 22
18ème arrondissement
Paris
Concorde nº F.BVFF et F.BTSC
Vôl AF 4150 via CDG
Cdt de bord: MM. Leclerc et Lortsch
Entier philatélique voyagé à bord
12

13
CAFE

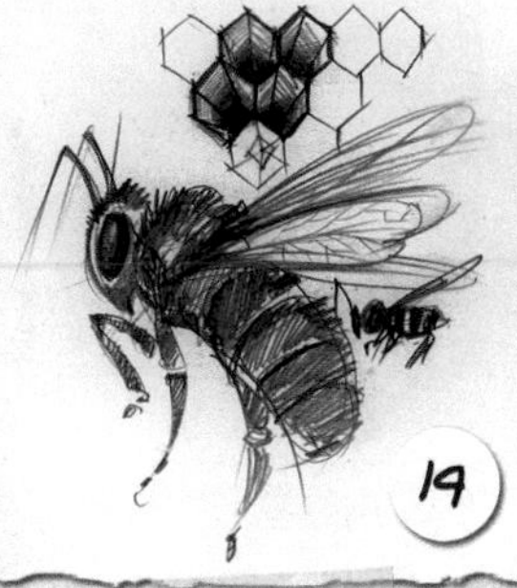
14

15

16

Mistral

De tollen

Cybel

Louvre/Eiffel-toren/Sterrenwacht

227. - PARIS (9e). — L'Opéra
Construit par Charles Garnier (1861-1874) - Académie Nationale de Musique - Superficie : 11.235 m. c.
La Scène mesure 15 m. de hauteur et autant de large. La Salle contient 2.300 places
L'Emplacement a coûté 10 millions La construction 17 millions J. H.
21
22
22
PARIS
D'ENSEMBLE
PAR
NDISSEMENTS
METROPOLITAIN
Echelle : 33.000
CARTES TARIDE
154, Boulevard St Germain_PARIS
R.C.Seine 259.223 B.
COURBEVOIE
LEVALLOIS PERRET
CLICHY
PORTE DE CLICHY
PORTE DE CHAMPERRET
XVII
ETOILE
Victor-Hugo
Trocadero
XVI
Passy
Bir-Hakeim
Ecole Militaire
Champ-de-Mars
Dupleix
LA MOTTE-PICQUET GRENELLE
Javel
XV
Convention
Vaugirard
PORTE DE VERSAILLES
Plaisance
PORTE DE VANVES
VII
VIII
Invalides
VANVES
MALAKOFF
BALARD
SEINE

23
24
AUBERGE
Nicolas Flamel
datant de 1407
Relais Gastronomique
25
De tollen
Cybel
Louvre/Eiffeltoren/Sterrenwacht
LÉGENDE
Métropolitain en exploitation Station en construction Station
Stations de correspondances
Limites d'Arrondissements
Lignes de Chemins de fer Stations Tunnel
Principaux monuments _ Eglises _ Mairies
CHARENTON LE PONT
IVRY
Vers MAIRIE D'IVRY

26

27

28

29

30

31

32

Cybel

Suggestions

Entrées

Salade de lentilles à l'échalote

Spécialités

Poissons

Petits Plats

Quenelle de Brochet à l'Ancienne

le Filet de Canard

Pièces de Boeuf

l'Entrecôte

Desserts

Plats de nos Régions

Fromages

prix en euro

33

Cybel

Louvre/Eiffel-toren/Sterrenwacht

12 bis
34
35
MUSEE
DATE:
LOU:CAS009 11:04
S: 149 T: 87
9,00 €
MPX23
36
Capital of Apadana
Sackler Wing
to Pharaonic Egypt, Chronological Circuit
Levant
to Paintings
to Objets d'art
to Medieval Louvre
Statue of Ain Ghazal
to Greek and Roman Bronzes
to Medieval Louvre
to Greek Ceramics
Aphrodite, known as Venus de Milo
37
LOUVRE
見取り図と館内のご案内
日本語版
タクシー
チュイルリー公園
カルーゼル画廊 入口
中央入口 ピラミッド
リシュリュウ翼へ
Passage Richelieu
方形中庭
Cour Carrée
入口
入口

38
39
PARIS.— Notre-Dame, vue d'ensemble
42
PARIS. — L'ARC-DE-TRIOMPHE DE L'ETOILE
Louvre/Eiffel-
toren/Sterrenwacht
PARIS
la Bastille
43
Fig. 3. — Exposition universelle de 1889. — La Tour Eiffel au Champ de Mars, à Paris.
LES DEUX MAGOTS

INHOUDSOPGAVE

26 St Nicolas of ye Cha.
27 St Luck
28 St John
29 St Gervais
30 Great Arsenal
31 St Paul
37 Red Bridge
38 Our Lady
39 Exchange Bridge
40 New Bridge
41 St Michael Bridge
42 Little Bridge
43 Hotel God
44 Royal Bridge
45 Our Lady's
Eglise Saint-Germain-des-Prés
20h30 (8.30 P.M.)
Grand Concert
de Trompette et Orgues
ce et métro Saint-Germain-des-Prés
Concertos, Toccatas, Choral, Préludes et Fugues de:
JOHAN SEBASTIAN BACH
MICHEL CORRETTE
WILLIAM BOYCE
DIETRICH BUXTEHUDE
Prix des places: de 16 € (étudiants - chômeurs) à 25 €.
Billets a l'église Saint-Germain la veille et le jour du concert
de 10 h à 20 h 30 et à l'entrée du concert.
IANCE MUSEES
FE DE LA PYRAMIDE
DEUX MAGOTS
ermain des Pres - 75006 Paris
48 55 25
FR33302278585
494292 Caisse
Rue de Palestro
Parking Réaumur
Rue de Turbigo
Boulevard de Sébastopol
Rue au Maire
Rue des Gravilliers
6758360724
Transports en Ile-de-France
LÉGENDE
Métropolitain en exploitation Station en construction Station
Stations de correspondances
Limites d'Arrondissements
Lignes de Chemins de fer Stations Tunnel
Principaux monuments Eglises Mairies

LES CATACOMBES
PARIS

Nu hij hem eens goed bekijkt, kan Sheng niet bepalen of die ruwe baard een woeste grijns of een welwillende glimlach verbergt.

Voor de zekerheid probeert hij overeind te komen, maar daarbij merkt hij dat zijn rechterbeen slaapt.

'Au!' jammert hij terwijl hij terugvalt in de fauteuil.

'Het toeval wil dat dit mijn stoel is,' buldert de man weer. 'En dat ik er weer op wil zitten.'

'Au... au... sorry...' kreunt Sheng terwijl hij in zijn knie knijpt in een poging om dat tintelende gevoel te verdrijven.

'Slaapt je been?'

'Behoorlijk.'

'Dan moet je je been strekken,' beveelt de man en hij grijpt Shengs voet vast.

'Aaah, nee!' joelt de jongen.

Maar de greep van de man zou zelfs een krokodil nog tegenhouden. 'Wat een druktemaker... Tien tellen stil blijven zitten, dan is het over.'

Sheng houdt zijn adem in terwijl de kriebel langs zijn been naar zijn hersenen kruipt. Maar als de tien tellen voorbij zijn, is het getintel zoals beloofd ineens voorbij alsof het er nooit geweest is.

De man laat zijn voet los. 'Zo beter?'

Sheng probeert opnieuw op te staan en een paar stappen te zetten. 'Warempel, ja... Dankuwel.'

'Eindelijk,' grinnikt de reus terwijl hij op de plek van Sheng gaat zitten. 'Je hebt hem in elk geval warm gehouden voor me.'

Ook nu hij zit is de man nog langer dan Sheng. Maar nu kan

de Chinese jongen het naamkaartje op het borstzakje van zijn overhemd lezen: Jean Turie.

'Bent u een suppoost?' vraagt Sheng.

De man knikt. 'Zeg maar gewoon een bewaker. Maar dat ben ik inderdaad. En wie ben jij?' Elke zin die hij uitspreekt, knalt door de lucht als een zweepslag.

'Ik heet Sheng.'

'En wat doe je hier, Sheng, slapend in de belangrijkste Egyptische zaal van het Louvre?'

De jongen kijkt om zich heen, ervan overtuigd dat het een grap is. 'Ik was op zoek naar een rustig plekje.'

De bewaker knikt begripvol. 'En dat heb je gevonden. De ruimte waarin je ons hele universum kunt aanschouwen.'

'Ja,' grinnikt Sheng weer. 'Echt helemaal.'

'En waar de ware schat van het Louvre verborgen is,' vervolgt de man.

'Hao!' roept Sheng, nog steeds voor de grap.

'De ruimte waar voor ieders neus de grootste geschiedenis van de wereld hangt. De verklaring van de grote cirkel van leven en dood.'

Deze keer zegt Sheng niets meer terug. Hij krijgt ineens het idee dat de bewaker helemaal geen grapje maakt. Zijn handen tekenen cirkels voor zijn gezicht.

'Ik weet niet of u me voor de gek houdt of niet...' bekent hij met een half lachje.

Alsof hij in zijn sas is met zijn spelletje, leunt de man achterover. 'Wat denk je zelf?'

'De waarheid is dat ik... naar het museum ben gekomen op zoek naar iets heel kostbaars.'

'Alles is heel kostbaar hier.'

'Maar u hebt net gezegd dat in deze ruimte... de ware schat van het Louvre verborgen is.'

'Dat heb ik gezegd en dat is ook zo. Je moet alleen goed kijken om het te kunnen zien.'

Sheng kijkt rond. 'Die ruïne daar?'

De bewaker lacht luidruchtig. 'O nee. Je vergist je. Kijk liever eens die kant op...' Hij wijst met zijn stok naar het stenen reliëf dat op drie meter hoog aan de andere kant van de ruimte is opgehangen. 'Dat is hierheen gebracht in januari 1907,' mompelt de man. 'En mijn grootvader was degene die het bewaakte. Daarna was het de taak van mijn vader. En nu ben ik aan de beurt.'

'Jullie zijn een bewakersfamilie.'

'Precies,' antwoordt de reus met een schittering in zijn ogen.

De waakhond, denkt Sheng als hij dat ziet. Hij is de waakhond waar we naar op zoek waren.

'En dat reliëf... wat... wat is dat?' vraagt hij met ingehouden adem.

'Dat is de cirkelvormige dierenriem van Dendera,' antwoordt de bewaker.

Alsof dat antwoord voor zich spreekt.

'O, hallo Harvey,' mompelt Ermete wanneer hij de telefoon opneemt.

Het is al half twee. Al babbelend met Zoë is hij bijna de tijd vergeten.

'Dat had ik niet in de gaten... Met Zoë, ja. En jullie?'

De ingenieur luistert naar de opgewonden stem van Harvey.

'Goed, dan zien we elkaar daar.' Hij vraagt aan Zoë: 'Weet jij waar het Cimetière des Innocents is?'

'Waar het was, zul je bedoelen. Het bestaat al tweehonderd jaar niet meer.'

'Goed dan, weet je waar het was?'

'Op de plek waar ze naderhand de markt van Les Halles hebben gebouwd,' antwoordt de vrouw. 'En die bestaat nu ook al niet meer. Die is op 27 februari 1969 gesloopt,' voegt ze er onwillekeurig precies aan toe.

'Hoe dan ook... kunnen we ernaartoe gaan? De kinderen wachten daar op ons,' verklaart Ermete.

'Dat kan zeker. Les Halles is een ultramoderne, nutteloze plek... maar al met al niet ver van hier.'

'Gelukkig maar.'

'Alles goed? Je doet zo... nerveus.'

Ermete kijkt om zich heen om niet te laten merken hoe geërgerd hij is. 'Helemaal niet. Zullen we gaan?'

'Heel even nog.'

Zoë verdwijnt in het café, geeft een papiertje aan de ober met het zwarte vlinderdasje en keert dan terug bij Ermete.

'Ik had al betaald,' glimlacht de ingenieur.

'Bedankt!'

Het briefje van Zoë moet bezorgd worden bij Cybel. Er staat op geschreven: *Ik ga met die sukkel van een ingenieur naar Les Halles. Stuur jij iemand naar het Louvre.*

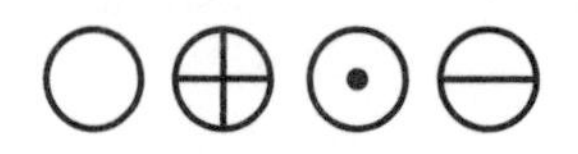

DE BEWAKER

Fernando Melodia spert de ramen van zijn hotelkamer open en kijkt naar de talloze auto's die onder de roerloze boomtakken over de boulevard heen razen. De hemel is strakblauw. De hitte bijna verstikkend.

Op zijn mobieltje vindt hij de laatste sms van Elettra en een gemiste oproep van Irene en Linda. De gebruikelijke dingen.

'Het is toch niet normaal dat er nooit eens iets gebeurt?' klaagt hij terwijl hij zich uitrekt.

Het dienblad van zijn ontbijt op bed staat geplunderd op het voeteneind.

Het is ook logisch, bedenkt Fernando, dat iemand met zo'n saai leven als ik niet veel inspiratie krijgt voor een boek. Hij heeft behoefte aan wat actie, een onverwachte huivering, en dat afgezien van zijn dochter die de trein mist bij de grens.

'Maar wat ze nou in 's hemelsnaam te zoeken had in een vrachtwagen vol ganzen?' mompelt Fernando met een vertederde glimlach.

Hij kleedt zich vlug aan en maakt zich klaar voor vertrek. Maar waar zal hij naartoe gaan?

Op het nachtkastje naast het bed liggen de boeken die hij aan het lezen is. Hij grijpt de beroemdste detective ter wereld en bladert voor de zoveelste keer het begin door. Het boek zit vol gele plakkertjes, op de bladzijden waar plekken worden genoemd die echt bestaan.

Het begint allemaal in het Louvre.

'Dat begin stelt niet veel voor,' mompelt Fernando bij zichzelf terwijl hij de kamer uit gaat.

Even later komt hij weer binnen. Hij pakt een pen en een notitieblokje en gaat weer naar buiten.

Hij komt nog maar één keer opnieuw de kamer binnen.

Om zijn mobieltje te pakken.

Aan de andere kant van de oceaan komt professor Miller met een somber gezicht de keuken binnen.

'Heb je Harvey gesproken?'

'Nee. En jij?'

Zijn vrouw heeft aan die paar woorden genoeg om te weten dat er iets niet in de haak is. Haar man gaat verstrooid zitten. Hij steunt met zijn ellebogen op tafel en begraaft zijn vingers in zijn haar.

Het is nog erger dan ze dacht.

'Wat is er aan de hand?'

'Ik snap er gewoon niets meer van.'

Mevrouw Miller is meteen weer gerustgesteld: het gaat dus om zijn werk. Een drama dat niets te maken heeft met hun gezin.

'Wil je het me uitleggen?'

'Weet jij waarom de beschaving op Paaseiland is uitgestorven?'

'Nee, schat.'

'En die op Kreta? En die op Groenland? En de Maya's?'

'Omdat ze zijn uitgeroeid?'

'Om acht basisredenen: ontbossing, massale uitbuiting van de bodemrijkdommen, slecht waterbeheer, overmatige jacht, overbevissing, invoer van nieuwe soorten planten en dieren, oorlogen met naburige volkeren en een schrikbarende bevolkingstoe-

name. En weet je wat er tegenwoordig met onze beschaving aan de hand is?'

'Nee, schat.'

'Precies dezelfde dingen. En dan nog met vier verergerende factoren: ophoping van chemische en giftige stoffen in het milieu, tekort aan energiebronnen, uitputting van de fotosynthesecapaciteit van de aarde en klimaatveranderingen door toedoen van de mens.'

Professor Miller gooit een boekwerkje op tafel met de veelzeggende titel *Ineenstorting. Hoe samenlevingen kiezen voor leven of sterven.*

'Dat lijkt me geen goede zaak,' merkt zijn vrouw bedaard op.

'De Stille Oceaan reageert niet volgens de gegevens die we verzamelen. Hij warmt meer op dan zou moeten. Meer dan mogelijk is. De vissen aan de oppervlakte gaan dood. Die in de diepte kunnen geen voedsel vinden en trekken weg. En zodra ze weg trekken, tasten ze andere ecosystemen aan... waarmee je een opeenstapeling van rampen krijgt.' Professor Miller schudt mismoedig zijn hoofd. 'En niemand kan het wat schelen. Zolang wij ons gasfornuis nog kunnen aansteken...'

'Wij hebben een elektrisch fornuis.'

'Dat maakt niet uit. We smijten met energie!'

'Is dat niet iets te negatief gedacht?'

'De meest optimistische wetenschappers gaan ervan uit dat de Polynesische eilanden binnen vijftig jaar zullen verdwijnen. Minstens tien van de belangrijkste steden ter wereld houden op te bestaan. Venetië wordt verzwolgen door de zee, evenals Banjul, de hoofdstad van Gambia. Tokio, San Francisco en San

Paolo staat een aangekondigde aardbeving te wachten. Napels wordt weggevaagd bij de volgende vulkaanuitbarsting.'

Mevrouw Miller draait het fornuis uit. 'Mijn moeder zei altijd dat je krijgt wat je verdient.'

'Zo is het maar net. En wij verdienen het om onszelf uit te roeien.' George Miller staat met een ruk op en loopt de keuken uit.

'En het eten dan?'

'Ik heb geen honger.' Hij blijft in de deuropening staan. 'Luister... ik moet iets doen.'

'Wat dan?'

'Ik moet weg.'

'Waarheen?'

'Ik ga naar mijn collega's op het schip in de Stille Oceaan. Ik wil uitzoeken wat daar aan de hand is. Het is niet normaal. Het past helemaal niet in het plaatje. De zee kan zich gewoon niet zo gedragen. Dat... dat kan gewoon niet.'

'Wacht dan tenminste tot Harvey terug is uit Frankrijk.'

'Harvey weet het al. Hij vindt het prima.'

'Goed dan. Je zult zien dat jullie wel een wetenschappelijke verklaring weten te vinden...'

Professor Miller grinnikt. 'Het is net als met de maan.'

'Wat heeft de maan ermee te maken?'

'Precies,' zegt George Miller. 'Er bestaat niet eens een aannemelijke wetenschappelijke verklaring over het ontstaan van de maan. Hoe kunnen we dan ooit een verklaring vinden voor het feit dat onze planeet sterft?'

19
De dierenriem

In een zaal van het Louvre ziet Mistral ineens Sheng op zich af komen rennen, die geestdriftig haar pols vastgrijpt.

'Je moet nu meteen meekomen! Ik heb het gevonden,' hijgt de Chinese jongen.

'Waar?'

'Beneden, in de Sully-vleugel. Zaal 12B.'

'Zeker weten?'

'Ja, het is een schat, en hij wordt beschermd door een bewaker!'

Sheng en Mistral haasten zich de trap af.

'Wat is het dan?'

'Een Egyptische dierenriem. Die bewaker heeft me van alles uitgelegd... maar ik weet niet zeker of ik het allemaal begrepen heb. Ze hebben hem heel hoog opgehangen zodat hij moeilijk te zien is. En het is geen toeval dat hij zo is opgehangen, zei die bewaker. Ze willen niet dat de dierenriem te veel opvalt.'

'Zíj?'

'Zíj. Hij zei dat ze overal zijn. Ook in het museum. Maar hij heeft me uitgelegd dat je in de boekwinkel een reproductie van de dierenriem kunt kopen. Die moeten we beslist gaan halen.'

'Maar wat is er dan zo belangrijk aan die dierenriem?'

'Het is de oudste ter wereld waarop de Egyptische sterrenbeelden en die van de Chaldeeën te zien zijn.'

'Dat meen je niet.'

'Jawel. Ze staan er allemaal op: de Egyptische goden en de tekens van de dierenriem. Vissen, Ram, Steenbok, Kreeft, Stier... alle twaalf. Ook de planeten zijn afgebeeld. En er staat er zelfs eentje extra op: de manke planeet. De planeet die rond de zon draait met een stok. Net als de bewaker! En verder staat Mithra erop. En Isis. En wij staan er ook op.'

'Sheng? Waar heb je het over?'

'Wij vieren staan er ook op zeg ik je! Dat heeft de bewaker me uitgelegd!'

'Wie is die bewaker dan?'

'Hij heet Jean Turie... O, nee hè! Verdorie!' Sheng rent het zaaltje in, maar blijft op slag staan.

Zaal 12B is leeg.

'Hij is al weg.'

'Wie dan?' mompelt Mistral rondkijkend. 'Weet je zeker dat het dit zaaltje was?'

Sheng laat haar de fauteuil zien waarin hij in slaap was gevallen. 'Heel zeker. Ik ben hier gaan zitten en toen... ben ik in slaap gevallen.'

'Ben je in slááp gevallen?'

'Ja, heel eventjes maar! Toen kwam die bewaker en die heeft me alles uitgelegd. Met die rare stok van hem... wees hij de figuren aan die erop zijn geschilderd en hij vertelde me dat deze dierenriem is gemaakt in een heel bijzonder jaar, het jaar 51 voor Christus, toen er maar liefst vier zonsverduisteringen waren. Víer, vat je hem?'

'Eerlijk gezegd niet, nee.'

'Vier, net als wij!'

'Wat zou dat?'

'Niets! Ik heb hem het horloge laten zien...'

'Heb je hem het horlóge laten zien?'

'Natuurlijk. En hij vertelde me dat de figuur die op het horloge staat afgebeeld Isis is. En daarna heeft hij me haar ook aangewezen op de dierenriem. Dat is ze, kijk! Weet je nog dat er in het notitieboekje van professor Van der Berger stond dat de natuur ervan houdt zich te verstoppen? Op deze dierenriem verstopt Isis zich inderdaad! Ze staat met de rug naar ons toe. En zij is de enige figuur die dat doet!'

Mistral laat de onsamenhangende woordenstroom onthutst over zich heen komen en stelt dan voor: 'Luister, Sheng. Ik zie helemaal niets daar boven. En eerlijk gezegd snap ik ook niets van jouw uitleg. Zullen we naar de boekwinkel van het museum gaan om die reproductie te zoeken?'

'De ware schat van het Louvre...' mompelt Sheng.

'Wat?' vraagt Mistral.

De Chinese jongen blijft onbeweeglijk onder de stenen dierenriem staan. 'Hij zei dat deze dierenriem essentieel is, Mistral. Maar dat hij verkeerd om hangt. Dat hij de andere kant op had moeten wijzen.'

'Waarom hebben ze hem dan zo opgehangen?'

'Zodat wij het niet door zouden hebben. Dat hebben *zij* gedaan.'

'Welke zij?'

'Degenen die het geheim van deze dierenriem kennen.'

'Wie dan, Sheng? En welk geheim?'

'Ik weet het niet, Mistral! Maar misschien is dat waar we naar op zoek zijn! De dierenriem wijst een weg aan. De weg om bij het geheim te komen. Misschien bevindt het antwoord zich hier, in deze ruimte. De sterren, de planeten, de sterrenbeelden... Denk na!'

'Ik ben aan het nadenken.'

'Door de aanwijzingen te volgen hebben we tot nu toe de Ring van Vuur en de Ster van Steen gevonden. Maar waartoe dienen ze? Nergens toe. Het zijn gewoon voorwerpen. Ze zijn niet... magisch.'

'Dat is niet waar. Toen Elettra in de spiegel keek... werd heel Rome...'

'Elettra ja! Je zei het zelf! Elettra. Het lag niet aan de spiegel, het lag aan háár. Deze hele zoektocht... is voor ons. Niet voor de dingen die we moeten vinden.'

'Sheng, luister...'

'En de steen van New York? Wat is daar voor magisch aan? Harvey heeft gezegd dat hij misschien stukjes menselijk DNA zou bevatten. DNA. Het meest wetenschappelijke wat er op de wereld is!'

'Sheng, alsjeblieft, praat wat zachter...' smeekt Mistral. 'Je maakt me bang.'

'Er is niets magisch aan! Het zijn gewoon dingen die wij niet begrijpen! En nu moeten we het langzaamaan gaan begrijpen...' Opgewonden grijpt Sheng Mistrals handen vast. 'Het voelt alsof alles al om ons heen is, zonder dat wij het in de gaten hebben.'

'Hou op.' Mistral tast naar haar mobieltje in haar zak en merkt dat haar handen trillen.

'Je gelooft me niet, hè?'

'Het is niet dat ik je niet geloof...' antwoordt het meisje. 'Het is gewoon zo dat ik niets begrijp van wat je me wilt vertellen.'

'Ik heb het zelf gezien!' houdt Sheng vol, terwijl hij eerst op de dierenriem en vervolgens op zijn ogen wijst. 'Heel even was het me allemaal duidelijk!'

'Sheng!'

'Wat?' vraagt hij ineens op zachte toon, geschrokken van het bange gezicht van zijn vriendin.

Mistrals handen glijden over zijn gezicht.

'Je hebt weer gele ogen.'

20
De opdracht

Drie uur. Harvey en Elettra lopen van het huis van alchemist Flamel naar de grote verzameling moderne gebouwen van winkelcentrum Les Halles, op de plek waar vroeger het Cimetière des Innocents lag.

'We kunnen haar niet vertrouwen,' herhaalt Elettra voor de zoveelste keer.

'Nee. En het ligt allemaal nog veel ingewikkelder dan we dachten. Als ik dat boek niet had doorgebladerd, zouden we er waarschijnlijk nooit achter zijn gekomen...'

In het gastenboek van Auberge Nicolas Flamel stuitte Harvey ineens op een tekst in een onmiskenbaar handschrift. De opdracht was niet toevallig eind februari van het vorige jaar geschreven. Op hun veertiende verjaardag. En hij luidde:

Aan Mistral, Elettra, Harvey of Sheng,

Dit is een speciale opdracht voor de verjaardag van vier jonge vrienden. Als jullie dit lezen, wil dat zeggen dat ik voortijdig ben gestorven. En dat het geheim in gevaar is. Het wil zeggen dat wij, evenmin als we in staat zijn geweest om het geheim volledig te ontrafelen, ook niet in staat zijn geweest het te beschermen. Jullie komen steeds dichterbij. Help elkaar. Gebruik de tollen en probeer het mechanisme van het horloge te doorgronden. Praat met niemand over wat jullie weten, tenzij jullie zeker weten dat diegene jullie zal helpen. En van de mensen die jullie komen helpen moeten jullie altijd oppassen voor de archeologe.

Dat de goede ster met jullie moge zijn, jongelui.

Alfred van der Berger

'De professor schrijft *wij*', zegt Elettra, terwijl ze de boodschap die ze op een briefje heeft overgeschreven nog eens naleest. '*Wij* die niet in staat zijn geweest het te ontrafelen, *wij* die niet in staat zijn geweest het te beschermen...'

'Hij is zelf ook al eens op zoek geweest naar het geheim. En nu heeft hij ons de kans gegeven om erin te slagen.'

'Maar waarom ons?'

'Omdat wij speciaal zijn,' antwoordt Harvey. 'De professor was een Ster van Steen, net als ik. Hij hoorde de stem van de aarde. Misschien waren de anderen... net als jij.'

'Zodat ze spiegels dof lieten worden?'

'En energie verspreidden.'

'Dan moeten Sheng en Mistral ook speciaal zijn.'

'Weet je nog in Rome, toen Sheng gele ogen kreeg? Mis-

schien was dat... een teken. We moeten doen wat de professor zegt: elkaar helpen. En er met niemand over praten.'

Ze lopen langs het gebouw van Centre Pompidou waar allemaal buizen overheen lopen. Op het plein rondom staan een paar zigeuners voor de cafés opdringerig te bedelen.

Alles wat er over is van het Cimetière des Innocents is een vierkante fontein omzoomd door bomen. Verderop is het terrein waar vroeger de grootste markt van de stad werd gehouden platgewalst om plaats maken voor zonderlinge gebouwen van staal en glas in de vorm van een palmboom, een omgekeerde schildpad en lange wormen van glas en aluminium, die sterk contrasteren met de harmoniërende daken van de gebouwen ertegenover en met de gotische torenspitsen van de kerk op de achtergrond. Groene hagen, vormgegeven door stalen platen, delen het grote plein dat zich plotseling voor hen opent, als een afgrond, waar je kunt afdalen naar het metrostation. Aan de oppervlakte staat een draaimolen van hout en koper die loom rondjes draait naast twee luchtballons waarmee rondvluchten boven Parijs worden georganiseerd.

'Moet je kijken wat mooi,' zegt Elettra. 'Als we tijd hadden, zou ik dolgraag een rondvlucht maken daarmee...'

'Beloofd,' glimlacht Harvey. 'Met welke?'

De eerste is knalrood, met een tekening van een draak erop. De tweede is helemaal wit, met een grote beer erop geschilderd.

'De witte,' kiest Elettra.

'Eerst zorgen we dat we van Zoë af komen, en dan gaan we een rondvlucht maken.'

'Ik kan me geen voorstelling van haar maken.'

'Nou, het is die vrouw daar.'

Ze begroeten elkaar haastig. Harvey stelt Zoë voor aan Elettra, die de vrouw meteen apart neemt om haar te vragen wat ze over deze plek weet. Op die manier heeft Harvey de kans om Ermete in te lichten over de boodschap van de professor.

'Deze begraafplaats werd kort voor de revolutie gesloten...' legt de archeologe uit. 'Toen de doden zo erg begonnen te stinken dat de lucht in Parijs haast niet meer in te ademen was. Het was in die periode dat men grote hoeveelheden parfum begon te produceren.'

Om de stank van de doden te maskeren, denkt Harvey. En jouw parfum dan, welke stank moet dat maskeren?

'Wat deden ze toen met de doden?' vraagt Elettra, wijzend op de overgebleven fontein.

'Er werden gigantische catacomben onder de stad uitgegraven, ook hier onder.' Zoë grinnikt. 'Onder Parijs liggen miljoenen lijken. Je kunt ze ook bezoeken, als je wilt.'

Op dat moment steekt Harvey zijn hand uit en stopt hem in de broekzak van Ermete, maar die heeft niets in de gaten.

'Ik zou kunnen proberen naar hun stemmen te luisteren...' stelt Harvey voor. Hij knielt neer en legt zijn handen op de grond. Dan kijkt hij naar Zoë. 'Dat heb ik van Alfred geleerd,' vertelt hij.

De vrouw verstijft.

'Stop allemaal je handen in je zakken,' vraagt Harvey, die doet alsof hij zich probeert te concentreren.

De anderen doen wat hij zegt. Ermete voelt het briefje, haalt het tevoorschijn en leest het.

Harvey glimlacht.

'Hoor je ze?' vraagt Elettra.

Harvey doet zijn ogen dicht, en na een paar tellen doet hij ze weer open.

'O ja... Ik geloof dat ik ze gehoord heb.'

'Wat zeiden ze tegen je?' vraagt Zoë stijfjes.

'Ik kon ze jammer genoeg niet verstaan,' grijnst Harvey. 'Ze spraken Frans.'

Het intercontinentale telefoontje wordt doorgegeven via een satelliet die roerloos in de baan van de aarde hangt.

'Devil,' antwoordt de man in Shanghai.

'Bij Diana! Het doet me deugd je stem te horen,' roept Mademoiselle Cybel uit. 'Dat doet me deugd!'

'Zijn jullie klaar?' vraagt haar kille gesprekspartner.

'Nog niet, beste Heremit, nog niet. Maar we timmeren hard aan de weg.'

'Wegen worden niet getimmerd.'

'Dat is een zegswijze, mijn beste. Alleen maar een zegswijze. Mijn jongelui houden een oogje op jouw jongelui. Bij Diana, excuses voor de woordgrap! Ik heb er eentje op Fernando Melodia gezet. En eentje in het Louvre op dat Chineesje en Mistral.'

'Sheng,' preciseert Heremit. 'We weten inmiddels dat hij Sheng heet.'

'Natuurlijk, Sheng. Het huis van Mistral wordt bewaakt. En dat geldt ook voor het hotel van... even kijken... Ermete De Panfilis.'

'Dat is een kleine vis.'

Mademoiselle Cybel tikt met haar hakken op de aquariumvloer. 'Soms kunnen kleine vissen harder bijten dan grote vissen.'

'En Zoë?'

'Die is bij hen. Ze zegt dat we moeten wachten. Dat het niet lang meer zal duren voor alles is opgelost.'

'Morgen is het 21 juni. Ik kan niet wachten.'

'Wat maakt dat nou uit, mijn beste... één dagje meer of minder?'

'Zeg tegen Zoë dat ik niet van plan ben om te wachten. Zeg maar dat ik al lang genoeg heb gewacht.'

'Maar Heremit, mijn allerbeste Heremit! Je vriendin beweert dat die kinderen kunnen oplossen wat zij... destijds niet heeft begrepen...'

'Ze is niet mijn vriendin. Zeg maar tegen haar dat ik niet meer kan wachten.'

'En als zij het daar niet mee eens is?'

'We kunnen het verder wel zonder haar af.'

Fernando Melodia staat onder de meedogenloze zon in de rij, met een papieren hoedje op zijn hoofd tegen de weerkaatsing van het spiegelglas van de piramide van het Louvre. Als hij eindelijk een kaartje heeft gekocht, heeft hij al geen zin meer om naar binnen te gaan. Het verlangen om de Mona Lisa te zien is vervangen door het praktischere idee om een hapje te gaan eten. Hij volgt de pijlen naar het Grand Café, waar hij een stoel weet te bemachtigen met uitzicht op de kaartverkoop, en hij bestelt een heerlijke baguette met een glas witte bubbeltjeswijn.

Dat is beter, denkt hij als hij alles op heeft.

Met volle maag heb je veel meer fantasie. Hij besluit zijn bezoek aan te vangen in de Griekse vleugel, waar hij onder de indruk is van de Nikè van Samothrake boven aan de trap. Fernando voelt verre herinneringen aan overwinningen en een onbestemde veroveringsdrang in zich opkomen. Maar bij de zoveelste tweekleurige vaas besluit hij, voordat er helemaal niets meer over is van zijn enthousiasme, om uit de vele richtingen die hij kan kiezen de meest mythische afdeling van allemaal op te zoeken.

'Egypte!'

Rondom hem voelt het Louvre aan als een groots personage: een charmante oom vol verrassingen, zo een die bij elk bezoek weer een nieuw verhaal te vertellen heeft. Al is het wel zo dat je dit museum, net als dat soort personages trouwens, in kleine hoeveelheden tot je moet nemen, anders ga je eraan onderdoor. De ene na de andere zaal, de ene na de andere trap, via ondergrondse gangen en steile beklimmingen, loopt Fernando Melodia door de Egyptische afdeling die uitkijkt op de grote binnenplaats van het museum. Als hij uit een zaal met gigantische zuilen komt, ziet hij ineens twee uitgeputte kinderen, waarvan de een zo te zien buiten bewustzijn op de grond ligt, met een natte lap op het voorhoofd. De stumper wordt bijgestaan door een lang, lenig meisje dat zich gracieus beweegt. Terwijl hij naar haar kijkt, heeft Fernando het idee dat hij haar al eens eerder gezien heeft. Maar waar?

Hij blijft op een paar passen van haar af staan, zodat haar verschrikte blik de zijne kruist.

'Meneer Melodia?' vraagt het meisje met een iel stemmetje.

Het feit dat hij in het Louvre in Parijs door iemand wordt herkend geeft Fernando net zo'n kick als het voor een succesvol schrijver moet zijn als hij op straat wordt aangesproken door een van zijn lezers.

'Kennen wij elkaar?'

'Ik ben Mistral, meneer Melodia. Herinnert u zich mij nog?'

Wat stom! De Franse vriendin van Elettra.

'Wat is er gebeurd?'

Mistral schudt haar hoofd. 'Sheng voelde zich niet goed.'

'Goedemiddag,' zegt de Chinese jongen, zonder de lap van zijn ogen te halen.

'Sheng? Eindelijk zie ik je weer! Waar is Elettra gebleven?'

'In Les Halles.'

'En wat doet ze in Les Halles?'

'Ik weet niet. De toerist uithangen?'

'En wat is er met jou gebeurd?'

'Ik heb gele ogen gekregen.'

'Daar heeft hij af en toe last van,' komt Mistral tussenbeide. 'Maar we snappen niet waarom.'

Die kinderen gedragen zich steeds gekker, denkt Fernando.

'Doen ze ook pijn?'

'Alleen als ik in het licht kijk.'

'Misschien moeten we een dokter bellen,' oppert Elettra's vader.

'Over mijn lijk!' protesteert Sheng. 'Laat me maar gewoon een paar minuten met rust. Het gaat zo wel over.'

Fernando steekt een vinger op en vraagt zachtjes aan Mistral of hij haar even onder vier ogen kan spreken.

Het meisje knikt. ‘Wij lopen even naar de boekwinkel om die poster van de dierenriem voor je te kopen,’ zegt ze tegen Sheng. ‘Wacht jij hier op ons?’

‘Waar zou ik anders naartoe moeten in deze toestand?’ antwoordt hij.

Mistral en Fernando lopen een paar meter, gaan een trap af en een trap op en volgen de aanwijzingen om terug te keren naar de entree. Een meneer met een zwart vlinderdasje kijkt hen langdurig na, doet alsof hij een plattegrond van het museum bestudeert en begint hen dan discreet te volgen.

‘Ik wil niet al te nieuwsgierig zijn...’ zegt Fernando Melodia. ‘Maar zijn jullie van plan om nog lang door te gaan met dat spelletje van spionnen en geheim agenten? Ik vraag het aan jou omdat je me de meest verstandige van de hele groep lijkt.’

‘Meneer Melodia, breng me niet in verlegenheid,’ zegt Mistral, die niet weet hoe ze moet reageren.

‘Wat doet mijn dochter in Les Halles?’

‘Ze is op zoek... naar iets.’

‘Op zoek naar iets. Is dat alles?’

‘Ja.’

‘En... weet je zeker dat er verder niets is wat ik moet weten?’

‘Ik denk dat u dat maar met Elettra moet bespreken. Als ik u alles zou vertellen...’

‘Zou je een verrader zijn, ik snap het. Ik ken die groepscodes wel. Maar jouw moeder... die weet het dus?’

‘Ik heb haar wel iets verteld.’

‘En vind je dit hele gedoe niet een beetje kinderachtig? Laten we eerlijk zijn: ik vind het leuk dat jullie de wereld rondreizen

en bij elkaar op bezoek gaan, maar... ik denk dat jullie nu wel een beetje overdrijven.'

'U hebt gelijk, meneer Melodia,' knikt Mistral.

'Bespreek het maar eens met de anderen. En dan vertellen jullie ons alles. Aan mij, aan meneer en mevrouw Miller, en aan je moeder.'

'Dat zal ik doen.'

'Goed zo. En nu, wat moest je ook alweer kopen in de boekwinkel?'

De lap op zijn ogen heeft een rustgevend effect op Sheng. Zozeer dat hij voor hij er erg in heeft alweer in slaap dommelt. Opnieuw wordt hij gewekt door een bulderstem en het bonken van een stok. 'Wat ben je aan het doen, jochie?'

Sheng herkent de bewaker van zaal 12B ook zonder dat hij de lap van zijn ogen hoeft te halen. 'Ach, daar bent u! Waar was u gebleven?'

'Ik moest naar de wc. En jij? Waarom heb je een lap op je ogen?'

'Ze doen pijn.'

De bewaker gaat naast hem op de vensterbank zitten. 'Ogen zijn vaak verraderlijk. Je denkt dat je iets ziet, maar ze houden je voor de gek.'

'Dat is waar.'

'De mensen in de oudheid wisten dat maar al te goed. Daarom gebruikten ze dan ook symbolen als ze iets belangrijks moesten schrijven: wie niet kon lezen zag niets. Terwijl alle anderen...'

'... het wel begrepen.'

'Denk bijvoorbeeld aan de piramiden. Wat hebben die te betekenen? Helemaal niets, tot je in de gaten krijgt dat ze precies op die plek en precies met die afmetingen zijn gebouwd om de positie van de sterren weer te geven.'

'Ook de Franse kathedralen zijn op die manier gebouwd!'

'Goed zo! En weet je waarom? Omdat Parijs in feite een Egyptische stad is. Je hebt er piramiden, sfinxen, standbeelden, en zelfs de obelisk van Luxor.'

'Net als in New York.'

'In New York heb je wel een obelisk, maar niet die van Luxor. In Parijs hebben ze het pas echt goed aangepakt. Ze hebben alles uit Egypte gehaald, zelfs de goden...' De museumbewaker grinnikt. 'Ze aanbaden de zon, en wij hadden de Zonnekoning. Ze aanbaden Isis, en wij... wij hebben haar overal neergezet; zelfs in het Louvre. Ze bevindt zich aan de oostkant, maar ze kijkt niet naar de opkomende zon. Welnee. De godin van de nacht heeft totaal geen belangstelling voor de zon.'

'Waar kijkt ze dan naar?'

'Naar haar gidsster. Parijs betekent Par Isis. Rondom Isis. Wat Isis doet, doen wij ook.'

'En wat doet Isis?'

'Wat ze altijd gedaan heeft. Ze zeilt in de richting van haar ster.'

Isis, zeil, ster.

Dus Isis bevindt zich op een schip, denkt Sheng. Schip, Isis, ster. Schip, Isis, ster...

'Het wapen van Napoleon!' roept de jongen ineens, terwijl hij de lap van zijn ogen trekt.

Er is niemand in de gang.

Dan ziet hij Mistral aan komen.

'Sheng? Alles goed?'

'Waar ben je geweest? Heb je hem gezien?'

'Wie? Ik ben die poster met de dierenriem gaan halen voor je.'

Sheng kijkt vergeefs om zich heen, op zoek naar de bewaker met de stok. Dan maakt hij woest zijn rugzak open en haalt er de plattegrond van Parijs uit die ze voor de tollen hebben gebruikt, plus het gouden horloge en het wapen van Napoleon. Hij knielt op de vloer neer en zegt tegen Mistral: 'Geef die poster eens, vlug!'

'Hoe is het met je ogen?'

'Ik kan ermee zien! Ik kan er heel goed mee zien!' schreeuwt Sheng.

21
Zoë

Harvey komt weer overeind, slaat zijn armen om Elettra heen en begraaft zijn gezicht in haar haren.

'Hé,' roept het meisje, verbaasd om zoveel hartstocht.

Maar Harvey laat haar niet los. Hij drukt haar tegen zich aan en fluistert in haar oor: 'Het is niet waar dat ik de stemmen niet kon verstaan. Ik heb ze wel begrepen.'

Elettra glimlacht naar Ermete die stijfjes met zijn handen in zijn zakken staat.

'Ze zeiden voortdurend: "Verraad! Verraad!"' vervolgt Harvey.

Hij laat Elettra los en kijkt haar strak aan.

'Goed,' zegt Zoë intussen. 'Wat zullen we doen? Gaan we naar de anderen?' Elettra kijkt naar de luchtballonnen die op het gras deinen en krijgt een idee om zich voorlopig van dat mens te bevrijden. 'Ik stel voor om een rondvlucht te maken.'

Tenslotte leek er op de plek waar het Cimetière des Innocents was geweest niets bijzonders te zijn, en hadden zij en Harvey in elk geval het belangrijkste voor elkaar gekregen: Ermete waarschuwen dat hij Zoë niet kon vertrouwen.

'Dat lijkt me een uitstekend idee,' beaamt Harvey. 'Ermete, ga je met ons mee? Zoë?'

De archeologe haalt haar schouders op. 'Nee, ik denk het niet.'

'Goed. Dan bellen we wel als we weer geland zijn.'

'Jullie verdoen je tijd,' ontploft de vrouw.

'Hoe bedoel je?'

'Ik bedoel dat jullie vandaag niet veel vorderingen hebben gemaakt.'

'Moest dat dan?'

'Ik dacht van wel. Ik heb jullie alles gegeven wat Alfred me had opgedragen: het horloge en het wapen. En ik dacht dat jullie...'

'Dat wij wat?'

'Niets,' glimlacht Zoë ineens toegeeflijk. 'Ik heb me gewoon laten meeslepen door die zoektocht van jullie... Net als Ermete eigenlijk.'

Elettra lacht haar toe. 'Eerlijk gezegd hebben wij nu gewoon heel veel zin om met Ermete een rondvlucht te maken in een luchtballon.'

'Gewoon, om Parijs vanuit de lucht te zien,' vult de ingenieur aan.

'In dat geval,' zucht Zoë, 'zal ik jullie graag vergezellen.'

Het groepje begeeft zich langzaam in de richting van de twee luchtballonnen. Harvey pakt zijn mobieltje en kijkt Elettra

even aan. Zij begrijpt wat hij van plan is en kiest stiekem zijn nummer op haar eigen mobiel.

'Papa?' antwoordt Harvey, alsof hij zijn vader aan de telefoon heeft. 'Hoi papa, hoe is het met je? In Parijs, ja, met jouw vriendin. Ja, zeg dat wel, echt heel aardig. Wil je haar spreken?'

Harvey reikt de telefoon aan Zoë aan, maar die gebaart dat ze hem niet wil spreken.

'Ze kan nu even niet aan de telefoon komen,' praat Harvey verder. 'Wat zeg je? Natuurlijk. Dat zal ik zeker doen. Tot gauw. Dag papa. Allemaal de groeten,' zegt hij dan tegen Elettra en Ermete. En voor Zoë voegt hij eraan toe: 'Hij zei dat ik je moest bedanken en Randolph de hartelijke groeten moest doen van hem.'

'Dat zal ik zeker doen,' antwoordt Zoë.

Harvey knikt somber.

'En dan wil ik nu...' Hij blijft staan, op een paar passen van de luchtballon. Een jonge vrouw laat andere belangstellenden zien hoe gemakkelijk en veilig ze te besturen zijn. 'Ik wil dat je me uitlegt wie in godsnaam die... Randolph is.'

'Hoezo?' mompelt Zoë.

'Ik had mijn vader niet aan de telefoon,' zegt Harvey terwijl hij zijn mobieltje laat zien.

Elettra houdt het hare omhoog. 'Er bestaat dus helemaal geen Randolph.'

'Wil je ons nu dan vertellen... wie jij bent?'

In de gang van het Louvre rolt Sheng de reproductie van de Egyptische dierenriem voor Mistral uit.

'Kijk! Zie je die koe op die boot?'

Het meisje knikt. 'Ja.'

'Ze staat omgedraaid. Ze is de enige figuur die de andere kant op kijkt. En weet je waarom?'

'Omdat ze verlegen is?'

'Omdat ze ervan houdt zich te verstoppen! De bewaker heeft me uitgelegd dat dit Isis is. Ze heeft een ster tussen haar hoorns. Haar eigen ster.'

Sheng pakt het wapen van Napoleon. 'En kijk nu eens hier. Hier heb je de boot, hier heb je Isis die op de voorsteven zit en hier is de ster, diezelfde ster, die de koers aangeeft. Dat betekent iets. Dat we als we de boot willen vinden, de ster moeten zoeken. En als we de ster willen vinden, moeten we aan Isis vragen waar we moeten kijken.'

'En hoe doen we dat?'

Sheng spreidt de poster met de dierenriem uit boven de plattegrond van Parijs. 'De bewaker zei dat deze niet de goede kant op is gehangen...' Hij draait hem rond.

'Hoe kun je nu weten hoe hij moet liggen?'

'In het midden van de dierendiem staat de Kleine Beer, zie je?'

Mistral kijkt en knikt.

'De staart van de Kleine Beer...' legt de Chinese jongen uit, 'is de poolster. Oftewel het noorden. Zo moet hij.' Hij grijpt de plattegrond van Parijs. 'Goed... als het Ile de la Cité dan het middelpunt van Parijs is...' Hij legt de dierenriem op de stad en laat de Kleine Beer precies samenvallen met het eiland. 'Dan is Isis...'

'Hier in het Louvre,' zegt Mistral.

Sheng bijt op zijn lip. 'Geef het horloge eens.'

Als hij het in zijn handen heeft, kijkt hij naar de tekening van Isis op haar troon. 'Vijf vlakken. De ster heeft vijf punten. Isis zit...'

Hij draait het horloge om. Op de achterkant zijn de N van Napoleon en een ster gegraveerd.

'En hier staat ook een ster,' mompelt Sheng.

Er heeft zich een groepje nieuwsgierige toeschouwers verzameld om de kinderen die op de grond zitten. Een Japanner maakt een foto van hen.

'Waarom is de onderkant van dat horloge zo wiebelig?' vraagt Sheng zich af, als hij merkt dat er wat speling in de onderkast zit, en dat die op zijn plaats wordt gehouden door een drukschroef. 'En als ik hierop druk?'

De horlogekast komt ietsje los van de rest van het mechanisme en begint een paar tellen snel te draaien. Dan lijkt hij tot stilstand te komen.

'Moet je zien,' mompelt Mistral. 'Het is geen horloge!'

'Inderdaad,' beaamt Sheng. 'Het is een kompas.'

'Noord!' roept het meisje uit. 'De N wijst naar het noorden! Hij staat niet voor Napoleon.'

'Maar de ster... wijst niet naar het zuiden.'

'Waar wijst hij dan naar?' vraagt Mistral. Haar gezicht hangt vlak bij dat van Sheng, zozeer dat die zijn adem inhoudt als hij het beseft. 'Ik denk dat hij het oosten aanwijst.'

'En?'

Sheng springt overeind. 'De bewaker zei dat er hier in het

Louvre een Isis is die naar het oosten kijkt. Maar dat ze niet naar de zon kijkt...'

'Het Louvre is gigantisch, Sheng! Er zijn duizenden beelden hier.'

'Nee!' roept hij. 'Hij zei dat Isis zich aan de gevel bevindt, dus ze is buiten. Een gevel die naar het oosten gericht is.' Hij bekijkt de plattegrond van het grote museum. 'Isis moet zich aan de oostelijke gevel bevinden. Of hier binnen,' – hij wijst naar de binnenplaats van het museum, het Cour Carrée – 'of aan de buitenkant.'

De twee vrienden rapen snel al hun spullen van de grond.

'Mag ik je één ding vragen?' zegt Sheng als ze buiten adem naar de binnenplaats rennen.

'Wat dan?'

'Meneer Melodia... zijn we die echt tegengekomen?'

'Waarom vraag je dat?'

'Ik dacht aan die bewaker.'

'Wat is daar dan mee?'

'Zou ik die gedroomd kunnen hebben?'

'Daar is ze!' roept Mistral een paar minuten later.

Vanuit het midden van het Cour Carrée, met het gezicht naar de piramide, is Isis inderdaad te zien, op de tweede verdieping, naast het eerste raam rechts van de doorgang. Ze zit op een troon, met de schijf van de maan vastgeklemd tussen twee blauwe hoorns. Precies zoals op de dierenriem.

'Ja!' juicht Sheng. 'Dat is ze! Zij is degene die ons moet leiden!' Hij kijkt Mistral aan en voegt eraan toe: 'De vrouw uit mijn dromen.'

'Maar hoe moet ze ons dan leiden?' vraagt Mistral, die nog steeds naar de gevel van het museum staat te kijken.

Sheng pakt weifelend het horloge weer vast. 'Misschien... moeten we dit gebruiken. Al zou ik niet weten hoe.'

'Ik weet wel dat zeelui, als ze met de sterren hun koers willen bepalen...' zegt Mistral met bonzend hart van opwinding, 'gebruikmaakten van instrumenten genaamd sextanten. Misschien... is dit ook een soort sextant.'

Mistral legt haar hand op de horlogekast, loopt dichter naar Sheng toe en wijst naar de wijzers. 'Toen ik hem vannacht bekeek, zag ik dat er iets raars is met die wijzers.'

'Dat ze stilstaan?'

Ze lacht. 'Dat ook. Maar vooral dat ze allemaal precies even lang zijn. Wat heb je aan een horloge waarvan je niet weet welke wijzer het uur aangeeft en welke de minuten?'

'Ga door.'

'Ik zou niet weten hoe, maar misschien... als het geen wijzers zijn, wat zouden het dan kunnen zijn? Heb jij ooit in oude boeken gelezen hoe je kunt bepalen waar het noorden is met behulp van een horloge?'

'Ja...'

'Je moet één wijzer naar de zon richten, en de andere op twaalf uur, en dan...' Mistral schudt haar hoofd. 'Ik kan me nooit precies herinneren hoe het zat.'

'Goed, dan probeer ik het zo... Ik draai het horloge zo dat twaalf uur naar het noorden wijst. Dan draaien we de wijzer met de zon naar de zon...' Sheng zet de wijzer min of meer op negen uur, aangezien de zon half schuilgaat achter het dak van het museum. 'Wat moet ik nu met die andere twee doen?' vraagt hij.

Mistral lacht. 'Tja, dat weet ik ook niet. Ik zie geen maan en geen ster!'

Sheng kijkt omhoog naar het standbeeld van Isis. 'Jij ziet ze misschien niet...' zegt hij, terwijl de woorden van de bewaker hem te binnen schieten, 'maar dat wil niet zeggen dat hun symbolen niet te zien zijn.'

Al pratend draait hij de wijzer met de maan naar Isis, en de wijzer met de ster naar het oosten.

Onmiddellijk begint het mechanisme van het horloge zachtjes te brommen en te tikken, en even later verdwijnt het vlak van de wijzerplaat met de tekening van Isis erop.

'Het is verschoven!' roept Mistral uit en ze slaat spontaan haar armen om Sheng heen.

Er klinkt het geluid van een ijzeren veer uit het mechanisme, en op de wijzerplaat verschijnt nu een ander vlak met een nieuwe tekening.

'Nu is er een andere te zien.'

De kinderen kijken elkaar verbluft aan.

Op de nieuwe tekening zit een vrouw geknield aan de voeten van een statig uitziende man, wiens gezicht in de zon verdwijnt. Het tweetal is omringd door een grote vurige ster.

22
De luchtballon

Als Mistral naar het mobieltje van Ermete belt, wordt de lange, ijselijke stilte die er tussen het drietal en Zoë is gevallen verbroken.

'Neem op,' sist de archeologe tegen de ingenieur.

'Wie ben jij?' vraagt Harvey haar opnieuw. 'En wat moet je van ons?'

'Werk je voor die man in Shanghai?' voegt Elettra eraan toe.

Achter hen staat de juffrouw in de blauwe jurk nog steeds uit te leggen hoe de luchtballon werkt, en haar heldere stem schalt door de lucht.

'Neem op,' herhaalt Zoë. Ze steekt haar hand in haar tasje.

Ermete spert zijn mond open. 'Zoë? Wat...'

Nu klemt de archeologe een pistool in haar hand.

'Jullie twee: niet bewegen. En jij: opnemen.'

'Doe geen domme dingen...' zegt de ingenieur terwijl hij zijn handen opsteekt. 'Ik neem nu op en jij laat dat pistool zakken.'

'Jij bent geen vriendin van mijn vader. En je bent ook geen vriendin van professor Van der Berger.'

'Je vergist je, jochie,' werpt Zoë tegen. 'Ik was een goede vriendin van Alfred. En nu neem jij die telefoon op,' zegt ze tegen Ermete.

De ingenieur houdt zijn mobiel stijf tegen zijn oor aan gedrukt. 'O, hallo Mistral.'

Er volgt een lange stilte.

'Fantastisch. Echt waar. Leg het me later maar verder uit. Ja, ja. Natuurlijk ben ik enthousiast. Wat? Nee, ik zou het niet weten. Weet je... misschien kunnen we beter later terugbel...'

'Stomme sukkel,' sist Zoë terwijl ze het mobieltje uit zijn hand rukt.

'Mistral? Hallo, met Zoë! Wat wil je weten?'

Met haar tasje op de anderen gericht houdt ze hen allemaal onder schot. Harvey balt zijn vuisten, hij voelt zich als een leeuw die in het nauw is gedreven. Ermete wiebelt van de ene op de andere voet terwijl Elettra de vrouw aanstaart met alle haat die ze in zich heeft. Al kijkt ze meer naar het mobieltje dan naar de vrouw.

'Aha. Dus jullie hebben ontdekt hoe het horloge werkt?' grijnst Zoë. 'Prachtig! Werkelijk prachtig.'

Dat mobieltje, denkt Elettra. Dat mobieltje. Ze hoeft het alleen maar aan te raken, maar dat kan niet. Haar vingers beginnen te tintelen, haar huid raakt langzaam maar zeker verhit.

'Een man wiens gezicht in de zon verdwijnt?' herhaalt Zoë pesterig. 'Dat moet wel de Zonnekoning zijn. Waar zijn jullie?'

Ik kan het, denkt Elettra terwijl ze haar ogen dichtdoet. Ik kan het. Ik kan het, ik kan het.

'Bij het Louvre heb je een standbeeld van de Zonnekoning, precies naast de glazen piramide...' Dan spert Zoë haar mond open van verbazing, want het mobieltje ontploft met een doffe dreun in haar hand.

'Wegwezen!' schreeuwt Elettra. Ze grijpt Harvey's arm en sleept hem mee naar de rieten mand van de dichtstbijzijnde luchtballon.

'Nee!' krijst Zoë zodra ze van de schrik bekomen is. Door de ontploffing is haar haar geschroeid. Ze tilt haar tasje op en richt het op de twee kinderen; ze schiet, maar gelukkig geeft Ermete haar op het laatste moment een trap zodat de baan van de kogel wordt afgebogen.

'Ben je gek geworden?' brult de ingenieur.

'Sukkel die je bent!' krijst Zoë.

Door het pistoolschot breekt er plotseling paniek uit onder de omstanders. De mensen rennen alle kanten op en dat geldt ook voor de juffrouw van de luchtballon, ook al heeft ze wel gezien dat Harvey en Elettra in de rieten mand zijn geklommen en de ankerkabels los gooien.

Zoë probeert haar tasje op te rapen, maar wordt op het nippertje getackeld door Ermete. Ze rollen over de grond, en Zoë verkoopt Ermete een schop tegen zijn lip. 'Dacht je echt dat je me kon tegenhouden?'

Er beginnen nog meer mensen te schreeuwen en weg te rennen. Ermete krimpt ineen op de grond, met zijn handen tegen zijn lip gedrukt, maar een tel later springt hij woedend overeind. 'Zo is het welletjes!' schreeuwt hij bloedend. 'Ik heb het hele-

maal gehad met vrouwen die me slaan!' Hij stort zich op Zoë en drukt haar tegen de grond voor ze overeind kan krabbelen. 'Heb je dat begrepen?'

Tien meter verderop maakt de witte luchtballon zich los van de grond. Zoë krijgt het in de gaten en probeert zich los te worstelen.

'Amateur die je bent!' roept Ermete, terugdenkend aan zijn ervaring met de vrouwen van Egon Nose in New York. Hij klemt haar enkel vast, zet zijn verstand op nul en maakt een kille analyse van de situatie. Hij heeft Zoë klemgezet, maar hij weet dat hij haar maar een paar tellen zo kan vasthouden. Om hem heen rennen mensen angstig gillend weg. Harvey en Elettra ontsteken de gasbranders van de luchtballon, die al snel omhoog gaat.

'Ermete, vlug!' gilt Elettra naar hem en ze steekt haar handen uit de mand.

Maar ze zijn al te ver weg, en de ballon stijgt razendsnel op.

Zoë schopt met haar andere voet en raakt Ermete tegen zijn schouder.

'Lig stil!' blaft Ermete haar toe, voordat ze hem een derde trap verkoopt, vol op zijn wang.

Hij verliest zijn grip en valt in het gras. Zoë grijpt haar tasje. Ermete probeert weg te kruipen.

'Je bent er geweest!' krijst de vrouw achter hem.

De ingenieur ziet iets van glimmend metaal in het gras naast hem liggen. Hij steekt zijn hand uit en dan omklemt hij voor het eerst van zijn leven een pistool, dat kennelijk uit Zoë's tasje is gevallen.

Hij richt het op haar. 'Wat heb je daarop te zeggen, hm?'

'Je bent belachelijk,' sist Zoë. 'Laat dat ding onmiddellijk los. Jij snapt helemaal niets! Dit is een serieus spel! Het is niet bedoeld voor types zoals jij!'

'Sta stil, Zoë, of hoe je ook mag heten. Sta stil!' zegt Ermete dreigend.

Zij kijkt om zich heen, als een woest roofdier in een kooi. Te woest om naar bevelen te luisteren.

'Loop naar de hel,' mompelt ze terwijl ze zich omdraait.

'Blijf staan!'

'Je schiet toch nooit,' roept ze terwijl ze haar arm optilt.

Ermete richt het pistool een paar tellen op haar rug, dan laat hij zijn hoofd hangen. Zoë heeft gelijk. Hij kan niet op iemand schieten. Hij is geen moordenaar. Hij heeft het gewoon niet in zich.

Hij laat haar in de schreeuwende menigte verdwijnen. Wankelend komt hij overeind en kijkt naar de luchtballon, die nu al dertig meter boven de grond hangt.

'Verdomme,' vloekt hij als hij aan zijn lip voelt. 'Die is gescheurd.'

Dan hinkt hij naar de taxistandplaats, waar de chauffeurs zijn uitgestapt om te kijken wat er aan de hand is. Hij gooit het pistool in de eerste de beste vuilnisbak. De luchtballon vliegt in westelijke richting.

'Verdomme! Verdomme!'

Te midden van al die chaos ziet hij nog kans om aan een van de duizenden adviezen van zijn moeder te denken. Vertrouw nooit een vrouw met te veel parfum op: die heeft iets te verbergen wat stinkt.

'Volg die luchtballon!' roept hij tegen de voorste taxichauffeur in de rij terwijl hij instapt. En als hij beseft dat de chauffeur niet achter het stuur zit, steekt hij zijn hoofd door het raampje en schreeuwt: 'En? Gaat u rijden of moet ik alles zelf doen? Volg die luchtballon!'

23
De koning

Helemaal verrukt rent Mistral de glazen piramide van het Louvre uit, op zoek naar het standbeeld van de Zonnekoning. Sheng loopt naast haar, hij is op slag over zijn slaap heen.

Mistrals mobieltje gaat over, de batterij is bijna leeg. Elettra vertelt haar ademloos over hun ontsnapping per luchtballon.

'Ik zie jullie!' roept Mistral als ze de witte ballon hoog aan de hemel ziet hangen.

'Daar is-tie!' roept Sheng daarentegen, die het standbeeld van de Zonnekoning te paard heeft ontdekt.

Mistral hangt op. En meteen gaat haar mobieltje uit. 'Sheng, Sheng! Wacht!'

'Ik heb de Zonnekoning gevonden!'

'We moeten weg!'

Kort en bondig brengt Mistral hem op de hoogte van de situatie.

'Je had gelijk,' stelt Sheng meteen vast. Dan kijkt hij op het horloge. 'Maar waarom heeft ze dit dan aan ons gegeven?'

'Misschien omdat ze zelf niet wist hoe ze het moest gebruiken?'

'We moeten doorgaan,' dringt Sheng aan terwijl hij voor het standbeeld van de koning gaat staan.

'Nee. We moeten weg! Zoë kan elk moment hier zijn.'

'Het duurt maar één seconde.'

'Sheng!'

'Nog minder dan een seconde!' houdt hij koppig vol. Hij loopt om de sokkel heen en richt het horloge naar het noorden. Hij kijkt of hij ergens de geknielde vrouw van de tekening ziet, maar daar is geen spoor van te vinden. Dan kijkt hij omhoog. De zon zakt langzaam naar de horizon. En hij zakt precies boven het standbeeld, om vervolgens onder te gaan aan het eind van de lange Champs-Elysées. Achter het beeld van de Zonnekoning zien ze in de verte de Egyptische obelisk van Place de la Concorde, de Arc de Triomphe van Napoleon, en nog veel verder weg de Grande Arche in de wijk La Défence. Dat kan geen toeval zijn. En ook geen foutje. Parijs is inderdaad ontworpen aan de hand van de sterrenhemel.

Vlug draait Sheng de wijzers rond.

'We moeten gaan,' hijgt Mistral naast hem. Ze kijkt zenuwachtig om zich heen.

'Heel even nog.'

Hij houdt het horloge naar het noorden gericht. Wijzer met de zon naar de zon. Wijzer met de ster naar het oosten.

Vanuit de uitgang van het Louvre zetten twee mannen het op een rennen.

'Sheng!'

Wijzer met de maan naar het standbeeld van de koning.

'Ze komen eraan!'

Sheng wacht. Er gebeurt niets. De glimlach bevriest op zijn gezicht.

'Dat kan niet,' stamelt hij.

'Sheng, het werkt niet!' roept Mistral. 'En er komen twee mannen op ons af rennen.' Ze grijpt zijn hand vast. 'Kom mee!'

De Chinese jongen laat zich onwillig meesleuren. 'Misschien was het het verkeerde beeld. Misschien is dit niet de Zonnekoning.'

Hij kijkt om zich heen als een leeuw op zoek naar een gazelle. En terwijl ze weglopen van het standbeeld, wringt hij zijn hand los uit die van Mistral en springt op twee toeristen af. Hij trekt de reisgids van Parijs die ze staan te bestuderen uit hun handen. 'Neem me niet kwalijk!' roept hij zonder zich iets van hun protesten aan te trekken. 'Heel even maar!'

Hij bladert de gids door tot hij vindt wat hij zoekt.

'Carrousel du Louvre... ja... Glazen piramide van I.M. Pei... mooi zo... in 1989... kassa's... hoe je de rijen kunt vermijden... Beeld van de Zonnekoning! Dit is het! Het beeld van de Zonnekoning...' Maar als hij de volgende regels leest, slaat zijn opgetogenheid om in woede. 'Nee hè!'

Mistral ziet dat de twee mannen die uit het museum zijn gekomen nog geen dertig meter meer van hen af zijn. 'Kom op, Sheng!'

Hij gooit de gids op de grond en ze zetten het op een rennen.

'Het beeld is pas in 1981 in het Louvre gezet, op verzoek van de Japanse architect die de glazen piramide heeft ontworpen,

zodat het aan het begin van de zomer zou worden gekust door de ondergaande zon. Hao!'

'Rennen!'

'Het stond vroeger niet hier! Het stond in Versailles!'

Mistral kijkt achterom. De twee mannen lijken te zijn opgegaan in de menigte op het plein. Maar ze blijft rennen.

'Het is logisch dat het niet werkt...' hijgt Sheng. 'Het horloge is gemaakt in de tijd van Napoleon. En in de tijd van Napoleon stond hier helemaal geen beeld van de Zonnekoning!'

De twee bereiken de Rue de Rivoli, waar ze weer gewoon gaan lopen en zich onder de voetgangers op het trottoir mengen.

Achter hen plaatst een donkere ober met een zwart vlinderdasje zijn dienblad vol drankjes op een tafeltje en zet de achtervolging in.

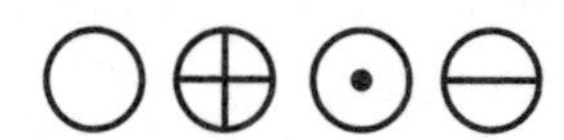

'Hemeltje lief!' roept Elettra terwijl ze omlaag kijkt. 'We vliegen.'

'Belofte maakt schuld,' antwoordt Harvey terwijl hij de gasbrander bedient die onder de opening van de ballon is geïnstalleerd.

'Weet je hoe je hem moet sturen?'

'Eerlijk gezegd niet, nee! Hij gaat zijn eigen gang. Het enige wat ik kan doen is hem hoger en lager laten gaan.' Harvey draait aan de hendel van het vuur en produceert een blauwe steekvlam.

'Er gebeurt niets,' zegt Elettra.

'Wacht maar af.'

Zo'n twintig tellen later gaat de luchtballon omhoog.

'Als ik er warme lucht in laat gaan, stijgt hij op,' legt Harvey uit. 'Als ik niets doe, gaat hij omlaag.'

Elettra kijkt naar de straten die onder haar langs glijden. Ze herkent de Seine, de torenspitsen van de Notre Dame, de Eiffeltoren, de witte koepels van andere kerken. 'Waar gaan we naartoe?'

'Ik heb geen flauw idee. Heb jij misschien een tip?'

'Ja. We blijven uit de buurt van Mistral en Sheng en we zorgen dat we gevolgd worden.'

'Stuur jij maar,' oppert Harvey.

Het voelt raar om in een rieten mand te lopen die vijftig meter boven de grond hangt.

'Wat ga jij dan doen?'

'Ik ga mijn vader bellen. Ik wil proberen te achterhalen wat er gebeurd kan zijn.'

'Dat is heel simpel. Zoë is helemaal niet de vriendin van je vader waarvoor ze zich uitgeeft.'

'Dat denk ik ook,' zegt Harvey. 'Misschien heeft Zoë hem gewoon opgebeld en heeft mijn vader gedaan alsof hij haar nog kende... het zou niet de eerste keer zijn dat hij doet alsof hij iemand herkent.'

'Of... zíj hebben de echte vriendin van je vader iets aangedaan. Heeft hij niet tegen je gezegd hoe ze heette?'

Harvey schudt zijn hoofd. 'Als hij het me al verteld heeft, ben ik het vergeten. En als het zo is gegaan als jij zegt... wie weet wat haar dan is overkomen...'

Wat haar ook is overkomen, de mobiel van professor Miller staat uit.

24
Het plein

Mistral leidt Sheng als een kind aan het handje. Hij blijft maar hoofdschuddend herhalen: 'Dat was niet de plek die we nodig hadden voor het horloge! Dat was hem niet!'

Mistral denkt aan Elettra en Harvey. Ze denkt aan Zoë. Ze denkt aan de mannen die uit het Louvre opdoken en hen achterna kwamen. Ze bedenkt dat het lijkt alsof ze hen van zich af hebben geschud, maar waarschijnlijk worden ze nog steeds gevolgd. Ze is zo bang, terwijl ze zigzaggend tussen de mensen op het trottoir door loopt, dat ze jaloers is op Sheng die zo volledig opgaat in zijn eigen gedachtenwereld.

'Wat zou het kunnen zijn, Mistral?'

'Ik heb geen idee.'

De Rue de Rivoli is een verzorgde aaneenschakeling van prachtige gebouwen die uitkijken op de groene rechthoeken van de Jardin des Tuileries. Het ruikt er naar paarden. In de

etalages hangen haute couturekledingstukken. De Eiffeltoren aan de linkerkant doorboort de hemel als een mes vol gaatjes.

'Waar gaan we naartoe?'

Ook daar weet Mistral geen antwoord op. Ze leiden ons naar het Place de la Concorde, denkt ze met haar ogen op de luchtballon gericht. Midden op dat plein staat de obelisk van Luxor. En je hebt er fonteinen.

'We moeten de dierenriem raadplegen,' besluit Sheng op een gegeven moment.

'We kunnen nu niet stoppen...' protesteert Mistral en ze kijkt achterom. Een hele stroom mensen. 'We gaan naar het Place de la Concorde...' zegt ze hijgend. 'Daar heb je fonteinen. Heel veel fonteinen. Misschien is een van die fonteinen wel een knielende vrouw...'

Het plein is een schitterende rechthoek van licht bestrooid met waterdruppels.

'Hoe oud is die?' vraagt Sheng, kijkend naar de stenen zuil uit Luxor.

'Duizenden jaren oud,' antwoordt Mistral. 'Hij stond er zeker al in de tijd van Napoleon.'

'In Luxor, ja. Maar wanneer is hij naar Parijs gebracht?'

Het meisje haalt haar schouders op. 'Hoe moet ik dat weten? Honderd jaar geleden, tweehonderd...'

'Honderd of tweehonderd? Wanneer is Napoleon gestorven?'

'In 1821,' weet Mistral uit haar hoofd.

'Pardon!' roept Sheng tegen de eerste de beste voorbijganger. 'Weet u wanneer die obelisk hierheen is gebracht?'

Ten antwoord krijgt hij enkel een boze blik.

Aan de hemel is nog altijd de witte luchtballon te zien, die nu boven de Champs-Elysées vliegt.

'Echt een goede manier om onopvallend te ontsnappen,' sneert Mistral.

Sheng ziet een toeristenkraam behangen met vlaggetjes.

'Komt allen naar het Muziekfeest!' roept een meisje op skates dat er rondjes omheen rijdt. 'Het complete programma! Morgen, 21 juni, het Muziekfeest van Parijs!'

Zonder nadenken rent Sheng naar de kraam en vraagt: 'Hebben jullie een reisgids van Parijs?'

'Kom naar het Muziekfeest!' herhaalt het meisje.

'Een gids! Gids! Toeristisch!' schreeuwt Sheng bijna. 'Kijk naar me! Ik ben een Japanner! Japanner. Japanse gids. *Klik klik.* Heb je een gids?'

Hij vindt er een, slaat hem open, zoekt iets op en gooit hem dan woest op de grond.

'Niets!' roept hij. 'Die obelisk is hier pas neergezet na de dood van Napoleon. In 1836. We zitten dus op het verkeerde spoor.' Hij rolt zijn poster met de dierenriem op de grond uit en gaat er boven hangen. 'Ik zie nergens een man met een zonnehoofd. En ook geen geknielde vrouw.'

'Hier zit er een,' zegt Mistral echter, wijzend op een figuurtje aan de onderkant van de dierenriem.

'Dat is geen vrouw.'

'O nee?'

'Nee! Ze heeft een leeuwenkop.'

'En wat dan nog?'

'Ik weet niet!'

Mistral schrikt op. Ze hoort politiesirenes en dan ziet ze enkele auto's met zwaailichten voorbij scheuren. Ze rijden het plein rond en begeven zich naar het westen, langs de historische as van de stad in de richting van het Place de Gaulle, het grote Place de l'Etoile, het 'plein van de ster', vanwege de tien straten die er van alle kanten op uit komen.

Mistral kijkt omhoog naar de luchtballon.

Hij wordt achtervolgd.

Sheng lijkt alle grip op de werkelijkheid verloren te hebben. Hij heeft de dierenriem weer boven op de plattegrond van Parijs gelegd. 'Wat is hier?'

'Wat maakt het uit wat daar is? We moeten opschieten om Elettra en Harvey te helpen! De politie zit achter ze aan!'

Sheng grijpt haar pols vast. 'Wil je me nu eens zeggen wat hier is?'

Mistral werpt een blik op de kaart. 'Daar is niets. Er is geen...'

Opnieuw kijkt ze gespannen naar de sliert politieauto's die zich een weg baant door het verkeer op de Champs-Elysées. Vóór haar ziet de Arc de Triomphe van Napoleon Bonaparte eruit als een grote omgekeerde U midden op het Place de Gaulle. Ze kijkt ernaar en zegt: 'Verdorie.'

Haar blik blijft rusten op de triomfboog, waarachter de zon langzaam wegzakt.

'De triomfboog van Napoleon...' mompelt ze. 'De triomfboog van Napoleon was er wel in de tijd van Napoleon.'

'Ja, en?' vraagt Sheng.

'En er zijn figuren uitgehakt in de boog. Allemaal rondom Napoleon. En de boog heeft de zon boven zijn hoofd staan.'

'Ga door!' spoort Sheng haar aan.

'De boog bevindt zich op het Place de Gaulle, maar iedereen noemt het Place de l'Etoile. En dat betekent in het Frans "plein van de ster".'

'Hao!' juicht Sheng terwijl hij zijn kaarten weer oprolt. 'Had je dat niet eerder kunnen bedenken?'

De twee kinderen zetten het op een rennen.

Achter hen doen drie andere mensen hetzelfde.

25
De aalmoes

Op de voorkant van de Arc de Triomphe vinden ze Isis, geknield aan de voeten van Napoleon Bonaparte. Rond het monument ligt het Place d'Etoile, het plein van de ster, waar tien straten als lichtstralen beginnen. Een ononderbroken stroom auto's dwingt de bezoekers om door een tunnel te lopen die onder het denderende asfalt is uitgegraven.

Zodra ze onder de boog staan, zet Sheng de wijzers goed.

En zodra hij de wijzer met de ster goed zet, verspringt het horloge voor de tweede keer.

'Yes!' roepen de twee kinderen terwijl ze elkaar om de hals vliegen.

Op het derde vlak is de godin van de natuur, ook weer geknield, afgebeeld, maar deze keer begraaft ze haar handen in een weelderig grasveld dat in tweeën wordt gedeeld door een sliert van kleine sterretjes die uitkomt bij een soort kasteeltje op de achtergrond, op de top van een heuvel.

'Na Isis en de zon... krijgen we Isis en de aarde,' mompelt Mistral.

'Vuur, aarde... knikt Sheng. 'Waar gaat dat heen?'

'Deze is makkelijk,' antwoordt Mistral stralend. 'Deze is echt simpel.'

'Mag ik het ook weten?'

'Ik denk dat dit het park van de sterrenwacht van Parijs is.'

'De sterrenwacht waar de professor en Zoë elkaar hebben leren kennen?'

'Als ze ons de waarheid heeft verteld over hun ontmoeting... ja.'

Sheng bladert koortsachtig door zijn reisgids, op zoek naar bevestiging: 'De sterrenwacht werd in 1667 gebouwd door de Zonnekoning... Op 21 juni, het begin van de zomer, tekenden de wiskundigen van de academie de meridiaan en de andere richtingen op het terrein om de positie van het gebouw te bepalen. Op die manier werd de meridiaan van Parijs gedefinieerd, de nulmeridiaan die later werd vervangen door die van Greenwich.'

'En in Parijs wordt de meridiaan tot op de dag van vandaag aangegeven door een sliert kleine sterretjes op het trottoir...' legt Mistral uit, die inmiddels net zozeer wordt meegesleept door hun speurtocht als Sheng.

'Makkelijk!' juicht Sheng. 'We hoeven weer alleen maar de sterren te volgen... Kom op!'

'En Harvey en Elettra?'

'Die redden zich wel! Ze hoeven dat ding toch alleen maar te laten zakken?'

DE AALMOES

De twee willen net de trap naar het metrostation afdalen als Mistral aan de overkant van de rotonde een van de mannen meent te herkennen die ze uit het Louvre heeft zien komen.

Ze stoot Sheng aan en wijst naar de man. 'We worden achtervolgd.'

'Weet je het zeker?'

'Ja. Zie je die man? Die was ook op het plein bij het museum.'

Sheng probeert de man in kwestie te ontdekken. Hij loopt door alsof zijn neus bloedt. 'Is er geen andere manier om hier weg te komen?'

'De andere uitgangen van de tunnel, naar de Champs-Elysées.'

'We proberen het.'

'En als ze ons achterna komen?'

'Daar trekken we ons niets van aan,' besluit Sheng terwijl hij de trap af loopt. 'We kunnen toch niet meer doen dan... ontsnappen.'

'Een aalmoes alstublieft...' klinkt de stem van een zwerver als ze net uit de tunnel van de Arc de Triomphe komen.

'Hoepel op!' antwoordt de ober met het zwarte vlinderdasje terwijl hij hem voorbijloopt.

Terwijl hij probéért hem voorbij te lopen.

Want de hand van de zwerver grijpt hem razendsnel bij de schouder. 'Een aalmoes...' dringt hij aan.

De ober draait zich met een ruk om. Wat hij tegenover zich ziet is echter niet het gebruikelijke smekende, smerige, droevige

gezicht. Het is een hard, kil gezicht met zulke lichte blauwe ogen dat ze wel van ijs lijken. De man die hem heeft tegengehouden heeft kort wit haar dat schuilgaat onder een baseballpetje. In zijn vrije hand houdt hij een vioolkoffertje.

'Wat wil je verdomme?' vraagt de jongen met het zwarte vlinderdasje terwijl hij zich probeert los te rukken.

'Laat ze met rust...' sist Jacob Mahler tegen de ober.

Rondom hen loopt de stroom toeristen langs zonder acht op hen te slaan.

'Wie ben jij?'

'Zeg tegen degene die je heeft gestuurd dat de achtervolging is afgelopen,' is Mahlers antwoord.

'Ik peins er niet over.'

'Dan zorg ik er wel voor.'

De ober wil de nepzwerver een trap verkopen, maar hij mist hem. De man met de viool springt vliegensvlug aan de kant en staat dan weer voor zijn neus.

'Een aalmoes...' herhaalt Jacob Mahler en hij gooit een munt van vijftig eurocent in de keel van de ober.

De man hoest en spuwt de munt weer uit. De zwerver geeft hem een klap met zijn vioolkoffer en met een welgemikte trap laat hij hem bewusteloos op de grond zakken.

Vervolgens mengt hij zich in de algehele onverschilligheid.

Het is al vijf uur 's middags wanneer de man die uit Siberië is gekomen zwetend langs de perrons van het Gare de Lyon schuifelt. Het Parijse station voelt als een teil die boven op gloeiend

hete stenen is gezet. Een teil vol blauwe stoomwolken. Tientallen treinen staan op een rij, in kleurige opeenvolging. En de glimmende rails die buiten het station uit elkaar gaan, geven vonken af als tl-lampen die knipperend aan gaan. De man loopt zwetend verder en kijkt ontheemd om zich heen. Het is de eerste keer dat hij deze stad ziet. Maar zijn ogen kunnen er niet van genieten; ze zijn rood van vermoeidheid en omgeven door diepe, donkere wallen.

De man is doodmoe. Hij is al weken onderweg. Hij heeft de hele dag gereisd in de tweede klasse van een trein uit Berlijn. En vóór Berlijn is hij op verschillende stations geweest van zwart metaal, beton, kapotte ramen en sputterende lampen. Warschau, Sint-Petersburg, Moskou, Jekaterinenburg.

Terug in de tijd tot aan Tunguska, het minuscule stationnetje vanwaar hij is vertrokken. Een station dat niet eens een station mag heten. Een naamloos dorpje, midden in Siberië.

Hij heeft gereisd zonder ooit te stoppen, om hier aan te komen. In Parijs. De Stad van de Wind. Waar niet één zuchtje wind te voelen is.

Zo had hij het zich niet voorgesteld. Hij had frisse lucht in zijn gezicht verwacht. Hij had vliegers en wervelende wolken verwacht. Hij had verwacht dat het zo zou zijn als het werd beschreven in de oude reisgids met vergeelde bladzijden die hij voor een paar centen heeft gekocht bij een kraampje in Moskou. De Stad van de Wind. Van de zakdoekjes. Van de parfums. Zo had de oude zieneres hem erover verteld, de vrouw met de amberkleurige ogen die met dezelfde nauwgezette kalmte in het verleden en in de toekomst keken. Zo had ze hem overgehaald om te vertrekken.

Maar de stad lijkt roerloos, zonovergoten en dor als een spons ver van de zee. Dat is echter niet de schuld van Parijs. De hele wereld is aan het veranderen. Het hele klimaat is in de war. De seizoenen glippen weg. De zeespiegels stijgen. Het ijs verbrokkelt. Het water trekt zich terug.

En het is pas juni.

De man loopt met gebogen hoofd voort, in zijn wollen broek en jas, in zijn ruwe overhemd, zijn dikke sokken en logge, zwarte schoenen. Hij draagt ook een slappe, rode muts, waarin hij vastgeplakt lijkt te zitten. Zijn handen zijn opgezwollen. Zijn nagels zwart. Hij heeft de oude reisgids in cyrillisch schrift bij zich, plus een eindeloze dosis fantasie.

Een hele stoet forensen beweegt zich in de tegenovergestelde richting. De man loopt tegen de stroom in als een koppige zalm met zilveren schubben. Dan staat hij in de openlucht, onder de hemel van Parijs.

Hij heeft geen bagage.

Die is in Warschau gestolen.

In zijn zak zitten wat onbekende bankbiljetten in felle kleuren. Ze hebben hem uitgelegd dat die euro's worden genoemd. Hij heeft ze in Berlijn gebruikt, en nu ook in Frankrijk.

Het is driehonderdnegenenzestig euro. Hij zou niet weten of dat veel of weinig is. En ook niet of het genoeg is om terug naar huis te kunnen.

Hij laat zijn rechterwijsvinger midden door de oude gids van Parijs glijden. De stad die hij voor zich ziet heeft duizend kleuren.

De wind is niet verdwenen, denkt de man. Hij is alleen nog in winterslaap.

Hij glimlacht bij het idee van de winterslaap. Want de reden waarom hij naar Parijs is gekomen, is om de Kinderen van de Beer te zoeken. En om hen het voorwerp te geven dat hij in zijn broekzak heeft. Een houten tol, waarin een klein, bloedend hartje is gekerfd.

De man heeft geen idee hoe hij de Kinderen van de Beer moet vinden.

Hij zucht, moe en verhit. Hij doet zijn muts af.

En hij kijkt naar de hemel.

Als hij dat doet, kan hij zijn ogen niet geloven. Hij glimlacht. En dan lacht hij hardop, wat hem bevreemde blikken oplevert van de forensen die hem als een soort gek beschouwen. Misschien is hij dat ook wel. Maar je moet bijzondere ogen hebben om de dingen te zien zoals ze echt zijn. Om de tekens op te merken.

Hij zoekt de Kinderen van de Beer. En in de hemel boven Parijs vliegt een witte luchtballon, met een grote beer erop geschilderd.

'We worden achtervolgd!' zegt Elettra, kijkend naar de zwaailichten van de politieauto's in de straten onder hen.

'Fantastisch. Daar zaten we net op te wachten.'

'Wat zullen we doen?'

Voor hen schittert het grote gebouw van spiegelglas dat de Grande Arche wordt genoemd.

'Ik heb nog nooit zo'n ding bestuurd...' zegt Harvey, 'maar volgens mij zakken we veel te snel omlaag...'

Hij hurkt neer onder de gasbrander en gluurt in de ballon. 'Dat dacht ik al.'

'Wat?'

'We verliezen lucht.'

'Hoe bedoel je, we verliezen lucht?'

'Er zit een gat in.'

'Hoe kan er nou een gat in zitten?'

'Denk maar eens na.'

'Het pistoolschot van Zoë?'

'Precies. Ik denk dat ze ons toch geraakt heeft.'

Elettra kijkt geschrokken naar de politiewagens onder hen. 'Daar zaten we ook net op te wachten...'

'Precies.'

Harvey loopt naar de andere kant van de rieten mand, loopt weer terug, en neemt dan een besluit. Hij stookt het vuur op onder de opening van de ballon, en even later gaat de luchtballon een meter of tien omhoog.

'Wat wil je doen?'

'We gaan omhoog.'

'En wat bereiken we daarmee?'

'Dat we er langer over doen om te dalen.'

Wat ze er ook mee bereiken, is dat ze een windvlaag treffen die hen mee terug voert, in de richting van de Seine.

'Ga terug!' schreeuwt Ermete die met zijn bovenlijf uit het taxiraampje hangt. 'Keer om! Snel!'

Aan de hemel is de luchtballon een totaal andere koers ingeslagen. Beneden op straat keren de politieauto's allemaal achter elkaar om terug te rijden.

De taxi weet ze nog rakelings te ontwijken, terwijl Ermete zich vastgrijpt aan de handgreep van het portier.

'Wauw! Net of we in Amerika zitten!' joelt de taxichauffeur, en hij rijdt half het trottoir op om vervolgens te keren en de jacht op de luchtballon te vervolgen.

26
De sterrenwacht

Van de metro-uitgang Denfert-Rochereau is het nog tweehonderd stappen lopen door een laan met bomen naar de sterrenwacht. Een afgesleten medaillon in het trottoir geeft de ingang van een park aan, en daarbinnen wordt als een lange zwarte streep aangegeven waar de oude meridiaan van de stad liep.

Sheng en Mistral lopen in die richting, ze gaan ervan uit dat de witte koepel die ze tussen de bomen zien het gebouw is waar ze naar op zoek zijn.

Maar het toegangshek van het park is dicht, en om bij de sterrenwacht te komen moeten ze een flinke omweg maken waardoor ze buiten adem raken.

Dan staan ze opnieuw voor een dicht ijzeren hek, met gouden punten die glanzen in de zon, en een wapperende Franse vlag.

'Daar is het!' roept Sheng als hij in een lantaarnpaal is geklommen.

De sterrenwacht is een gebouw in klassieke stijl, van drie verdiepingen, met grote, grauwe ramen. Voor de ingang verrijst het standbeeld van een man die wijst naar een kleine aardbol voor hem.

Mistral probeert vergeefs om het hek open te krijgen.

Sheng komt uit de lantaarnpaal en belt aan bij de portiersloge.

Niemand reageert.

'Niets aan te doen...' mompelt Mistral. 'Hij is dicht.'

Sheng bijt op zijn tanden. 'Maar we móeten naar binnen!'

Mistral schudt haar hoofd. 'We kunnen morgenochtend terugkomen.'

Dan horen ze iemand fluiten. Knarsend grind.

'Hallo!' roept Sheng terwijl hij de spijlen van het hek vastgrijpt. Hij heeft een meneer gezien die bedaard een wandelingetje maakt rondom de sterrenwacht. 'Neem me niet kwalijk! Kunt u opendoen? Hallo!'

De man komt nieuwsgierig naderbij. 'De sterrenwacht is dicht, jongelui,' zegt hij.

'Dat weten we,' zegt Mistral. 'Maar... mijn vriendje en ik...' Sheng zet grote ogen op, maar zij praat rustig verder: 'We wilden alleen maar heel even naar binnen om een foto te maken.'

De man kijkt om, alsof hij zeker wil weten dat hij alleen is. 'Als mijn collega's erachter komen...'

Mistral buigt voorover en kijkt hem smekend aan. 'Alleen maar even tot aan het standbeeld, alstublieft!'

'Maar wel opschieten, hè!' bromt hij.

De twee vrienden rennen over het grind op de binnenplaats, terwijl de man bij het hek op hen blijft wachten zodat hij het meteen weer achter hen dicht kan doen.

'En nu?' vraagt Mistral aan Sheng. 'Waar is die Isis van je nu?'

Sheng heeft nog steeds rode wangen. Hij loopt naar de sokkel van het beeld en ziet dat de tekens van de dierenriem erin uitgehakt zijn.

'Daar is ze, zie je dat niet?' fluistert hij, wijzend op de vrouw vergezeld door twee sterren.

'Zeker weten?'

Sheng is er niet helemaal zeker van, maar vanwege zijn, zij het tijdelijke, nieuwe rol als vriendje van Mistral wil hij een beetje stoer overkomen. 'We proberen het.'

Hij houdt het horloge in de goede richting, wijst de wijzer met de maan naar de vrouw die in de sokkel is gehouwen, de wijzer met de zon naar de zon en die met de ster naar het oosten.

Voor hij de laatste wijzer verplaatst doet hij echter zijn ogen dicht.

Tjak. Het horloge verspringt voor de derde keer.

Nu zit Isis op een troon, omringd door het water van een meer. Achter haar groeien bomen. Aan haar voeten heffen feestende mannetjes hun wapens de lucht in.

'En dan ten slotte het water, zo te zien.'

'Enig idee?'

Mistral schudt haar hoofd. De man bij het hek begint onrustig te worden.

'Tja, er moet ons toch zo snel mogelijk iets te binnen schieten.'

○⊕⊙⊖

Mademoiselle Cybel loopt langzaam de trap van haar restaurant af, in een werveling van glinsterende parels. Ze trekt een geërgerd gezicht, alsof ze hevig wordt gekweld. De kwelgeest is in dit geval een van haar jongens, die voorovergebogen op een witte stoel zit, met zijn arm op tafel, en een glas water in de hand. Hij zit in zijn onderbroek.

Zodra hij de vrouw ziet aankomen, springt de jongen overeind. Diep in zijn ogen glinstert een zweem van pure angst. Het is niet duidelijk of die angst komt door wat hij heeft meegemaakt, of door wat hem te wachten staat.

Intussen laat een van de obers van het restaurant hem een badjas aantrekken.

'Dus wat is er precies gebeurd?' vraagt Mademoiselle Cybel terwijl ze dichterbij komt. 'Wat is er precies gebeurd?'

'Het was één man, Madame!' snikt de jongen. 'Een man in zijn eentje!'

'Een man in zijn eentje? Wat voor man was dat dan?'

'Hij was... hij had... een petje... en hij had een vioolkoffer bij zich.'

'Bij Diana, een viool? Wat romantisch!'

Mademoiselle Cybel gebaart naar de jongen dat hij mee moet komen naar haar kantoor op de bovenste verdieping. Of beter gezegd, dat hij voor haar uit moet lopen, want zij maakt eerst nog een rondje langs de tafeltjes om haar gasten te begroeten. Dan sleept de vrouw haar onderkinnen de trap op, waar de

jongen in badjas al doodsbang naar de piranha's in het aquarium onder de vloer staat te kijken.

'Vind je het erg om me het hele verhaal nog eens te vertellen?' vraagt Cybel terwijl ze tegenover hem gaat zitten. 'Vind je het erg? Want ik geloof dat ik het nog niet snap.'

Aan de muren branden groene en rode lichtjes.

'Hij heeft eerst Fernand te grazen genomen...' vertelt de jongen. 'Bij de Arc de Triomphe. Hij heeft hem met één klap uitgeschakeld.'

'Interessant. Interessant.'

'Toen waren Philippe en André aan de beurt...'

'Wat is hen dan overkomen?'

'Ik weet het niet, ze waren ineens verdwenen. We waren de trap af gegaan om de metro te pakken. En die vent stond achter in de gang. Hij speelde op zijn viool. Als... als die lui die staan te bedelen. Er... er was niemand, bij die halte. En toen we hem hoorden spelen, bleven Philippe en André stokstijf staan.'

'Stokstijf?'

'Als verlamd. Ik... ik snap niet hoe het mogelijk is, Madame, maar... het was net als met een slang. Ziet u het voor zich? Hoe een slangenbezweerder een slang kan hypnotiseren ?'

'Zeker,' antwoordt Mademoiselle Cybel. 'Ik zie het heel goed voor me. En wat gebeurde er toen?'

'Die man begon naar ons toe te lopen. Hij zei dat we die kinderen met rust moesten laten. Dat ze van hem waren. Hij zei dat we naar huis moesten gaan.'

'En dat heb je gedaan, zie ik. Dat heb je gedaan.'

'Ik ben weggerend, Mademoiselle Cybel. Ik was zo bang. Ik heb me omgedraaid en ben de trap op gerend.'

‘Dus je weet niet wat er met Philippe en André is gebeurd?’

De jongen schudt wanhopig zijn hoofd. ‘Nee. Nee. Ik weet het niet.’

‘Wat heb je gedaan?’

‘Ik ben het metrostation uit gerend en ik zocht een plek om me te verstoppen. Ik zag de begraafplaats van Montparnasse. En die ben ik op gerend. Ik heb als een gek lopen rennen.’

‘En was je al... zo gekleed als nu?’

‘Nee, Madame. Dat gebeurde later.’

‘Wanneer?’

‘Op de begraafplaats kwam ik tot bedaren. Er was niemand. De zon scheen lekker warm. En er was geen spoor van die man. Ik ben bij het beeld van een soort grote engel blijven staan en... terwijl ik daar stond bij te komen kwam die vent... kwam die vent ineens aanlopen! Ik kon niet meer reageren. Mijn hersenen... mijn hersenen deden het gewoon niet meer.’

‘Ervan uitgaand dat ze het bij andere gelegenheden wel deden...’ merkt Mademoiselle Cybel op. ‘Dat ze het dan wel deden.’

‘Die man keek me recht in de ogen. Maar ik was doodsbang, ik kon me niet verroeren. Toen haalde hij de strijkstok van zijn viool langs mijn keel... en deed hij dit!’ roept de jongen, terwijl hij de rechte, strakke verwonding onder aan zijn hals laat zien. ‘Ik dacht dat hij me ging vermoorden. Maar nee. Hij zei dat ik naar u toe moest gaan, Madame.’

‘Naar mij?’

‘En dat ik tegen u moest zeggen dat u geen anderen zoals ik meer moest sturen. Dat u niemand meer moest sturen. En dat ik tegen u moest zeggen dat hij Zoë beter kent dan u. Precies in die

bewoordingen, Madame: “Ik ken Zoë beter dan zij”. Dat u haar niet moest vertrouwen, omdat die vrouw al meer dan honderd jaar verraad pleegt.’

Mademoiselle Cybel glimlacht vanuit de hoogte, want zij was vroeger ook spionne geweest. ‘Dat beschouw ik als een compliment. Als een compliment. En zei hij verder nog iets?’

‘Dat hij mijn kleren nodig had.’

‘Jouw oberkleren?’

‘Ja.’

De hand van Mademoiselle Cybel glijdt langzaam over de tafel. ‘Is dat alles?’

‘Ja, Madame. Ja. Dat is alles. Maar wees voorzichtig, alstublieft. Die man... die man is vreemd. Ik... ik ben nog nooit van mijn leven zo bang geweest. Hij was... het kwaad, mevrouw. Geloof me. Het kwaad.’

De vrouw houdt een blubberige arm omhoog. ‘Ach, jongen, je hebt het over iets wat ik maar al te goed ken. Maar al te goed.’

Ze staat op en gebaart dat hij moet blijven zitten. ‘Blijf lekker zitten, lekker zitten. Verroer je niet.’

‘Het spijt me, Madame!’ zegt de jongen. ‘Ik had Philippe en André niet in de steek moeten laten... die jongens. Maar u kunt het er beter bij laten zitten, geloof me. U kunt beter doen wat hij zegt.’

‘We zullen zien. We zullen zien,’ mompelt de vrouw terwijl ze naar de deur loopt.

‘Wilt u me ontslaan, Madame?’

‘Wat?’ antwoordt Mademoiselle Cybel terwijl ze opschrikt uit haar gedachten. ‘O, nee. Ik wil je niet ontslaan. Helemaal niet.

Ik denk dat je nog heel goed van pas kunt komen in ons restaurant. Geloof me. Blijf zitten waar je zit. Ik regel even wat dingetjes en dan kom ik terug.'

Mademoiselle Cybel doet de deur achter zich dicht. Dan drukt ze op een knop van de afstandsbediening die ze altijd bij zich heeft, waarna in de werkkamer de tegels van het aquarium openschuiven onder de stoel van de jongen.

Peinzend wat ze nu moet doen, loopt ze de trap af en wandelt door de eetzaal. Ze is woest. Ze moet al haar jongens meteen waarschuwen dat ze de jacht moeten inzetten. Meteen.

Ze loopt naar een belangrijke tafel en glimlacht.

'Afgevaardigde... hebt u al een keuze kunnen maken uit het menu? Wat zegt u? Vlees? Dat moet ik even nakijken. Misschien is er nog wat van dat speciale vlees. Dat allerlekkerste... dat nog aan het bot vastzit.'

Wat een heerlijk plekje om te zitten bij de ondergaande zon, denkt Fernando Melodia, aan een tafel op het terras van Café de Flore wachtend op zijn aperitiefje.

Na het Louvre heeft hij een lange wandeling langs de Seine gemaakt, en daarna door de kronkelige straatjes van de wijk Saint Germain des Prés, die hem een beetje aan Rome en zijn geliefde wijk Trastevere doen denken, zij het in een Franse versie: schoner en geuriger.

En wat te denken van het kroegje dat hij heeft uitgekozen, als een echte flaneur? Een historisch Parijs cafeetje, voor mensen die de sfeer van de Franse hoofdstad weten te waarderen.

Met een krant op schoot glimlacht Fernando om zijn omzwervingen van die middag, om de voorbijgangers, om deze avond op het terras, en, waarom niet, ook om zijn toekomst als succesvol schrijver.

Hij mompelt: 'Vroeg of laat worden de slechte herinneringen, de teleurstellingen uit het verleden, de verdrietige gebeurtenissen allemaal opgelost door de tijd, of weggevoerd door de wind.'

Niet slecht, denkt hij bij zichzelf, en hij noteert die mooie zin op een van de blaadjes die hij als schrijver altijd bij zich heeft. Die gaat hij nog een keer gebruiken, misschien kan hij hem in de mond leggen van de detective waarvan de karakterschets hem zo moeizaam af gaat. Een droevige man, met een lange baard, die zijn vrouw kwijtgeraakt is, maar die weer zin in het leven krijgt dankzij een levendige groep kinderen die spelen dat ze meedoen in een internationale intrige. In zekere zin een autobiografisch personage, mijmert hij terwijl hij de krant openslaat en doet alsof hij een artikel leest. Bovendien moet je schrijven over wat je kent.

Hij kijkt op en ziet tot zijn genoegen de ober aan komen lopen. Die zet zijn glaasje echter drie tafels verderop neer.

'Hè, nee, garçon!' roept Fernando. 'Hierheen. Dat is voor mij!'

De ober keurt hem geen blik waardig. Twee andere obers komen het café uit rennen, tot stomme verbazing van alle andere gasten. Aan de overkant van de straat verlaten ook andere obers de cafés waar ze werken. In de deuropening van Café de Flore verschijnt de eigenaar met zijn armen over elkaar geslagen en hij schudt stomverbaasd zijn hoofd.

'Gekkenwerk...' mompelt hij. 'En dan ook nog klagen dat we de jongelui geen werk geven!'

27
De boekwinkel

Mistral heeft geen flauw idee waar ze de vierde Isis van het horloge moet zoeken, maar ze is niet van plan om het op te geven nu ze al zo ver zijn gekomen. De verwijzing naar het water doet haar maar aan één ding denken: de Seine, de boten, de eilanden.

Ze zegt tegen Sheng dat ze niet de metro wil nemen, en met grote stappen beent ze over het trottoir.

'Moeten we echt heel Parijs door?' hijgt Sheng, die er genoeg van begint te krijgen om telkens van de ene naar de andere kant van de stad te rennen.

'Hou vol. Onder het lopen kun je beter nadenken.'

In de Rue de l'Odéon blijft Mistral ineens staan en roept: 'Bukken!'

Voorovergebogen loopt ze achter de auto's langs.

'Wat is er?' vraagt Sheng.

'Hier naar binnen!' beveelt Mistral. Ze komt snel overeind en duwt haar vriend een klein boekwinkeltje in, waarna ze door de glazen deur naar buiten blijft gluren.

'Wat heb je gezien?'

'Twee obers met een zwart vlinderdasje op straat.'

'En denk je dat die naar ons op zoek waren?'

'Dat wil ik niet eens weten.'

Sheng probeert naar buiten te gluren, maar Mistral is een stuk groter dan hij en belemmert het zicht. 'Waar zijn ze?'

'Ahum...' Achter hen schraapt iemand de keel. 'Kan ik jullie op de een of andere manier van dienst zijn, jongelui?'

Sheng en Mistral zijn in een klein, gezellig boekwinkeltje beland. Een vriendelijk oud vrouwtje met halflang grijs haar en een ruitjesblouse met de naam *Montecristo* erop kijkt hen glimlachend aan vanachter een kleine toonbank. Achter haar staat een hele reeks avonturenboeken van Jules Verne.

'Neemt u ons niet kwalijk,' zegt Mistral. 'Wij... zijn bezig...'

'Ik zag ze!' roept Sheng ertussendoor, die eindelijk kans ziet door de deur naar buiten te kijken.

Nu kijkt Mistral nog beschaamder. 'Wij zijn bezig met een grote... speurtocht.'

Het vrouwtje klapt enthousiast in haar handen. 'Wat leuk! Ik ben dol op dat soort avonturen. Wat voor speurtocht is het?'

'Nou...' aarzelt Mistral. 'Eigenlijk... is het best wel ingewikkeld. We moeten naar verschillende wijken van Parijs om... aanwijzingen te zoeken. En we moeten oppassen dat de mensen met een zwart vlinderdasje ons niet vinden.'

'En wat moeten jullie zoeken? Mogen jullie ook geholpen worden?'

'Natuurlijk,' antwoordt Mistral. 'Het is alleen echt heel erg moeilijk.'

'Ik kan het proberen.'

'Het is volgens mij een soort fontein.'

'Wat voor fontein?'

'Een fontein met een vrouw op een troon. En met een vijver eromheen.'

Het vrouwtje denkt diep na. 'Hebben jullie niet nog een aanwijzing?'

Mistral laat haar de wijzerplaat van het horloge zien, en meteen roept de vrouw uit: 'Ach, hemeltje. Díe fontein!'

'Kent u hem?'

'Nou en of!' lacht het vrouwtje en ze kijkt om zich heen alsof ze een bepaald boek zoekt in haar winkel. 'Maar het zal niet meevallen om die te vinden.'

'Is hij ver weg?'

'Niet eens zo heel ver...' Dan gaat de vrouw op haar tenen staan en pakt een dik boek met oude afbeeldingen van Parijs van een schap. 'Weet je waar het Place de la Bastille is?'

'De Bastille?' komt Sheng tussenbeide. 'Die ken ík zelfs! Dat is de gevangenis die is bestormd aan het begin van de revolutie.'

'En waaruit maar liefst zeven mensen zijn bevrijd...' De vrouw begint het boek door te bladeren tot ze een reproductie heeft gevonden die vrijwel identiek is aan de afbeelding op het horloge.

'Dat is hem!' roept Mistral.

'De fontein van de wedergeboorte,' knikt de vrouw. 'Ook wel bekend als Isis van de Bastille. Maar het probleem is... hij bestaat niet meer. Net zomin als de Bastille zelf nog bestaat.'

'Wat moeten we nu dan doen?' vraagt Sheng.

'Kunnen we erachter komen op welke plek die fontein zich bevond?'

'Ja hoor,' antwoordt het vrouwtje. 'Hier staat dat er tegenwoordig een zuil staat op de plek van de fontein.'

'Ik neem aan dat het mechanisme evengoed werkt,' mompelt Sheng.

'Het was ons nooit gelukt zonder uw hulp...' bedankt Mistral de vrouw. Dan kijkt ze bezorgd naar buiten. 'Maar als we nu naar buiten gaan, zien de slechteriken ons.'

'Blijf dan hier!' roept de vrouw. 'Ik sluit de winkel om half acht. Tot die tijd kunnen jullie me hier gezelschap houden.'

Daar schieten we niet veel mee op, denkt Mistral. Terwijl Elettra en Harvey in een luchtballon rondzweven, en Ermete god weet waar uithangt...

'Ik heb een idee,' zegt ze tegen Sheng.

'Wat dan?'

'Zíj zijn op zoek naar ons vieren, hè?'

'Dat lijkt me wel, ja.'

'Hooguit zoeken ze ook Ermete. En misschien ook de vader van Elettra.'

'Ja, en?'

'Misschien is er nog iemand anders, die niet in de gaten wordt gehouden. Iemand die het horloge in plaats van ons kan gebruiken.'

'Ik zou het aan niemand toevertrouwen.'

'Ik wel. Maar dan heb ik jouw mobieltje nodig.'

'Wie wil je bellen?'

'Mijn moeder.'

28
De botsing

Ze zijn de kathedraal van Parijs nog niet gepasseerd of de luchtballon maakt weer een plotselinge draai en gaat, geholpen door een verkeerde wind, recht op de kerk af.

'Harvey!' gilt Elettra als ze de grote spitsen van de Notre Dame wat al te dichtbij ziet komen. 'Kijk uit!'

'Ik zie ze! Ik zie ze!' antwoordt hij en hij stoot zoveel warme lucht in de ballon als hij kan. Het lijkt wel of het kogelgat groter is geworden. 'Maar we blijven zakken.'

Onder hen staat nu een grote menigte nieuwsgierige mensen. Ze zijn aan beide oevers van de rivier samengedrongen en staan overal rondom de kerk. De auto's van de Franse politie komen met gillende sirenes over de bruggen aan scheuren, en er klinkt een hoop getoeter.

'*Mamma mia…*' mompelt Elettra als ze omlaag kijkt.

'Ga met je hele gewicht tegen deze kant aan hangen!' roept

Harvey terwijl hij zich tegen de linkerkant van de mand gooit. Hij grijpt zich vast aan de touwen van de ballon en probeert hem van koers te laten veranderen. Maar het lijkt tevergeefs: de wind duwt hen onvermijdelijk naar de kerk, en de torenspitsen van de Notre Dame komen steeds dichterbij, als een stekelvarken van steen.

'We raken hem!'

'Nee hoor, we raken hem niet.'

'Harvey!'

'Ik zeg toch dat we hem niet raken!'

Harvey klimt op de rand van de mand, houdt zich stevig vast aan de touwen en gaat achterover hangen tot hij bijna naar beneden hangt, in een wanhopige poging om de luchtballon net die halve meter opzij te laten gaan, waardoor ze rakelings langs de kerk zullen scheren. Dan kijkt hij uiterst geconcentreerd naar de eerste stenen egel waar ze op af gaan.

Vanaf de grond klinken de eerste kreten. En meteen daarna een stem door een luidspreker die hen iets toeschreeuwt in het Frans. Maar ze besteden er geen van beiden aandacht aan. Ze zijn veel te druk bezig om niet te pletter te vliegen tegen de kathedraal, die nu nog dichterbij komt. Het vuur brandt volop, maar hun inspanningen hebben geen enkel resultaat.

'Draaien, kom op, draaien! Draaien!' schreeuwt Harvey die gevaarlijk ver uit de mand hangt.

Elettra doet haar ogen dicht. Ze telt één seconde. Twee seconden. Drie, en daarna doet ze haar ogen open. Ze ziet de torenspitsen op twintig centimeter van de mand passeren. Tien centimeter.

Maar ze hebben er net genoeg aan.

Ze horen een applaus, en Elettra is diep geroerd.

'We hebben het gered!' roept ze terwijl ze haar armen om Harvey's hals slaat.

Die ziet echter lijkbleek. 'Juich maar niet te vroeg!' roept hij.

Hij springt in de mand en kijkt machteloos naar de toren van de voorgevel van de kathedraal. 'Daar gaan we wél tegenaan.'

'Nee! We moeten omhoog!' schreeuwt Elettra. 'Blazen!'

Harvey draait aan de hendel van het vuur. 'Stijgen! Stijgen!'

Drie seconden. Vier. Vijf.

De luchtballon gaat een heel klein stukje omhoog. Harvey schudt zijn hoofd en geërgerd draait hij het vuur helemaal uit.

'We proberen het nog een keer!' roept hij terwijl hij weer aan de touwen gaan hangen. 'Kom mee!'

Elettra klimt op de rand van de mand en probeert al haar gewicht naar buiten te laten hangen.

Zes. Zeven.

Ze komen in de schaduw van de toren.

'Harvey!'

'Als we er bijna tegenaan botsen, moet je je in de mand laten vallen!'

De toren van de Notre Dame is een stenen muur voor hun neus, met een heel smal streepje hemel rechts van hen. Ze zien de kleurige glas-in-loodramen en de talloze stenen waterspuwers die hen vanaf de bovenste galerij aanstaren. Onder hen is het gazon voor de kerk bezaaid met fotografen, klaar om het moment van de botsing vast te leggen.

'Hou je vast!' schreeuwt Harvey.

De mand knalt tegen de grijze stenen van de kathedraal en deint weer opzij. Ondanks het lichte materiaal waaruit de mand

bestaat, is het een heftige klap; de kinderen rollen over elkaar heen tegen de binnenwand van de mand aan. Harvey kijkt vlug omhoog: de ballon begint tegen de bovenste bogen van de toren aan te schuren. Het kunststof materiaal blijft steken achter de versieringen en de spitse uitsteeksels, en er klinkt een afschuwelijk scheurend geluid. De mand knalt opnieuw tegen de muur aan, en dan blijft de luchtballon met een soort gekreun stil hangen.

'Pardon! Pardon!' schreeuwt Ermete terwijl hij tussen de mensen in het middenschip van de kerk door strompelt. Hij zoekt de trap van de noordtoren, en zonder zich iets aan te trekken van de protesten rent hij die eindeloze reeks treden op.

Als hij halverwege de beklimming is, komt de reusachtige schaduw van de luchtballon voor de ramen langs, waardoor iedereen die het opmerkt een kreet slaakt.

'O nee, kinderen, nee!' jammert de ingenieur. 'Knal er niet nu al tegenaan. Laat me erdoor! Laat me erdoor!'

Van de eerste klap van de mand is niets te merken achter de muren van de kathedraal. Maar dan, als Ermete de hele luchtballon hoort kreunen en over het steen hoort schuren, doet hij er nog eens een schepje bovenop.

'Elettra? Alles goed?' vraagt Harvey.

'En met jou?'

'Wat blauwe plekken. Niets ernstigs.'

'Waar zijn we?'

'We hangen aan de Notre Dame, denk ik.'

'Aaaah!'

Met een schok stort de mand anderhalve meter naar beneden. De val gaat gepaard met verschrikte kreten van de toeschouwers. De zwaailichten van de politie zwiepen door de lucht. In de verte klinkt een helikopter.

'We moeten eruit zien te komen,' zegt Harvey terwijl hij de rand van de mand vastgrijpt.

Hij kijkt omlaag: ze hangen vijftig meter boven de grond. Even heeft hij het gevoel dat hij gaat flauwvallen.

Elettra kruipt naast hem.

Ze kijken omhoog.

De luchtballon is zienderogen aan het slinken, hij is vast blijven zitten op een paar meter onder de bovenste galerij die rondom de hele toren loopt. De touwen zijn verstrikt geraakt in de talloze zuiltjes en versieringen onder de ramen. Ter hoogte van de mand is de toren één vlakte van grijze steen die de diepte in stort, tot aan de grond. Bij elke ruk geven de touwen en de ballon mee en zakken ze weer wat verder omlaag.

'We kunnen geen kant op...' fluistert Harvey, bang dat het wankele evenwicht zelfs al kan worden verstoord door hardop te praten. 'We kunnen niet omlaag, en we kunnen niet omhoog.'

'En we blijven hier ook niet veel langer meer hangen...'

'We moeten omlaag.'

'Of we moeten ons vastgrijpen aan de stenen.'

'Jongens!' roept een stem van bovenaf.

Harvey en Elettra herkennen hem meteen. 'Ermete! Ermete! Waar ben je?'

'Hier ben ik! Boven jullie!'

Harvey buigt net genoeg naar voren om Ermete tussen de

waterspuwers van de galerij te zien staan. 'Elettra! Geef me een touw, vlug!'

Elettra geeft Harvey een touw, waarna hij zijn arm uit de mand steekt en schreeuwt: 'Ermete! Pak aan!'

'Gooi maar!'

Harvey gooit.

'Harder!'

De jongen raapt het touw op en probeert het opnieuw. Het is een goede worp, maar het touw komt tot op een paar centimeter van Ermetes handen en valt weer omlaag.

Bij elke mislukte poging slaakt het publiek onder hen een teleurgestelde kreet. De helikopter komt steeds dichterbij.

'Het lukt ons nooit!' jammert Elettra, bang om weer een stuk verder omlaag te storten.

'Geef me een kus.'

'Harvey, we staan op het punt om neer te storten en jij...'

'Daarom juist. Geef me een kus.'

Elettra geeft hem een klein kusje, en dan probeert Harvey het voor de derde keer. Hij laat het touw met veel kracht uit de mand rollen en werpt het dan omhoog, waar Ermete het net weet vast te grijpen.

Vijftig meter onder hen klinkt een applaus.

Ermete trekt het touw tussen de zuiltjes van de galerij door en schreeuwt: 'Oké! Kom op! Klim eruit!'

Harvey geeft het touw aan Elettra. 'Jij eerst.'

'Harvey...'

'Laten we niet nog meer tijd verliezen.'

Het meisje grijpt het touw vast, balanceert op de rand van de mand en zet zich dan met een klein sprongetje af. Dat is al

genoeg om de hele ballon te laten kreunen en de mand verder omlaag te duwen. Harvey grijpt het touw vast.

'Klimmen!'

Met haar voeten tegen de toren kijkt Elettra omlaag, waar Harvey de mand nog vasthoudt.

'Klimmen, kom op!' roept hij.

'Jij moet ook komen!'

'Ik kom, maar jij moet door klimmen!'

'Pak dat touw vast en klim eruit!'

'Ik heb het touw al vast! Schiet op en klim omhoog, verdorie!'

Harvey durft niet ook nog met zijn volle gewicht aan het touw te gaan hangen, want hij vraagt zich af of die eeuwenoude stenen zuiltjes wel het gewicht van hen beiden kunnen houden.

Elettra zet haar schoenzolen tegen de stenen en trekt zichzelf met haar armen omhoog. Ze zet kleine stapjes, en ze heeft het idee dat de beklimming eindeloos duurt. In werkelijkheid heeft ze de eerste waterspuwers in minder dan dertig tellen bereikt.

'Goed zo, Elettra...' moedigt Ermete haar aan en hij helpt haar om over de balustrade heen te klimmen. Dan slaat hij zijn armen om haar heen en zorgt dat ze veilig op de wandelgalerij gaat staan.

De ingenieur buigt zich voorover om naar Harvey te wenken dat hij omhoog kan klimmen, terwijl de ballon, rechts van hem, een afschuwelijk gekreun laat horen, als een droge vrucht verschrompelt en neerstort in de richting van het gazon.

'Harvey!'

'Ik kom! Ik kom!' roept hij, hangend aan het touw. Binnen

een paar tellen is hij bij hen, en met een laatste sprong brengt hij zichzelf in veiligheid.

Er scheert een helikopter op een paar meter langs de kathedraal.

'We moeten hier wegwezen!' schreeuwt Harvey.

'Ik vrees dat dat niet zal meevallen,' zegt Ermete. 'Jullie hebben de aandacht van zowat de hele stad getrokken.'

Op de trap klinken de opgewonden voetstappen van de politie. En dat kan ook niet anders. De pistoolschoten bij Les Halles, de diefstal van de luchtballon, de spectaculaire botsing tegen de kathedraal: genoeg reden om hen een paar dagen lang te ondervragen.

'Hier kunnen we niet naar beneden,' mompelt Harvey.

'Laat mij maar,' stelt Ermete voor.

Hij loopt langs de kinderen en posteert zich met gespreide armen boven aan de trap. Hij wordt bestookt door geschreeuw en dreigend getik van wapens.

Ermete houdt zijn armen omhoog en roept in het Engels: 'Blijf staan! Alles is oké! Alles oké! Ik snap geen woord van wat jullie zeggen! Engels! Praat Engels!'

Achter hem kijken Harvey en Elettra om zich heen, met hun armen om elkaar heen geslagen.

'Liever de politie dan Cybel,' mompelt Harvey.

'Ik was het!' schreeuwt Ermete intussen boven aan de trap. 'Ja, ik was het! Ik heb die luchtballon gestolen!'

Leuk bedacht, denkt Harvey, maar het heeft geen zin. Er zijn honderden foto's en filmpjes van hen gemaakt terwijl ze aan de noordtoren hingen.

'Deze keer kunnen we niet ontsnappen,' zegt hij. 'We kunnen alleen maar hopen dat Sheng en Mistral niet in de val lopen.'

'Er is hier niets elektrisch,' zegt Elettra. 'Niets dat ik kan laten ontploffen om verwarring te zaaien.'

Harvey knijpt in haar hand. 'We moeten niet bang zijn.'

'Hé! Psst!' klinkt op dat moment een bulderstem op een paar meter van hen af.

De stem is van een reusachtige man met een ruwe baard en een net blauw pak. Hij wenkt dat ze naar hem toe moeten komen, zwaaiend met een knoestige stok waar twee kronkelende slangen in gekerfd zijn. 'Kom mee, vlug.'

'Wat wil die kerel?' vraagt Harvey.

'Zo te zien wil hij dat we hem volgen.'

De man staat voor een kleine wenteltrap die bijna niet te zien is tussen de twee torens van de voorgevel. Als Harvey en Elettra bij hem komen, wijst hij hen op het kleine trappetje omlaag.

'Het wordt niet veel gebruikt,' zegt hij met zijn zware stem. 'Maar het is de enige manier om hier weg te komen.'

'Dankuwel,' zegt Harvey.

'Ja, maar... waarom helpt u ons?' vraagt Elettra.

'Wie zegt dat ik jullie help?' antwoordt de man, terwijl hij hen voor zich uit over het trappetje duwt. 'En nu lopen, anders kom ik zelf ook in de problemen.'

De kinderen rennen zonder nog een woord te zeggen de trap af, gebukt in die geheime doorgang die in een muur van de kerk is gemaakt.

Harvey gaat voorop, achter hem komt Elettra en dan de man met de stok. Maar bij elke draaiing hoort Elettra dat hij verder

achterop blijft, en als ze eenmaal beneden zijn is zelfs het getik van zijn stok niet meer te horen.

'Waar is hij nu gebleven?' roept het meisje uit als ze bij Harvey staat.

Die geeft geen antwoord. Hij staat voor een kleine deur, en als hij ertegenaan leunt, krijgt hij hem met een licht duwtje open.

Ze staan op de begane grond van de Notre Dame, in een onopvallend, donker stukje van de kathedraal. Gekleurde lichtbundels die door de ramen naar binnen vallen tekenen kleine caleidoscopen op de vloer. Overal staan mensen omhoog te kijken naar de trap, en het wemelt van de politieagenten.

'We moeten hier weg,' fluistert Harvey terwijl hij zich in de schaduw verschuilt.

'En Ermete?'

'Die kunnen we nu niet helpen.'

De twee kinderen sluipen voorzichtig langs een oud biechthokje. Als ze bij de ingang komen, trekt Elettra aan Harvey's arm zodat hij moet blijven staan. 'Kijk daar!' fluistert ze.

Voor de ingang staat Zoë.

Harvey en Elettra sluipen langs de muren tot ze een zijdeur hebben gevonden.

'Zoë?' klinkt ineens een scherpe stem achter haar.

De man tilt zijn baseballpetje lichtjes op. 'Ken je me nog?'

Zoë kijkt zonder iets te zeggen weer voor zich en blijft koppig de ingang van de Notre Dame in de gaten houden.

De man komt dicht achter haar staan en praat verder.

'We hebben elkaar in IJsland ontmoet, weet je nog? De Blauwe Lagune.'

Zoë perst haar lippen opeen.

'En toen nog een keer in Shanghai, een paar maanden later. Om de prijs voor jouw verraad af te spreken.'

'Ik heb helemaal geen afspraak met jou.'

'Ik ook niet met jou.'

'Ze zeiden dat je dood was.'

'Dat zeggen er zoveel.'

'Wat wil je?'

'De kinderen.'

'Dat is onmogelijk.'

Een glanzende vioolstok glijdt langs de zij van de vrouw.

'Er staan heel veel mensen om ons heen,' sist Jacob Mahler. 'Niemand zal het opmerken als er één dame flauwvalt.'

'Waarom heb je me niet eerder vermoord, als dat je bedoeling is?'

'Omdat ik niet van plan ben om je te vermoorden. Ik wil dat jij Heremit belt en zegt dat het niet fraai is om je vrienden te verraden.'

Terwijl de vioolstok langs haar zij omhoog glijdt, houdt Zoë haar adem in.

'Dat zou jij toch moeten weten.'

De vrouw draait zich met een ruk om. Maar ze ziet alleen onbekende gezichten.

Jacob Mahler is alweer verdwenen.

Cécile Blanchard heeft het telefoontje van Mistral ontvangen toen ze nog op haar werk zat, en ze is naar haar toegegaan in een

kleine boekwinkel gespecialiseerd in avonturenromans, in de Rue de l'Odéon.

Daar houdt Mistral zich samen met Sheng schuil en als ze haar moeder ziet aankomen vliegt ze haar in de armen. Dan zegt ze dat ze niet veel tijd heeft om alles uit te leggen, ze geeft haar een oud horloge en vraagt of ze iets voor haar wil doen.

'En waarom moet dat per se op het Place de la Bastille?' vraagt Cécile.

'Omdat zich daar de fontein bevond,' komt de oude eigenares van de boekwinkel tussenbeide. 'Waar nu die zuil staat. In het midden, weet u wel?'

Cécile knikt, maar ze snapt er nog steeds niets van.

'En waarom komen jullie dan niet mee? Ik heb de auto voor de deur staan...'

'We kunnen niet...' antwoordt Mistral met een bezorgde blik naar buiten. 'Dat zouden *zij* vast merken.'

'Wie zijn *zij*, als ik vragen mag?'

'Het heeft te maken met die speurtocht,' legt de oude eigenares verder uit. 'Ze mogen niet betrapt worden.'

Cécile kijkt haar dochter aan, die haar met haar ogen smeekt om niet nog meer vragen te stellen.

'Goed. Stel dat ik nu naar het Place de la Bastille ga met dit gouden zakhorloge en dat ik alle wijzers goed zet. Wat dan? Wat moet er dan gebeuren?'

'Dan verspringt het horloge,' antwoordt Sheng.

'Aha. En daarna? Spreken we thuis af?'

'Liever niet. Dat is misschien... gevaarlijk.'

'Mistral?'

Opnieuw die blik.

‘Ik snap echt niet wat jou bezielt.’

‘Als het allemaal zo gaat als wij denken...’ begint Sheng te zeggen.

Cécile houdt het horloge omhoog. ‘Je bedoelt, als dit horloge... *verspringt?*’

‘Precies. Als het verspringt, hoeven wij alleen maar te weten hóe het verspringt.’

‘Aha. Want het kan dus... op verschillende manieren verspringen?’

‘Klopt. Daarom zou u ook nog iets anders voor ons moeten doen.’

‘Jongens, ik heb geen vakantie!’

‘Maar dat kunt u ook morgenochtend doen, voordat u naar uw werk gaat! U hoeft alleen maar even naar het Place de l’Opéra te gaan en...’ Sheng fluistert enkele bizarre instructies in haar oor.

Cécile barst in lachen uit. ‘Jullie maken toch zeker een grapje?’

Sheng kijkt naar Mistral.

‘Het is echt heel belangrijk, mama,’ voegt die eraan toe.

‘Dit is wel echt een heel ingewikkelde speurtocht,’ komt het oude vrouwtje van de boekwinkel op dat moment tussenbeide.

‘En wat voor rol speelt u in dit alles?’ vraagt mevrouw Blanchard aan haar.

De eigenares haalt haar schouders op. ‘O, ik heb ze alleen maar wat tips aan de hand gedaan en...’ Achteloos loopt ze naar de achterkamer van de winkel en trekt mevrouw Blanchard met zich mee. ‘De kinderen hebben me gevraagd of ik ze na sluitingstijd met de auto naar het Place de l’Opéra wil brengen. Stiekem, zodat ze door niemand gezien worden.’

Cécile stelt verder geen vragen. Ze steekt haar hand op naar haar dochter en verlaat onthutst de winkel in avonturenboeken.

Dan rijdt ze door de lange straten van Parijs, steekt de Seine over bij een felrode zonsondergang en rijdt weer in noordelijke richting tot aan het Place de la Bastille. Ze parkeert de auto dwars op het trottoir en stapt uit.

De nacht daalt als een sluier van sterren over Parijs neer.

Midden op het plein staat een heel hoge zuil, en boven op die zuil staat het gouden beeld van de Geest van de Vrijheid.

Een jongetje met een ster op zijn hoofd.

'Daar gaat ie dan...' mompelt Cécile, al voelt ze zich een beetje onbenullig.

Voordat de zon helemaal onder is, moet ze de goede wijzer naar de zuil richten waar vroeger de fontein van de Bastille stond, de wijzer met de zon naar de zon, die met de ster naar het oosten en dan... kijken wat er gebeurt.

Ze doet het.

Het oude horloge laat een heftig getik horen.

'Het is inderdaad versprongen...' stamelt Cécile.

Op de wijzerplaat is een nieuwe tekening verschenen.

En op dat moment herinnert de vrouw zich het tweede gedeelte van haar instructies. Het Place de l'Opéra. De volgende ochtend.

'Maar waarom?'

Een zwerm journalisten dromt samen voor het politiebureau, klaar om de bestuurder van de luchtballon te fotograferen. In de enige verklaring die hij heeft afgelegd, heeft de dertigjarige man uit Rome alleen maar gezegd: 'Mama, maak je geen zorgen. Ik leg het later wel uit.'

En die twee kinderen dan, die iedereen langs de toren van de kathedraal omhoog heeft zien klauteren? Waar zijn die gebleven? En hun twee vrienden, die voor het laatst zijn gezien in het park van de sterrenwacht?

Zeshonderd jongens en meisjes met zwarte vlinderdasjes hebben geen flauw idee.

Een stuk of twintig van hen zijn bovendien buiten gevecht gesteld door een geheimzinnige man met wit haar, die als een spook kan opdoemen en weer verdwijnen.

Elettra en Harvey zijn te voet op pad gegaan, heel voorzichtig, terwijl Sheng en Mistral verstopt zitten onder de gewatteerde bloemetjesdeken van de hond van de boekwinkeleigenares, die erin heeft toegestemd om hen op die manier naar de Avenue de l'Opéra te vervoeren.

Naar de muziekschool van Mistral.

Op die plek had de tol met de toren aangegeven dat er een veilig gebouw stond.

Als ze uit de auto stappen, zien Sheng en Mistral dat Harvey en Elettra al in het portiek verscholen staan. Ze omhelzen elkaar en lopen dan naar de bovenste verdieping van het gebouw. Mistral haalt de sleutel tevoorschijn die Madame Cocot haar heeft gegeven en geluidloos laat ze iedereen naar binnen glippen in de muziekschool.

Elettra heeft voor iedereen kebabs gekocht. Ze eten naast de piano, terwijl buiten alle sterren van Parijs ontbranden.

'Morgen is het zomer,' zegt Harvey, starend naar de sterrenhemel boven het balkon en vervolgens naar binnen, naar de volkomen donkere muziekschool.

Maar nu is het nog nacht. En ze moeten nog heel veel doen voor het morgen is.

'Zal ik beginnen met mijn haren?' vraagt Elettra aan Mistral.

Ze heeft een fles blondeermiddel in de hand.

De meisjes verdwijnen naar de wc, waar ze een klein lampje aan doen.

Harvey controleert of alles nog in de rugzak zit: de landkaart van de Chaldeeën, de vijf tollen, de Ring van Vuur, de Ster van Steen, het boek met de geheimtaal van de dieren, en zelfs het fototoestel van Sheng dat de vlucht in de luchtballon heeft overleefd. Hij legt de blauwe matjes, waarop ze de nacht zullen doorbrengen, op een rijtje.

'Ik val om,' verkondigt Sheng die hem helpt. En hij houdt zich aan zijn belofte door ogenblikkelijk in een droomloze slaap te vallen.

Een uur later komen de meisjes uit de badkamer met hun nieuwe korte, blonde koppies. Mistral ligt nog heel lang wakker, wriemelend aan de haren die ze over heeft. Haar mobieltje is inmiddels weer opgeladen en ze stuurt een sms aan haar moeder.

Ook Cécile kan de slaap moeilijk vatten en ze antwoordt onmiddellijk: *Versprongen. Tot morgen. Alles goed met je? Ga je me alles uitleggen?*

Mistral leest het bericht, kiest de optie "Antwoorden" en typt: *Dank. Tot morgen. Alles prima. Natuurlijk. Hou van je.*

'Hoe ging het?' mompelt Sheng met een geeuw.

'Hij is versprongen.'

'Ge... geweldig...' kan hij nog net uitbrengen.

In haar poging om in slaap te vallen bladert Mistral nog een hele tijd door de boeiende pagina's van het boek over het argot en de geheimtaal der dieren. Ze leest over de roep der bijen, en in de stilte van de muziekschool probeert ze die zachtjes te oefenen, weemoedig terugdenkend aan het bijennest buiten haar slaapkamerraam. Het laatste wat ze ziet, voor ze haar ogen dichtdoet, is het slapende gezicht van Sheng, vol vertrouwen.

Elettra gaat naast Harvey op de vensterbank voor het raam zitten. Ook zij heeft haar zwarte haar kortgeknipt en er foeilelijke blonde stekeltjes voor in de plaats gekregen. Harvey probeert niet naar haar te kijken.

'Zie ik er zo erg uit?'

'Nee. Je ziet er niet zo erg uit.'

'Ze groeien wel weer aan, hoor.'

'Ja.'

Harvey zucht. Hij tuurt geconcentreerd naar de straat onder hen en de verlichte rechthoek van het Place de l'Opéra.

'Hoor je hier iets?' vraagt Elettra.

'Ja.'

'Wat dan?'

'Een gesis. Alsof er iemand zit te blazen.'

'Is het eng?'

'Nee,' glimlacht Harvey. 'Het klinkt als het geluid van de wind die alles gaat wegvagen.'

Aan de overkant van de rivier staat inderdaad iemand te blazen. Het is een indrukwekkende man, met een oude, stugge baard. Hij staat rechtop tussen de waterspuwers van de Notre Dame, waarvan de donkere torens nog steeds gekwetst lijken door de belediging die hen is aangedaan. De man blaast terwijl hij op zijn houten stok geleund staat, en dan grijnst hij.

Hij ziet zwarte wolken in de verte, als flarden verbrand brood, die in het westen samenpakken. Hij hoort de muziek uit de cafés die zich aan beide oevers van de Seine aaneenrijgen.

'Zing maar, jongens... zing maar!' lacht hij terwijl hij terug loopt. Hij zorgt ervoor dat hij niet wordt opgemerkt door het spiedend oog van de helikopter die zo nu en dan terugkeert om een rondje om de kerk te vliegen. 'Parijs is muziek. Parijs is gezang. Parijs is de Stad van de Wind.'

Nu de politie is vertrokken en de toeristen naar buiten zijn, is de Onze-Lieve-Vrouwekathedraal van Parijs eenzaam en donker. Zonder de zon lijken haar glas-in-loodramen net blinde pupillen. En de waterspuwers een soort kronkelige komma's.

Van al die waterspuwers kiest de man er één uit, loopt ernaartoe en aait hem over zijn puntmuts. Het is een Frygische muts, zo een als ook de Drie Wijzen droegen.

Het beeld kijkt naar het exacte middelpunt van de kerk, en de weinige toeristen die het kennen noemen het 'de alchemist'.

De man met de stok glimlacht en loopt verder.

Vroeger werd hijzelf ook zo genoemd.

'Irene... kun je...'

'Vladimir? Waar ben je?'

'In een Chinese trein richting Mongolië. Ik denk... aankomst... vijf dagen...'

'De lijn valt steeds weg. Vladimir, er zijn problemen in Parijs.'

'Wat voor... problemen?'

'De ergste: hij weet van het geheim. Zoë heeft het verraden!'

'Hoe weet je dat?'

'Dat hebben de kinderen ontdekt! Ik heb Elettra gesproken. Zoë had een pistool en ze heeft geschoten. Ze wilde dat zij voor haar het schip zouden vinden... Ze wilde alles stelen.'

'Ik had niet verwacht dat ze zo ver zou gaan.'

'Toch wel dus. Alfred had gelijk dat hij haar niet vertrouwde.'

'Dit betekent dat...'

'Ja. Dat ook ik, en jij, echt in gevaar zijn.'

'... het geheim...'

'Wat zei je?'

'... als ze het geheim heeft verraden, heeft het geen zin dat wij het nog wel geheim houden.'

'Jawel! Wij moeten doorgaan. Dat is het Pact! We mogen niet allemaal het Pact verraden! Daar hebben we niet al die tijd voor geleefd!'

'Maar... moet het weten. We moe... doorgeven. Als ze ons vermoorden, is er niemand meer... niemand die kan...'

'Wat was dat voor klap? Ik verstond je niet, Vladimir...'

Stilte.

'Vladimir?' Stilte.

'... Vladimir?'

De verbinding wordt verbroken.

29
De ontmoeting

Op 21 juni, om acht uur 's ochtends, gaat de bel van het appartement op Rue de l'Abreuvoir 22.

Cécile Blanchard zit aan het ontbijt en ze heeft het gouden horloge van Napoleon al op de keukentafel gelegd.

'Mistral?' roept ze een paar keer.

Maar het is niet haar dochter. Het is een monteur van France Télécom, die zegt dat hij even naar boven wil komen om de huistelefoon na te kijken.

'Maar die hebben jullie een maand geleden nog nagekeken! En trouwens, luister, ik moet weg... Ik ben nu al te laat.'

De man dringt aan. Hij zegt dat het maar vijf minuutjes duurt. Mevrouw Blanchard laat hem naar boven komen, maar daar heeft ze meteen weer spijt van. Stel je voor dat het helemaal geen telefoonmonteur is?

Terwijl ze bij de voordeur staat, neemt haar spanning alleen

nog maar toe terwijl ze de donkere jongen begluurt door het kijkgaatje. Ze vraagt naar zijn identiteitsbewijs, maar dan voelt ze zich belachelijk omdat ze zich zo druk maakt en laat hem binnen.

De jongen doet precies wat hij heeft beloofd: binnen vijf minuutjes zegt hij gedag en is hij weer vertrokken. Eenmaal buiten belt hij Mademoiselle Cybel.

'Het is geregeld,' zegt hij. 'Maar er is een probleempje.'

'Wat voor probleempje, verdorie?' moppert de vrouw boos. 'Wat kan er dan voor probleem aan zijn om een afluisterapparaatje in de telefoon van die vrouw te stoppen?'

Het probleem bevindt zich nu in de hand van de nepmonteur van France Télécom. 'Er zat al een ander afluisterapparaatje in.'

'Een ander afluisterapparaatje? Bij Diana, en wie heeft dat er dan in gestopt?' vraagt Mademoiselle Cybel verbijsterd.

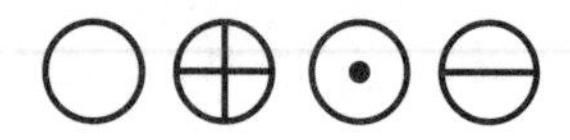

Aan de overkant van de weg controleert Jacob Mahler het appartement nog een laatste keer. Hij mag geen enkel spoor achterlaten. Geen enkele vingerafdruk. Geen enkele herinnering aan de periode dat hij hier verbleef, behalve dan misschien voor degenen die hem hebben horen oefenen op de viool gedurende die lange nachten.

Alles is precies zoals mevrouw Mouffetard het heeft achtergelaten. Alles keurig netjes. Zelfs de klimop op het balkon.

Vanuit het café beneden dringt een zoete geur van versgebakken brioches en baguettes binnen door de oude kozijnen.

'Bedankt voor de gastvrijheid!' roept Jacob Mahler uit, voor hij de deur achter zich dicht trekt.

Op het tafeltje in de hal ligt nog een partituur. Maar die is hij niet vergeten. Dat is geen spoor. Het is een handtekening.

Het is de partituur van Symfonie nr. 2 van Mahler. Bijgenaamd *de Wederopstanding*.

Cécile Blanchard stapt in de metro en bedenkt dat haar dochter ofwel gek is geworden, of dat er echt iets ernstigs aan de hand is. Voor de zekerheid heeft ze in elk geval de instructies opgevolgd en naar haar werk gebeld om te zeggen dat ze niet zou komen. Ze stapt uit bij de halte Opéra en loopt naar het midden van het zonovergoten plein waar het een drukte van belang is.

En nu? vraagt ze zich af. Moet ze nu echt doen wat Sheng haar gevraagd heeft?

Op dat moment loopt er een fanfare met trompetten, trombones en accordeons voor haar langs, ter ere van het grote Muziekfeest.

Cécile kijkt er verstrooid naar. Dan zet ze grote ogen op. Op de rug van de achterste muzikant is een briefje geprikt, als een aprilgrap.

Er staat op:

Alsjeblieft mama, dans!
Ga daarna om twaalf uur vanmiddag
naar brasserie Le Vaudeville.

Cécile loopt naar de muzikant toe en houdt hem staande.

Ze heeft hem nog nooit van haar leven gezien. Ze haalt het briefje van zijn rug en kijkt om zich heen. Absurd, denkt ze. Dit is allemaal absurd.

Ze haalt het gouden horloge uit haar tas en houdt het hoog boven haar hoofd. En ze draait drie pirouettes, midden op het plein.

'Ze is gek geworden,' concludeert een van haar achtervolgers met zwart vlinderdasje in zijn microfoontje.

'Misschien niet,' antwoordt Zoë aan de andere kant. 'Pak dat briefje!'

Er is maar één ding opwindender dan dat je in je hotelkamer een pakketje bezorgd krijgt, dat je wat kleingeld zoekt als fooi, dat je het openmaakt en dat er een mobiele telefoon in blijkt te zitten.

Wat nog opwindender is, is dat die telefoon begint te rinkelen zodra je hem in de hand houdt.

'Elettra?' antwoordt Fernando Melodia. 'Wat? Hoe?'

'Geen vragen papa, alsjeblieft. Ik moet je een paar instructies geven.'

'Instructies? Wat voor instructies?'

'Niet zo hard praten. Anders horen *zij* je nog.'

'Wie zijn *zij*?'

'Je wordt in de gaten gehouden. En achtervolgd.'

'Wat zeg je me nu?'

'Ze weten wie je bent. En ze zijn op zoek naar mij. Kijk goed uit voor alle obers. Dat kunnen spionnen zijn.'

'Over obers gesproken. Weet je dat er gisteren...'

'Ik weet het. Ze waren op zoek naar ons.'

'Elettra, wil je nu eens ophouden met die flauwekul?'

'Het is geen flauwekul. Om twaalf uur vanmiddag moet je gaan lunchen in brasserie Le Vaudeville. Je hebt twee uur de tijd om iedereen die je achtervolgt van je af te schudden.'

'En waarom?'

'De moeder van Mistral zal er ook zijn. Jullie gaan samen eten.'

'Elettra...'

'Einde van de instructies. Zet deze telefoon uit en zet hem nooit meer aan.'

'Heb je haar?' vraagt Elettra aan Sheng, die ineengedoken op het balkon van de muziekschool zit met zijn fototoestel in de hand.

'Volgens mij wel.'

Voor de zekerheid maakt hij nog een stuk of tien snelle kiekjes, dan gaat hij naar binnen en kijkt op het display. Op het kleine lcd-scherm zien ze de moeder van Mistral met het gouden horloge van Napoleon in de hand.

'Ik geloof niet dat dit gaat werken...' mompelt Elettra.

'Blijf uit de buurt, anders ontploft er dadelijk nog iets!' gromt Sheng. 'En probeer intussen maar eens te bedenken wat het woord "inzoomen" betekent...'

Sheng krijgt eerst de arm van Mistrals moeder in beeld, daarna haar handen, het horloge en tenslotte de wijzerplaat, die ongelooflijk duidelijk in beeld is.

'Het horloge is versprongen,' zegt hij meteen. 'En dit is de laatste aanwijzing.'

Op het vijfde vlak is een vrouw met zwarte kleren verschenen, met haar handen gebiedend omhoog, net een groot orkestleider die de bomen van een bos dirigeert.

'Wat zijn dat nou? Zuilen?' vraagt Mistral.

'Nee,' antwoordt Harvey. 'Het zijn geen zuilen...'

Het zijn orgelpijpen.

Twaalf uur 's middags.

'Neem me niet kwalijk...' stamelt Fernando Melodia terwijl hij aarzelend naar een tafeltje loopt in brasserie Le Vaudeville. 'Als ik me niet vergis bent u...'

'Fernando?' roept de dame aan het tafeltje en ze wil opstaan.

'Nee. Blijf alsjeblieft zitten!'

Le Vaudeville is een smaakvol ingericht, rokerig restaurantje waar het wemelt van de gasten die zo te zien rechtstreeks uit de omliggende banken komen, van de borden beladen met schaaldieren en van de parmantige obers.

Fernando glimlacht wat verlegen en zoekt een stoel.

'Dit is... een nogal ongebruikelijke situatie, zou ik zeggen. Maar ook wel... vermakelijk, zou ik zeggen.'

En dat komt ook, denkt Fernando bij zichzelf, doordat Cécile Blanchard echt een prachtige moeder is.

Cécile werpt een veelzeggende blik op de ober. 'Zullen we bestellen?'

Als die langs hun tafeltje loopt, zegt Fernando ineens hardop, zodat hij kan worden afgeluisterd: '... meteen naar Boulevard Voltaire nummer 5 gaan...'

Als de ober weg is, glimlacht hij.

'Mijn dochter zei dat ik moest oppassen voor obers...' legt hij fluisterend uit.

'Waarom moesten we dan uitgerekend in een brasserie afspreken?'

'In de reisgids staat dat deze al minstens dertig jaar door dezelfde familie wordt gerund.'

'Fantastisch. Nou, wat zullen we doen?'

'Als eerste...' oppert Fernando, 'zou ik hun beroemde gerookte zalm willen bestellen.'

En dat doen ze.

'Ik ga even naar het toilet,' zegt mevrouw Blanchard meteen daarna.

Cécile staat op en Fernando volgt meteen haar voorbeeld, waarna hij gespannen wacht tot ze weer terugkomt.

'Nu moet jij,' moedigt de vrouw hem aan als ze weer gaat zitten.

'O nee... ik geloof niet dat ik...'

'Geloof me, nu moet jij,' werpt Cécile tegen.

Fernando staat stijfjes op, zoekt de toiletten, wringt zich tussen een paar cabines door die telefoons blijken te verbergen, duwt de elegante deur van hout en glas van het herentoilet open en gaat naar binnen.

Een paar minuten later komt hij met een knalrood gezicht teruglopen.

'Je zult het niet geloven...' begint hij.

'Er lag er ook een in de mijne,' antwoordt mevrouw Blanchard.

'Hoe hebben ze dat voor elkaar gekregen?'

'Ik weet het niet. Wat staat er in jouw boodschap? In de mijne staat een opdracht.' Ze kijken om zich heen, maar er is genoeg geroezemoes in het restaurant om hun gesprek te overstemmen. 'Ik moet naar de kerk van Saint Séverin om een kijkje te nemen bij het orgel,' vervolgt Cécile. 'En vragen of er beelden van de godin Isis zijn.'

Fernando knikt. 'Ik moet naar de kerk van Saint Gervais. Het oudste pijporgel van de stad. Maar weet jij waarom we dat moeten doen?' Zijn neus bemerkt het eerste bord zalm dat in aantocht is. 'Aha, bedankt,' zegt hij tegen de ober.

'Ik dacht dat jij dat wist!' roept Cécile uit.

'Ik? Hoe moet ik dat weten? Ik heb mijn dochter al in geen dagen meer gezien! Sinds ze uit de trein is gevlucht.'

'Uit de trein gevlucht?' vraagt Cécile glimlachend terwijl ook haar zalm wordt geserveerd.

'Wat is daar zo raar aan? Het lijkt wel of we in een spionageverhaal beland zijn!'

'Misschien heb je gelijk,' beaamt mevrouw Blanchard geamuseerd.

'En daar moet jij om lachen.'

'O, vergis je niet over hoe ik me voel. Ik ben gewoon vrolijk omdat ik niet op mijn werk ben. Ik wist niet meer hoe heerlijk het is om 's ochtends zomaar wat over straat te slenteren. En om van een lekker etentje zoals dit te genieten.'

'Een beetje de flaneur spelen,' fluistert Fernando gewichtig. Als hij een jong blond meisje de brasserie uit ziet lopen, heft hij

zijn vork op en zegt: 'Hoe dan ook, het is wel zeker dat die berichten in de wc door een van onze kinderen zijn achtergelaten, denk je niet?'

'Ik denk het wel.'

'Ik zeg dat het jouw dochter was.'

'Waarom?'

'Noem het intuïtie, mevrouw Blanchard. Pas op. Daar komt een ober aan,' zegt hij dan.

Ze lachen.

'Jij bent kennelijk ook goed gemutst,' zegt Cécile.

Fernando knikt. 'Weet je wat ik denk?'

'Wat?'

'Ik denk dat onze kinderen zich achter onze rug kapot lachen.' Hij steekt zijn mes in de boter en smeert die op een snee geroosterd brood. 'Je kent toch wel van die grappen met de verborgen camera? Volgens mij zijn ze hier ergens in de buurt, en zijn ze ons aan het filmen.'

Cécile trekt een peinzend gezicht. 'Daar had ik nog niet bij stilgestaan. Maar... ja, het zou kunnen. Dus wat wil je voorstellen?'

'We spelen het spelletje mee,' besluit Fernando.

Ook omdat hij het een erg leuk spelletje vindt om met Cécile te lunchen.

Mistral loopt glimlachend over het trottoir, zo snel als ze kan op haar zilveren sandaaltjes. Ze is net vertrokken uit de brasserie waar haar moeder en de vader van Elettra samen zitten te

lunchen, en nu gaat ze terug naar de Avenue de l'Opéra. Als zelfs zij haar niet herkend hebben, kan ze gerust zijn dat haar nieuwe kapsel absoluut spionnenproof is.

Bij het kruispunt wacht ze tot het stoplicht op groen springt, terwijl er aan de overkant van de straat een man met een draaiorgel staat die een trage melodie speelt. Als het groen is, steekt de draaiorgelspeler de straat over, maar Mistral niet.

Er is haar iets te binnen geschoten. Iets wat niet klopt. Een ontbrekend stukje. De tol met de brug heeft hen niets nuttigs aangewezen. Niet in New York, waar hij een verbinding tussen Parijs en Siberië aangaf, en evenmin nu in Parijs, waar hij naar de Passage du Perron wees. Hoe kan dat?

Misschien werkt de tol met de brug anders dan de andere tollen, of misschien heeft degene die naar de passage is gegaan niet gezien wat hij moest zien. Of misschien heeft hij niet goed geluisterd. Niet goed aangeraakt. Niet goed geroken.

Het stoplicht springt weer op rood en Mistral aarzelt wat ze zal doen. Ze kijkt op haar horloge. Van de Avenue de l'Opéra naar het Palais Royal is het een kwartiertje lopen. Het is kwart over twaalf. Misschien haalt ze het wel om nog even te gaan kijken en op tijd terug te zijn.

Ze kan het op een rennen zetten.

Of gewoon blijven lopen met haar lange, dunne benen, tussen de mensen, alsof er niets aan de hand is.

Mistral trekt haar pet nog wat verder over haar blonde haar, en loopt dan met haar ogen strak op de grond gericht in de richting van de Rue de Beaujolais.

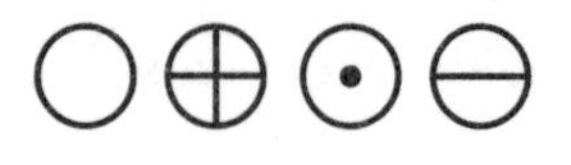

Linda Melodia zit peinzend in haar kamer. Ze bekijkt een hele stapel foto's. Foto's die de vorige avond plotseling zijn opgedoken, tijdens de grote schoonmaak in de kelder.

Assunta, de Singalese schoonmaakster, probeerde een oude ladenkast te verplaatsen die was gaan rotten door het vocht. Er was een pootje afgebroken en het meubel was gevaarlijk gekanteld, waardoor een van de laden eruit viel. Linda was meteen gaan kijken wat er gebeurd was, maar had tot haar opluchting gemerkt dat er niets ernstigs aan de hand was. Het enige was dat de oude paperassen die in de la waren gepropt nu over de hele vloer verspreid lagen. Ze had Assunta geholpen om de kast weer overeind te zetten, en toen ze een blik wierp in de lege ruimte waar de la hoorde te zitten, had ze een kleine dubbele bodem opgemerkt, die flink was aangetast door het vocht en de houtworm.

Linda had haar hand erin gestoken en op die manier ontdekt dat de dubbele bodem een zinken kistje bevatte.

Ze had het eruit gehaald en opengemaakt.

Er zaten allemaal foto's in. Heel oude foto's.

Zwart-witfoto's van twintig, dertig, vijftig jaar geleden.

Foto's van Linda als kind.

En foto's van Irene.

Ze had ze haastig naar haar kamer gebracht en was toen weer aan het werk gegaan met Assunta, zonder dat ze er verder nog aan had gedacht.

Die foto's zit Linda Melodia nu te bekijken. Want er is iets mee. De foto's hebben afgeronde hoeken, en ze zijn echt heel oud. Op de eerste staat een jonge vrouw die heel veel op Irene

lijkt, met dikke kleren aan op een ijsvlakte. Op de andere foto's staan mensen die Linda nooit heeft gezien.

Hoe is dat mogelijk? vraagt ze zich af, als ze haar zus meent te herkennen op twee andere foto's. Misschien is het niet haar zus. Het zou hun moeder kunnen zijn, die Linda nooit gekend heeft. Als zij het is, wie is dan die graatmagere man naast haar, op een oude foto die aan de rand van een bos lijkt te zijn genomen? Haar vader?

Op een andere foto ziet Linda vier kinderen. In het midden staan twee meisjes, een blonde en een met lang zwart haar. Aan de zijkanten twee jongetjes. En op de achterkant een datum: 1907.

Linda denkt er een hele tijd over na, dan trekt ze haar pantoffels aan, gaat haar kamer uit en loopt naar die van haar zus. 'Irene, mag ik even?' vraagt ze terwijl ze het stapeltje foto's op haar schoot legt. 'Gisteren in de kelder kwamen deze foto's tevoorschijn. Weet jij wie die mensen zijn?'

Irene werpt een snelle blik op de foto's en zegt: 'Verhip. Hoe kom je daaraan?'

'Ze zaten onder de lade van een kast in de kelder. Verborgen in een zinken kistje.'

'Zijn er nog meer?'

Linda geeft haar de oude vergeelde enveloppe en gaat naast haar zus zitten. 'Ik denk dat het foto's van mama en papa zijn toen ze klein waren. Of van een van onze grootouders. Maar waarom zouden ze die daar verstopt hebben? Zouden ze ze vergeten zijn?'

'Dat geloof ik niet,' glimlacht Irene. 'Ik weet wel zeker van niet.'

'Weet jij dan wie dat zijn?'

Irene slaakt een diepe zucht. 'Ik denk het wel.'

'Wie dan?'

'Die jongen hier... die mollige... die heette Alfred. En die hele dunne daar heet Vladimir.'

'*Heette*, zal je bedoelen. Die moet inmiddels al over de honderd zijn.'

'Dat meisje met zwart haar is Zoë.'

'En dat blonde meisje?'

'Dat ben ik.'

30
Het muziekdoosje

'Laat me die foto's van de Opéra nog eens bekijken,' zegt Zoë, die voor het computerscherm zit.

Achter haar laat Mademoiselle Cybel geërgerd haar armbanden rinkelen. Zuchtend en steunend sneert ze: 'Ach kom, wil je nou eens ophouden? Wil je ophouden? Dit is al de tiende keer dat we ze van begin tot eind bestuderen!'

'Dan wordt dit de elfde keer,' zegt Zoë onbewogen.

De zijden jurk van Mademoiselle Cybel sleept over de grond naar het deurtje dat toegang verschaft tot de groene kamer. 'Kun je niet gewoon toegeven dat die kinderen het hem recht voor je neus geflikt hebben? Hm? Recht voor je neus?'

'Ze zijn niet aan mij ontsnapt. Ze zijn aan jou ontsnapt. Aan dat nutteloze informantennetwerk van jou.'

'Ontsnapt... ontsnapt... dat is een groot woord,' zegt Mademoiselle Cybel terwijl ze het deurtje opendoet en de andere kamer in gaat.

'Ik wil geen beesten in deze kamer, alsjeblieft.'

'Neem me niet kwalijk, mevrouw de kieskeurige archeologe. Kieskeurige archeologe.'

'Vanaf het begin,' gebiedt Zoë terwijl ze de muis vastpakt.

'Wat denk je nu nog te ontdekken?' vraagt Cybel vanuit de groene kamer.

'Dat weet ik nog niet. Maar die twee hebben elkaar niet zomaar ontmoet...' De foto's die in brasserie Le Vaudeville zijn gemaakt glijden voor haar ogen langs. Cécile en Fernando hebben geen van beiden blaadjes bij zich, of notities, tekeningen. Helemaal niets. 'Wat zijn ze in 's hemelsnaam aan het doen?'

'Doe gewoon wat ik je zeg: neem ze gevangen, breng ze hierheen en sluit ze op in het gezelschap van Marcel. Dan zullen ze het je zo vertellen. Nietwaar, Marcel? Had je wel zin in dat Amerikaans hapje? Had je daar wel zin in gehad?'

'Hou toch op!' schreeuwt Zoë.

'Ophouden, liefje?' Mademoiselle Cybel verschijnt weer in de deuropening, met een slang rond haar blubberarmen gekronkeld. 'Waar moet ik mee ophouden?'

'We kunnen ze niet gevangen nemen, ontvoeren en martelen!' roept Zoë.

'En waarom niet? Omdat het kinderen zijn soms?'

'Het kan niet omdat de kans groot is dat alleen zij in staat zijn om het voorwerp te vinden dat in Parijs verstopt ligt.'

'Waarom? Hebben ze soms toverkrachten?'

'Er bestaan geen toverkrachten.'

'Zijn ze dan gewoon slimmer dan jij?' vraagt Mademoiselle Cybel boosaardig. 'En krijgen zij voor elkaar wat jij niet voor elkaar hebt gekregen?'

'Wat weet jij daar nu van?'

'Ik weet ontzettend veel, denk je niet?' En terwijl ze de slang in de ogen kijkt, voegt ze eraan toe: 'Wat denkt dat mens wel, hè Marcel? Dat wij van niets weten? Dat wij niet weten dat zij vroeger ook geprobeerd heeft om het schip te vinden dat tijdens de revolutie in Parijs is verstopt? Dat weten wij wel degelijk!' Mademoiselle Cybel kijkt weer naar de vrouw achter de computer. 'En of wij dat weten.'

Zoë balt haar vuisten en probeert te doen of ze er niet is. Op de monitor verschijnen nu de foto's van het Place de l'Opéra, waarop Cécile Blanchard haar pirouettes maakt.

'Luister naar me, Zoë. Pak alles af wat ze hebben: die belachelijke tollen, de voorwerpen waarover je me vertelde, alles. En breng ze naar Heremit. Hij regelt de rest wel.'

'Het schip moet nu gevonden worden,' werpt Zoë tegen.

'Hoezo? Het heeft tweehonderd jaar verstopt gelegen, dan kan het ook nog wel een paar maanden langer wachten!'

'Het moet nu gevonden worden,' herhaalt Zoë. 'Want dit is het begin van de zomer.'

Mademoiselle Cybel gooit haar armen in de lucht. 'En wat dan nog? Waar maak je je druk om? De zomer mag dan nu beginnen, maar hij duurt drie maanden! Je hebt nog tijd genoeg om die speeltjes van je te vinden. Nietwaar, Marcel?'

Zoë zou haar wel willen vermoorden. Ook omdat haar plannetje jammerlijk mislukt is. Het is volkomen vergeefs geweest om professor Miller te bellen met de smoes dat ze een oude ken-

nis van hem was, om de redding van Harvey in scène te zetten opdat ze zijn vertrouwen zou winnen, om de kinderen de voorwerpen van Alfred van der Berger te geven, om vriendschappelijke banden aan te knopen met die stomme ingenieur uit Rome. Geen enkele zin! En Zoë heeft er een bloedhekel aan om iets te doen zonder dat ze haar doel bereikt.

Ze kijkt naar de foto's van de Opéra. Waarom staat die vrouw bijvoorbeeld te dansen met dat horloge? Daar moet toch een verklaring voor zijn.

Een logische verklaring.

'Wacht eens,' zegt ze, wijzend op een foto op het scherm. 'Kijk aan...'

De fanfare neemt het hele plein in beslag en loopt in de richting van de Seine, over de Avenue de l'Opéra.

Ze zoomt in op een detail, een lichtschijnsel. Ze zoomt nog verder in.

Het is een weerkaatsing afkomstig uit een van de gebouwen op de hoek.

Ze zoomt nog verder in.

Het lijkt de lens van een verrekijker. Nee. Het is de lens van een fototoestel. Het is het fototoestel van iemand op een balkon. Een jongen.

'Ik heb ze gevonden!' juicht Zoë.

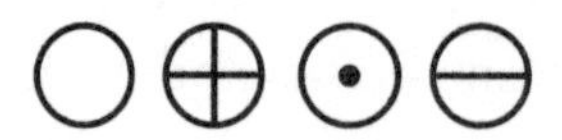

De Passage du Perron is heel gemakkelijk te vinden, ook al is hij maar klein. Mistral loopt het trapje af van het gebouw waar Colette heeft gewoond, de beroemde Franse schrijfster, en ze

loopt een korte, lage doorgang in, met aan het eind het felle licht van het Palais Royal. Aan weerszijden van de passage zijn enkele winkeletalages.

Inderdaad niets bijzonders, denkt ze.

Als ze bij de hoek aankomt blijft ze staan, aangetrokken door de etalage van het laatste winkeltje met roodgeverfde kozijnen, waar talloze piepkleine muziekdoosjes zijn uitgestald. Het is de winkel van Anna Joliet.

Bij het zien van al die muziekdoosjes glimlacht Mistral vertederd. Dan ziet ze dat er zich tussen de vele muziekdozen in felle kleuren en kostbare doosjes van antiek hout een heel bijzondere bevindt. Hij is niet opvallend mooi en ook niet kostbaar. Het is alleen wel precies hetzelfde muziekdoosje als op het omslag van het boek dat Agata haar gestuurd heeft. Het doosje waaruit de dieren tevoorschijn komen en over regenbogen heen springen.

Regenbogen.

Dat wil zeggen, bruggen.

Het meisje denkt niet langer na, gaat de winkel binnen en vraagt hoeveel het muziekdoosje kost. Ze slikt als ze het bedrag hoort. Dat is precies het geld dat ze op haar bescheiden spaarrekening heeft staan.

'Mag ik er even naar luisteren?' vraagt ze, terwijl ze langzaam het deksel optilt.

Nadat ze de melodie van het muziekdoosje heeft beluisterd, geeft ze haar creditcard aan de winkeljuffrouw.

'Is het een cadeautje? Zal ik het inpakken?'

Mistral schudt haar hoofd. 'Nee, het is voor mezelf.'

Ze verlaat het winkeltje van Anna Joliet met kloppend hart. Ze rent naar het aangrenzende park. Op een bankje ligt een

prachtige verwelkte bos bloemen. Er zit nog volop nectar in die bloemen, die de bijen maar wat graag in honing zouden omzetten.

Mistral gaat zitten en bekijkt het muziekdoosje met trillende handen. Dit is het. Geen twijfel mogelijk. Het is exact hetzelfde muziekdoosje als op het boek.

Met ingehouden adem tilt ze opnieuw het deksel op. In het doosje staat een ballerina met een lange geborduurde jurk, die zodra het deksel helemaal geopend is rondjes begint te dansen op een voetstuk dat de vorm van de aarde heeft. De rollen van getand koper produceren een lieflijke, eenvoudige melodie, enkele noten die steeds herhaald worden in een traag, oud deuntje.

Dit moet het lied van de natuur zijn, denkt Mistral, terwijl ze geboeid kijkt naar de ballerina die balancerend op de wereldbol danst. Harmonie, muziek, evenwicht. Dat is het hele geheim.

Mistral voelt zich ontroerd en onbeduidend, maar ze probeert toegang te krijgen tot dat geheim. Ze gebruikt de woorden die ze in het boek over het argot heeft gelezen: ze gebruikt de geheime taal der dieren.

En ze zingt.

Ze zingt op de tonen van het muziekdoosje, en daarbij doet ze haar ogen dicht. Ze heeft het gevoel dat de wind opkomt om haar heen. Een wind die zich tot op dat moment tussen het struikgewas verscholen hield, en lag te rusten in de schaduw van de bruggen. Een wind die het beu is om te waaien zonder dat er iemand naar luistert, die is afgestompt door de landerigheid van de moderne wereld.

Het is alleen maar een gevoel, een droom, en dat weet Mistral heel goed. Maar het is een fijn gevoel, en dus geniet ze er met volle teugen van.

Als ze achter zich een kreet hoort, doet ze haar ogen open en houdt op met zingen.

Geschrokken springt ze overeind.

Mistral is omringd door bijen. Honderden bijen, die om haar en de oude bos bloemen heen zoemen.

31
De diepe val

Mevrouw Blanchard loopt behoedzaam door de verticale duisternis van de kerk van Saint Séverin, als een besluiteloze toerist. Als iemand die loopt zonder enige hoop dat ze het doel van haar reis zal bereiken.

Maar wat moet ze zoeken, in die kerk? Ze zou het niet kunnen zeggen. Misschien is het al voldoende dat ze er naartoe is gegaan. Misschien is het alleen maar een slimme truc van Mistral, die haar op deze manier dwingt om wat tijd voor zichzelf te nemen. Zo loopt ze door de schaduwen, beseffend hoeveel dingen van Parijs ze was vergeten.

De tijd deint om haar heen als de stofdeeltjes in de bundels zonlicht, en Cécile Blanchard herontdekt hem als een nieuwe ervaring. Ze proeft hem terwijl ze midden door de kerk loopt. Het ruikt er naar wierook en naar heilige dingen. Het is een geur die je niet op kunt doen, omdat hij ontastbaarder is dan

andere geuren. Hij bestaat uit ideeën die naar de hemel stijgen.

Het koor is een prachtige ruimte met gedraaide zuilen, dicht op elkaar als een bos, en doet denken aan een laan met cipressen. Het is betoverend mooi. Rustgevend. Vol fascinerende schaduwen. En terwijl ze de kleine kerk bekijkt, raakt Cécile ervan overtuigd dat het niet om zomaar een grap van haar dochter gaat. Misschien wordt ze echt door iemand achtervolgd. Er zijn twee jongens de kerk binnengekomen na haar. Ze zitten nu op een van de banken, onder het witte licht van de ramen. Het is alsof ze wachten tot zij klaar is.

Het orgel, heeft Mistral gezegd. Ze moet het orgel controleren.

En vragen of er een beeld van de godin Isis in de kerk is. Ze vraagt het fluisterend aan een geestelijke in het wit die blootsvoets over de oneffen vloer loopt.

'Nee, mevrouw...' antwoordt deze beleefd. 'Er is geen enkel beeld van Isis in de Saint Séverin.'

Cécile Blanchard hoort gestommel tussen de banken.

Ze draait zich om, net op tijd om de twee jongens die haar gevolgd waren naar buiten te zien rennen.

Aan de andere kant van Parijs trekt Fernando Melodia een onzekere grijns. Hij heeft nu al drie rondjes om de kerk heen gelopen die de kinderen hem hebben toegewezen, en hij heeft absoluut niets vreemds opgemerkt, laat staan een Isis. Daarentegen heeft hij wel, zonder een zweem van twijfel, de twee personen ontwaard die hem achtervolgen.

Ook hij had aanvankelijk zijn bedenkingen, maar hij raakt er nu steeds meer van overtuigd dat het verhaal van de kinderen toch tenminste gedeeltelijk op waarheid moet berusten.

'Of het is net zoiets als in die film...' mompelt hij bij zichzelf. '*The Game*. Dat het allemaal één groot spel is. Maar door wie is het dan georganiseerd?'

Wat het ook moge zijn, hij moet zijn rol goed spelen. Als een echte geheim agent. Of als een echte schrijver van boeken over geheim agenten. Tenslotte is hij om die reden naar de stad gekomen.

'Parijs! O, Parijs!' roept hij uit, waardoor er een zwerm duiven opvliegt.

Het besef dat hij wordt gevolgd bezorgt hem net de juiste dosis adrenaline in zijn bloed en de nieuwsgierigheid om te zien wat er zal gebeuren. Dus begint Fernando zich grillig te gedragen, hij loopt zomaar een winkel in en uit, kiest steeds een ander straatje, gewoon voor de lol, om zijn achtervolgers tot wanhoop te drijven.

Wat hij ook doet, ze verliezen hem niet uit het oog. Dat stemt hem tevreden. Hij wil ze afmatten. Het interesseert hem op dit moment niet zo waaróm ze hem achtervolgen. Hij heeft er genoeg aan om te weten dát het zo is.

Dan, als hij aan zijn vierde rondje om de kerk begint, en zichzelf weerspiegeld ziet in een etalageruit, merkt hij dat het tweetal staat te telefoneren. Ze zien er bezorgd uit.

Alsof er iets gebeurd is.

Ze rennen weg naar de metrohalte.

Fernando rent ze achterna.

De achtervolgde en de achtervolgers wisselen van rol.

○⊕⊙⊖

O nee, o nee, denkt Mistral als ze terugkomt in de Avenue de l'Opéra. Er is iets gebeurd.

Er staan te veel mensen.

Een groep personen staat opgewonden te praten voor de deur, terwijl de wind die plotseling is opgekomen foldertjes en papiersnippers tussen hun benen door waait. De dames houden hun kapsel tegen met hun handen. En allemaal kijken ze omhoog, naar de muziekschool.

O nee, denkt Mistral weer.

De balkondeur staat open.

Op alle straathoeken ziet ze jongelui in spijkerbroek en wit overhemd die de situatie overzien. Als ze nog twijfels mocht hebben gehad, zijn die nu volkomen weg.

Ze zijn ontdekt.

Haar geverfde kapsel zal haar nog wel even kunnen beschermen, dus probeert Mistral zich te verstoppen door zich onder een groepje nieuwsgierigen te mengen. Ze klemt het muziekdoosje in haar handen en vraagt aan een willekeurig iemand: 'Wat is er aan de hand?'

De mensen wijzen naar de bovenste verdieping. 'Er is twee keer geschoten.'

'Geschoten?' Mistral krijgt zowat een hartverzakking. 'Waar?'

'Daar boven.'

'Op de bovenste verdieping.'

'Daar is een muziekschool.'

'En er wordt ook gedanst.'

'Luister!' roept iemand anders.

'Wat?'

'Ik hoor niets!'

'Ssst!'

Er klinken valse pianotonen. Een schot. De stem van Harvey die iemand te lijf gaat.

Mistral slaat haar hand voor haar mond. 'O nee!'

'Er wordt gevochten!'

'Het zijn Engelsen!'

'Kijk daar!' roept een stem, wijzend naar het balkon.

Er is iemand verschenen.

Mistral tilt de klep van haar pet op. Heel duidelijk hoort ze de stem van Elettra die in het Italiaans gilt: 'Laat hem met rust!'

'Italianen,' roepen de mensen om haar heen.

'En een Chinees,' preciseren ze.

O nee! denkt Mistral weer, als ze eindelijk ziet wie er op het balkon is verschenen. Sheng.

'Wat doet hij?'

'Hij heeft iets in de hand.'

Sheng deinst achteruit. En boven zijn hoofd houdt hij de houten kaart van de Chaldeeën.

Dit is onmogelijk, denkt Mistral. Iemand moet de muziekschool zijn binnengedrongen, maar dat is onmogelijk. Het was de veilige plek.

Mistral blijft als verlamd staan kijken.

Sheng staat met zijn rug tegen de balustrade. Een donkere jongen komt door de balkondeur naar buiten en loopt op hem af.

'Nee, nooit!' schreeuwt Sheng.

'Die ander bedreigt hem!' begrijpt de menigte nieuwsgierigen.

'Hij wil dat kistje hebben!'

'Ze slaan elkaar!'

'Wat doe die Chinees nou? Is hij gek geworden?'

'Hij springt omlaag. Kijk uit!'

Sheng is over de balustrade heen gesprongen en hangt nu aan de buitenkant van het balkon, waar hij zich in evenwicht houdt met één hand en de punt van zijn sportschoen.

'Nee! Hij wil op dat andere balkon springen...'

'Dat redt hij nooit!'

Dat is veel te ver, Sheng, denkt Mistral. Onwillekeurig maken haar vingers het muziekdoosje open.

'Pas op!' roept iemand naast haar.

Met een doffe klap ontploft het raam naast het balkon waar Sheng aan hangt. De mensen deinzen gillend achteruit terwijl de glassplinters omlaag regenen. Even is er achter het raam een gezicht te zien, dat vervolgens weer naar binnen verdwijnt.

'Hou vol, Sheng!' roept Harvey vanaf binnen.

Nog meer kabaal.

'We gaan ervandoor! We gaan ervandoor!' roept een andere stem.

Mistral slikt als ze die stem herkent.

Het is Zoë.

Er rijdt een zwarte auto om het plein heen en parkeert voor de deur.

Maar niemand lijkt het in de gaten te hebben. Ieders aandacht is gericht op de gebeurtenissen op het balkon. De Chinese jongen zwaait met het houten kistje om te voorkomen dat de

donkere jongen het in handen krijgt. Er klinken flinke klappen terwijl Sheng wanhopige blikken werpt op het dichtstbijzijnde balkon.

De straat is één grote chaos. Enkele auto's stoppen om te kijken. Getoeter.

'Sheng! Niet springen!' smeekt Mistral, ze weet zelf niet of ze het fluistert of alleen maar denkt, want het is alsof haar oren gek zijn geworden. Ze fluiten. Er klinkt geschreeuw en autogeronk, en de wind voert flarden muziek mee, vioolklanken.

'Hij heeft hem te pakken!' schreeuwt een vrouw.

De donkere jongen heeft Shengs arm vastgegrepen en trekt hem nu met alle macht op het balkon.

Ineens heeft Mistral het gevoel dat ze in stilte gehuld is. Haar hart is een metronoom die steeds sneller tikt. Het muziekdoosje is open in haar handen. De ballerina danst balancerend op de wereldbol. Het rolletje met de uitstulpingen speelt het lied van de natuur. En de wind brengt haar vioolklanken.

Mistral draait zich om. Op een hoek van het plein speelt een man met een viool dezelfde melodie als die van haar muziekdoosje.

Het meisje spert haar mond open. De violist kijkt op.

En ze herkennen elkaar.

Jacob Mahler beweegt zijn lippen. Hij praat tegen haar. Maar Mistral begrijpt er geen woord van.

Een vrouw gilt.

Mistral maakt haar blik los van Mahler en kijkt naar het balkon van de bovenste verdieping. Sheng is weer vrij. Hij heeft de donkere jongen een klap gegeven met de houten kaart, en zich los geworsteld.

'Sheng!' weet Mistral uiteindelijk te roepen. 'Nee!'

De Chinese jongen kijkt naar beneden, naar de straat, en dan pas lijkt hij zich te realiseren waar hij is. Mistrals ogen kruisen de zijne.

Ze begrijpt dat hij haar gezien heeft.

Ze ziet hem lachen. Zijn witte tanden schitteren in de wind. Sheng lacht altijd.

Hij is altijd optimistisch.

Sheng staat op het punt om te springen.

En dan baant Mistral zich een weg door de menigte, ze loopt weg en zet het op een rennen.

Onder het rennen begint ze te zingen.

Ze zingt luidkeels.

Sheng kromt zijn rug en leunt met zijn volle gewicht op zijn knie.

Mistral steekt de straat over naar de voordeur onder het balkon.

De Chinese jongen haalt diep adem en denkt: Ik ben Sheng.

Het balkon waar hij op terecht wil komen is nog geen twee meter van hem af. Hij kijkt niet meer omlaag. Mistral is daar beneden. Er kan hem niets overkomen.

De kerkklok van de Notre Dame slaat.

Sheng klemt de kaart van de Chaldeeën vast.

En hij springt.

De wind slaat hem in het gezicht. Het duurt een fractie van een seconde. Iemand is aan het zingen.

Sheng steekt zijn hand uit naar het andere balkon. Zijn vingers gaan er rakelings langs. Hij voelt de stenen onder zijn vingertoppen.

Ja.
Hij heeft het gered.
Dan voelt hij leegte onder zijn voeten.
Zijn vingers verliezen hun grip.
En hij valt omlaag.

'Er is bezoek,' kondigt de gevangenisbewaarder aan in gebroken Italiaans.

Ermete kijkt op van de krant. De luchtballon die tegen de Notre Dame aan is gevlogen staat op de voorpagina. De vlucht van de obers uit de verschillende cafés op de vijftiende pagina.

En niemand behalve hij en de kinderen weet hoezeer die twee berichten met elkaar in verband staan.

'Wie mag dat wel zijn?'

Hij komt nieuwsgierig overeind.

Ondanks dat hij een nacht in de gevangenis heeft doorgebracht, is Ermete goedgehumeurd. Een uiterst hoffelijke Franse advocaat heeft hem duidelijk gemaakt dat hij in de loop van de dag zal worden vrijgelaten, op zijn laatst morgen, en dat het bedrijf van de luchtballon niet alleen de aanklacht heeft ingetrokken, maar zelfs heeft aangeboden om alle schade te vergoeden. Ze hebben in één dag meer publiciteit gekregen dan de afgelopen jaren bij elkaar. En dat slechts tegen de kosten van één ballon die is lekgeslagen tegen de spitsen van de kathedraal.

Terwijl hij door de gangen naar de bezoekersruimte loopt, bedenkt Ermete dat zijn bezoeker misschien wel iemand van het luchtballonnenbedrijf is, die wellicht gekomen is om hem een

contract aan te bieden als getuige. Als dat zo is... hoeveel zou hij dan kunnen vragen?

Tenslotte is hij inmiddels een beroemd man: nadat hij in New York de man van de fonteinen is geweest, is hij nu de krankzinnige dief van luchtballonnen in Parijs. Hij zou best een kleine luchtballon voor in de tuin kunnen vragen, helemaal voor zich alleen. Dat zou wat zijn, als hij voortaan vanuit de lucht op zijn afspraken zou verschijnen!

Of misschien is het een journalist, denkt hij als hij in de bezoekersruimte komt, die in tweeën wordt gedeeld door een glazen wand, zoals hij in duizenden films heeft gezien.

Zijn bezoeker is een man die er wat verlopen uitziet, met wallen onder de ogen, met een belachelijke wollen trui aan en een muts in zijn vuile handen.

Ermete gaat aan zijn kant van het glas zitten. Hij pakt de telefoon, kijkt de vreemde man recht in de ogen en begroet hem. 'Hé daar! Aangenaam. Ermete De Panfilis.'

De ander geeft geen krimp. Ermete gebaart dat hij de telefoon moet oppakken, hij wijst ernaar door het glas, en pas na enkele pogingen doet de man hem na.

'Ermete De Panfilis,' stelt de ingenieur zich opnieuw voor.

De man aan de andere kant controleert zijn naam in het krantenartikel dat hij bij zich heeft.

'*Da, da*,' zegt hij als hij ziet dat het om dezelfde persoon gaat.

Hij legt de wollen muts op tafel en pakt een stokoude reisgids van Parijs, waarvan hij de achterste pagina's openslaat, waar een kleine Franse woordenlijst staat. De man heeft met pen enkele zinnen opgeschreven en die begint hij nu langzaam voor te lezen.

'Stop! Stop!' onderbreekt Ermete hem. 'Wacht! Ik versta je niet! Ik versta geen Frans. Ik ben Italiaans. Italiaans!'

De man kijkt hem aan. 'Italiaans?'

'Ja, Italiaans. Rome. Spaghetti. Francesco Totti, die voetballer.'

De man knikt. '*Da, da*. Italiaans.'

Dan gaat hij weer verder met het oplezen van zijn Franse zinnen.

Ermete vraagt de bewaker te hulp.

Die protesteert dat het tegen het reglement is om mee te luisteren met de gesprekken, maar Ermete houdt vol.

'Ik ben Italiaans, hij is Russisch en hij praat tegen me in het Frans,' verklaart hij in het Engels. 'Zonder u komen we er nooit uit!'

Ze besluiten het op de volgende manier aan te pakken: Ermete herhaalt hardop de zinnen die hij door de telefoon hoort en de bewaker zal proberen ze te vertalen.

De eerste zin die de bewaker vertaalt is: 'Hij heeft je gezien, gisteren, in de witte ballon...'

'Ja. Ja. *Da*,' knikt Ermete, en hij neemt zijn toevlucht tot veelzeggende gebaren. 'Dat was ik. *Da*.'

De man aan de andere kant van het glas lijkt tevreden met het antwoord. Hij leest de tweede zin voor.

'En hij wil weten of jij een van de kinderen bent... van de... hoe zeg je dat... dat grote dier, met die tanden... dat in winterslaap gaat?' vraagt de bewaker aan Ermete.

'Bever?' probeert de ingenieur. 'Zo'n dier dat dammen bouwt?'

'Nee. Groter! Veel groter!'

'Beer?'

'Ja, ja! Hij wil weten of jij een van de Kinderen van de Beer bent.'

Ermete kijkt de man aan door het glas. Misschien was dat niet precies de vraag die hij wilde stellen. Waarschijnlijk heeft hij Harvey en Elettra uit de luchtballon zien klauteren en vraagt hij nu of dat zijn kinderen waren. Zijn kinderen, die in de ballon met de beer zaten. Hij glimlacht.

'Ja, ja. *Da*. Ik. Ik.'

Op het gezicht van de man verschijnt een stralende lach. Hij klapt opgetogen in zijn handen. En hij leest een derde zin voor.

'Hij zegt dat hij dan een cadeau heeft voor de Kinderen van de Beer. Een cadeau dat van heel ver komt,' vertaalt de bewaker weer.

'Wat voor cadeau? Wat voor cadeau is het en waar komt het vandaan?'

'Uit Siberië,' vertelt de bewaker een paar tellen later.

Ermete springt overeind. 'Jeminee!' roept hij uit. 'Ik neem het aan! *Da! Da!* Maar wie ben jij dan? Begrijp je mij? Wie ben je?'

De man geeft geen antwoord. Hij reikt Ermete zijn groezelige muts aan.

De bewaker haalt de muts door de veiligheidsscan. Dan geeft hij hem op zijn beurt aan Ermete.

In de muts zit een houten tol.

Er staat een bloedend hartje in gekerfd.

32
Het ontwaken

Als Mistral wakker wordt, ziet ze het gezicht van Jacob Mahler boven het hare hangen. Ze ziet zijn lichte ogen, zijn spookachtige glimlach. Er staan nog meer mensen om hem heen. Mistral ligt languit op het trottoir. Haar rug doet pijn.

De klok van de Notre Dame slaat voor de laatste keer.

Dit is allemaal niet echt, denkt ze.

En ze doet haar ogen weer dicht.

Als ze opnieuw wakker wordt, ligt ze in haar eigen bed.

Ze herkent het plafond. Ze herkent het beddegoed. De meubels. Het raam. Het bijennest.

'Help!' gilt ze.

Haar kamerdeur zwaait open. Als eerste komt haar moeder binnen. Daarna Harvey. Dan Elettra.

Elettra's haar is heel kort geknipt en klungelig geblondeerd.

Mistral voelt aan haar hoofd. Ook haar eigen haren zijn klungelig geknipt en geblondeerd.

Iedereen gaat aan haar voeteneind staan. Door het raam valt licht binnen. Het is warm.

Het is overdag.

Mistral kijkt naar haar moeder, Elettra, Harvey.

En ze vraagt: 'Waar is Sheng?'

Ze geven geen antwoord.

'Het was waanzinnig,' zegt Harvey. Hij heeft een wit verband om zijn hand.

Mistral schudt haar hoofd.

O nee, o nee, o nee... denkt ze. Dit is onmogelijk. Het was een veilige plek. De tol met de toren wijst een veilige plek aan.

Maar ze hadden hen gevonden. Ze waren binnengedrongen. Zoë was erbij. Jacob Mahler was erbij. Sheng heeft geprobeerd te springen. Om de houten kaart te redden, hun orakel. Hun enige kans om het geheim te ontrafelen.

De gordijnen van de slaapkamer wapperen. Het raam vliegt met een klap open. Het waait. Een keiharde wind.

'Het had een veilige plek moeten zijn,' snikt Mistral terwijl Cécile haastig het raam weer dicht doet.

'En dat was het ook,' antwoordt een stem vanuit de deuropening.

Mistral kan niet zien wie het is, omdat iedereen ervoor staat. Dan gaan Elettra en Harvey langzaam aan de kant en het meisje herkent een rij witte tanden die haar toelacht vanonder twee ongewoon blauwe ogen.

Mistral heeft een brok in haar keel van blijdschap.

'Sheng?' fluistert ze. Dan lijkt het of ze met haar ogen haar moeder om bevestiging vraagt. 'Ik droom toch niet hè?'

Cécile glimlacht. 'Nee, Mistral, je droomt niet. Het is Sheng.'

Het meisje laat zich terugvallen op haar kussen. Ze voelt zich ineens weer uitgeput. 'Maar... dat balkon dan?'

Achter Sheng verschijnt Fernando, de vader van Elettra, die een hand op zijn schouder legt.

'Het was echt ongelooflijk,' zegt Harvey weer.

'Rust nog maar wat uit,' oppert haar moeder. 'Nu ben je thuis. We zijn allemaal thuis. Er is niets meer om bang voor te zijn.'

Er is niets meer om bang voor te zijn.

Behalve dan de draaikolk.

Mistral doet haar ogen dicht. Ze hoort de anderen nog praten.

Eventjes, tenminste.

'Wisten jullie dat Mistral de naam van een wind is?' hoort ze Sheng als laatste zeggen voor ze in slaap valt.

De derde keer dat ze ontwaakt is tegen het vallen van de avond. Geleid door een verrukkelijke geur van gebakken aardappelen uit de oven, stapt Mistral uit bed en waagt zich in de keuken, waar alle anderen aan tafel zitten.

'Hoe laat is het eigenlijk?' vraagt ze in haar ogen wrijvend.

'Negen uur.'

'Heb ik negen uur geslapen?'

'Je hebt een dag en een nacht plus negen uur geslapen,' verbetert haar moeder glimlachend.

Mistral gaat zitten. Ze kijkt de anderen afwachtend aan.

Dan kan ze zich niet meer inhouden: 'Nou?'

'Toen we hoorden kloppen...' begint Elettra te vertellen, 'dachten we dat jij het was. Dus deden we open zonder zelfs maar te kijken wie er was.'

'Maar jij was het niet,' vervolgt Harvey. 'Het waren vier obers van Cybel. Met Zoë.' De jongen haalt zijn schouders op. 'Einde van het verhaal. We konden niet veel beginnen. Ze waren in de meerderheid. En ze waren veel groter.'

Elettra legt een hand op zijn schouder. 'Harvey doet heel bescheiden, maar voordat hij zich overgaf heeft hij er drie gevloerd. Eentje tegen het raam.'

Harvey heft zijn hand op. 'En dit is het resultaat.'

Mistral kijkt naar Sheng. 'En jij?'

De kinderen kijken elkaar bezorgd aan, en dan kijken ze naar de twee aanwezige volwassenen, alsof ze hun toestemming vragen. De moeder van Mistral knikt als eerste.

'We weten het niet precies...' mompelt Elettra.

'We waren binnen aan het vechten...' voegt Harvey eraan toe.

'En je moeder en ik waren op onderzoek in de kerken...' Fernando legt een hand op de pols van Cécile, maar trekt hem dan gauw verlegen weer terug.

'Maar de mensen hebben het er nu nog over.'

'En het staat in de krant.'

'Wat dan?'

Elettra wrijft door haar korte haar. 'Luister, ik vertel je hoe wij denken dat het gegaan is...' besluit ze. 'Maar jij moet proberen om rustig te blijven.'

Natuurlijk wordt Mistral alleen maar onrustig van die voorwaarde.

'Weet je nog dat jij dacht dat ik een grapje maakte toen ik je in Rome vertelde dat ik spiegels dof laat worden?' vervolgt Elettra. 'En Harvey wilde niet aanvaarden dat hij een "speciaal" contact heeft met planten en met de aarde. Hij moest er niets van hebben dat hij Ster van Steen werd genoemd, net als de professor. Weet je dat nog?'

Mistral knikt. 'Ja, en...'

'Nou. De mensen zeiden dat jij begon te zingen vlak voordat Sheng van de bovenste verdieping omlaag viel.'

Dat is waar, denkt Mistral. Dat weet ik nog.

'Zodra Shengs hand losschoot van het balkon waar hij op wou springen, slaakte jij volgens de mensen een kreet en werd de hele Avenue de l'Opéra pikdonker.'

'Pikdonker?'

'Er kwam een hele zwerm bijen aanvliegen, van alle kanten van Parijs. Sommige mensen zeiden dat het wel een tornado leek. Een aardbeving. Hoe dan ook, ineens kwamen ze, en daarna waren ze weer verdwenen.'

'Waanzinnig, hè?'

Mistral schudt haar hoofd. 'Nee,' mompelt ze. 'Dat was precies mijn bedoeling.'

'Zie je wel!' juicht Elettra tegen Harvey. 'Zie je wel dat het door haar kwam?'

Mistral kijkt naar haar moeder. 'Ik had al eerder bijen opgeroepen. Een halfuur daarvoor nog, in het park van het Palais Royal. Ik had ze geroepen... door te zingen.'

'Toen de bijen wegvlogen, was jij flauwgevallen en lag Sheng op het trottoir,' vervolgt Elettra. 'Springlevend.'

'Hoe is dat mogelijk?'

'Laat je rug eens zien, Sheng.'

De Chinese jongen tilt zijn pyjamajasje op. Zijn hele rug zit vol kleine, rode plekken.

'O!' roept Mistral. 'Bedoel je dat de bijen je hebben... gedragen?'

'Ze hebben mijn val vertraagd.' Sheng doet zijn pyjamajasje gauw weer omlaag.

'Doet het pijn?'

'Een beetje,' geeft hij toe. 'Maar liever dit dan te pletter vallen op de stoep!'

'En heb je er niets van gemerkt?'

Sheng haalt zijn schouders op. 'Toen ik besefte dat ik viel, deed ik mijn ogen dicht. Ik voelde alleen maar heel veel wind. En een heleboel tikken. En toen... toen ik mijn ogen opendeed...'

'En de houten kaart?' vraagt Mistral ineens. 'Wat is er gebeurd met de houten kaart die je in je hand had?'

De andere kinderen slaan allemaal tegelijk hun ogen neer en er hangt ineens een treurige stilte over de tafel.

'Jongens?' Mistrals stem is nauwelijks hoorbaar. 'Wat is er gebeurd met...'

Aangezien niemand lijkt te willen reageren, neemt Fernando het woord: 'Ik geloof dat... tja... dat zíj jullie alles hebben afgenomen.'

33
De verrader

De volgende ochtend om zestien over acht zwaait mevrouw Blanchard de huisdeur open en loopt de trappen naar de begane grond af. Ze vindt het vervelend om Mistral alleen te laten, maar ze kan niet nog een dag wegblijven van haar werk.

En trouwens, ze weet dat Fernando er voor de kinderen is.

Zodra ze de voordeur uit is, probeert ze zich te herinneren waar ze de auto heeft geparkeerd. En het is niet te geloven, maar ze weet het nog. Ze heeft hem in de buurt van Saint Denis gezet, in een hellend steegje. Ze hangt haar tas over haar schouder en begint in die richting te lopen als ze wordt geroepen.

'Mevrouw Blanchard?'

Die stem heeft ze al eens eerder gehoord. En nog niet eens zo lang geleden ook. Hij behoort toe aan de man met de viool en de baseballpet, die haar een paar dagen geleden heeft aangesproken.

'Ach, u bent het,' glimlacht ze. 'U komt ook steeds weer opduiken!'

De ogen van de man zijn ijzig, en hij heeft een vreemd lachje.

'Ik had u laatst gevraagd of u iets voor me wilde doen, weet u nog?' zegt hij terwijl hij naderbij komt.

Instinctief deinst Cécile Blanchard achteruit, maar dan staat ze tegen de muur.

'Die partituur, ja...' schiet haar ineens te binnen. 'Maar ik vrees dat ik die vergeten ben, neem me niet kwalijk.'

'U moet zich niet verontschuldigen bij mij, maar bij uw dochter. Hoe gaat het met haar?'

Cécile zet grote ogen op. 'Hoe weet u nou dat...'

'U moet uw telefoon niet gebruiken,' onderbreekt de man haar. 'Volgens mij wordt die afgeluisterd. Ook al zijn ze nu misschien niet meer zo geïnteresseerd in wat jullie te zeggen hebben. Volgens mij zijn jullie nu vrij.'

'U...'

'Als u had gedaan wat ik u vroeg...' vervolgt Jacob Mahler terwijl hij zijn petje van voren omhoog doet, 'zou uw dochter misschien eerder door hebben gehad dat ze Zoë niet kon vertrouwen. Kijk het maar eens na op die partituur: zelfs de datum waarop ze voor het eerst verraad heeft gepleegd staat erop.'

'Verraad? Waar hebt u het over, als ik vragen mag?'

'U hebt me teleurgesteld, mevrouw Blanchard. Of moet ik u misschien mejuffrouw noemen?'

Cécile beseft dat ze geen kant op kan.

'U maakt me bang. Pas op hoor, ik ga gillen.'

'U mag gillen zoveel u wilt. Al zult u er niet veel aan hebben.'

Ergens diep in haar hart vindt Cécile Blanchard de moed om haar belager in de ogen te kijken. 'Waarom bent u hier?'

'Om u een tweede kans te gunnen, mejuffrouw.'

Daarbij reikt hij haar een vierkant voorwerp aan, niet veel groter dan een boek, dat in een witte doek gewikkeld zit.

'Breng deze naar uw dochter.'

Te bang om iets anders te doen, begint Cécile angstig te knikken. De man loopt een paar stappen van haar af. Cécile haalt weer adem.

Dan blijft Jacob Mahler staan en zonder zich om te draaien tilt hij zijn vioolkoffer op.

'Een laatste ding nog,' zegt hij terwijl hij terug komt lopen. 'Wilt u zo vriendelijk zijn om ook een zin aan haar door te geven?'

Opnieuw kan Cécile Blanchard niets anders dan knikken.

'Zeg tegen haar dat de vijanden van mijn vijanden mijn vrienden zijn. En als ze het echt willen weten, hun vijand heet Heremit Devil.'

'Dat is de houten kaart,' zegt Elettra nog voor ze de doek eraf hebben gehaald.

De kinderen kijken verbluft naar de kaart van de Chaldeeën die ze nu weer in handen hebben.

'Heeft Jacob Mahler die teruggegeven?'

'Dan heeft hij hem zeker opgeraapt nadat ik was gevallen. Kijk: dit hoekje is helemaal kapot.'

En niet alleen dat hoekje. Door de val van het balkon is

bijna een derde van de houten kaart verbrijzeld, waardoor te zien is dat de binnenkant uit meerdere lagen hout bestaat.

'Hij was er,' zegt Mistral. 'Ik heb hem gezien. Hij was op het plein.'

En hij speelde viool, denkt ze zonder het tegen de anderen te zeggen. Want wat Mahler speelde, was de melodie van haar muziekdoosje. Alsof hij het wist. Alsof hij haar wilde helpen.

'Alsjeblieft,' zegt mevrouw Blanchard intussen tegen Elettra. Ze geeft haar een percolator en de bus koffie. 'Ik wil hem zoals jullie hem in Italië maken. Lekker sterk.'

Dan gaat ze zitten. 'Ik heb nog nooit zo'n engerd ontmoet!'

'Die vent heeft mijn arm gebroken in Rome,' herinnert Fernando zich.

Wat hij Mistral heeft aangedaan houden de kinderen geheim met hun blikken.

'Wat ik niet begrijp...' begint Sheng weer, 'is waarom hij ons de houten kaart teruggeeft nu hij hem eindelijk te pakken had!'

'Omdat hij niet bij Zoë en Cybel hoorde,' zegt Harvey. '*De vijanden van mijn vijanden zijn mijn vrienden*.'

'En onze vijand heet Heremit Devil.'

'Dat betekent maar één ding. Dat Mahler na alles wat er in Rome gebeurd is... in verzet is gekomen.'

'Ik dacht dat hij dood was,' mompelt Mistral.

En Sheng voegt eraan toe: 'Maar hij is teruggekomen om wraak te nemen.'

'En daarvoor maakt hij gebruik van ons.'

'Dat vergat ik bijna!' roept de moeder van Mistral uit en ze rommelt in haar tas. 'Een paar dagen geleden had die man me

hier voor het huis ook al iets voor jou gegeven.'

'Iets voor mij? Bedoel je dat je hem al eerder was tegengekomen?'

'Ja... maar waar heb ik het nou gestopt?'

Cécile verdwijnt naar haar slaapkamer, gevolgd door haar dochter: 'Dus jij hebt Jacob Mahler ontmoet en je hebt het mij niet verteld?'

'Dus daarom ging de draaikolktol naar dit huis!' begrijpt Elettra.

Cécile verschijnt weer in de deuropening met de partituur in haar hand. 'Laten we wel wezen. Ik heb het altijd razend druk. En ik wil geen gezeur horen.'

'Maar mama!'

De partituur vliegt over tafel.

'Hij zei erbij dat de datum die erboven staat geschreven de datum is waarop Zoë voor het eerst verraad heeft gepleegd.'

'In 1907?' leest Sheng verbijsterd. 'Dat kan niet! Dan zou ze... wel honderd moeten zijn!'

'Net als professor Alfred van der Berger,' komt Elettra tussenbeide. 'Ze heeft ons verteld dat ze bevriend waren. Maar ze heeft nooit verteld wannéér.'

Op dat moment rinkelt de telefoon.

Cécile gaat tussen Mistral en het apparaat staan. 'Niet opnemen! Hij zei dat deze telefoon wordt afgeluisterd! Ik regel het wel.' Ze grijpt de hoorn en adviseert: 'Hou je oren dicht.'

De kinderen doen wat ze zegt, evenals Fernando.

Dan reageert Cécile Blanchard al haar spanning af door de grootste serie scheldwoorden te schreeuwen die ze ooit heeft uitgesproken.

Na enkele minuten gaat de mobiele telefoon van Harvey over.
'Hallo...'
'Ermete!'
'Gelukkig ben jij het,' zegt de ingenieur geschokt. 'Je hebt geen idee wat mij is overkomen; ik belde net naar het huis van Mistral en...'

Twintig minuten later komt ook Ermete binnen.
'Koffie?' biedt Cécile hem aan. 'Ik waarschuw u dat hij heel sterk is.'
'Leve de Italian Style,' grinnikt Ermete terwijl hij een kopje aanneemt. Dan krijgt hij een schok wanneer hij Elettra ziet: 'O jee! Wat heb jij met je haar gedaan?'
Vervolgens ontwaart hij Mistral.
'Wat is dit? Een nieuwe, spuuglelijke mode?'
'We moeten je een paar dingetjes vertellen, Ermete.'
'Nee!' roept de ingenieur. 'Eerst ik!'
En hij laat hen de tol met het hartje zien.

Als alle verhalen verteld zijn, ligt de tol midden op tafel, naast wat er over is van de kaart van de Chaldeeën.
'Ik vind dat we het evengoed moeten proberen...' oppert Mistral.
Harvey knikt.
Elettra ook.
Sheng twijfelt niet. 'We hebben alleen nog een kaart van Parijs nodig.'
Ze halen er een en spannen hem over het oude orakel van de Chaldeeën.

'Wie gooit er ?'

Mistral steekt een hand uit om de tol met het hartje te pakken. Het is een gewond hart, waaruit een druppeltje bloed loopt. 'Het hart is het leven. Het is het begin van alles. Volgens mij is er maar één iemand onder ons die precies kan weten wat het betekent... om het begin van het leven te schenken.'

Ze kijkt haar vrienden aan.

En ze geeft de tol aan haar moeder.

De tol met het hartje beweegt zich traag over de kaart, hij draait rond als een speeltje waarvan de batterij bijna op is. Hij volgt de hele loop van de Seine, wijkt dan net voor de Eiffeltoren af en begint zich door de nauwe straatjes van Saint Germain des Prés te bewegen.

Dat is de wijk waar Zoë en Harvey elkaar voor het eerst gesproken hebben. De rustige plek waar ze elkaar hebben leren kennen.

De tol stopt voor de oude kerk.

'De oudste kerk van de stad,' mompelt Cécile Blanchard terwijl ze de anderen aankijkt.

34
De sluier

In de werkkamer van Mademoiselle Cybel branden groene en rode lampjes. Op haar werktafel, die voor de gelegenheid is leeggemaakt, is een reeks bizarre voorwerpen gerangschikt: een oude bronzen spiegel, een eivormige steen, een poster met een Egyptische dierenriem uit het Louvre, vijf houten tollen, een gouden horloge uit de achttiende eeuw, een witte sluier, een digitaal fototoestel en een reproductie van het wapen van Parijs dat in de Bibliothèque Nationale wordt bewaard.

'Bij Diana!' zegt Mademoiselle Cybel terwijl ze peinzend aan haar neus krabt. 'Wat een ongelooflijke verzameling rotzooi.'

Ze loopt door haar werkkamer terwijl de piranha's in haar hoogstpersoonlijke aquarium onder het glas naar haar voeten happen. Naast haar bureau blijft ze staan. 'Volgens mij hebben we nu alles. We hebben alles.'

'Er ontbreken nog twee dingen. Het schip van Parijs en de houten kaart.'

'Wat dat schip betreft, ik heb er zelf een laten kopen, een leuk klein scheepje, bij een bevriende antiquair.'

'Ik doe alsof ik dat niet gehoord heb.'

'Het is een schip. En het komt uit Parijs. Wat wil je nog meer?'

'En de kaart van de Chaldeeën?'

'Ach!' snuift Mademoiselle Cybel. 'De jongens hebben me verteld dat die op het trottoir in gruzelementen is gevallen. Nadat die... die walgelijke bijen kwamen. Walgelijke. Het was toch maar een oud ding, nietwaar? Die is vast in duizend stukken gevallen. We kunnen een advertentie in de krant zetten, als je wilt. *Gezocht: houten stukjes die op 21 juni jl. uit de hemel zijn geregend op de Avenue de l'Opéra. Ruime beloning. Geen neppe stukjes hout svp.*'

'Je bent niet grappig.' Zoë pakt het horloge van Napoleon en bekijkt het aandachtig; het valt haar op dat de wijzerplaat is veranderd.

Mademoiselle Cybel pakt intussen de Ring van Vuur op. 'Deze spiegel lijkt wel oud. Heel oud.'

'Dat stukje spiegel misschien,' werpt Zoë afwezig tegen. 'Maar die lijst is nog geen honderd jaar oud. Die heeft Alfred aan het begin van de vorige eeuw laten maken door een bevriende beeldhouwer. Paul Manship, ooit van gehoord? Die van de Prometheus van het Rockefeller Center.'

Mademoiselle Cybel staart even naar een punt in de verte, dan haalt ze haar schouders op. 'Nee. Het spijt me. Van het Rockefeller Center herinner ik me alleen nog de winkel van

Dior. En die van Armani. En deze grote steen, liefje? Is die ook van recente datum?'

'Die is maar een paar miljoen jaar oud.'

'Fantastisch. Echt fantastisch,' zegt Cybel, terwijl ze over de hobbels aan de binnenkant strijkt. 'En wat is er zo belangrijk aan?'

'Het is een van de meteorieten waar de mens van afstamt,' zegt Zoë achteloos. 'Maar het lijkt me veel te ingewikkeld om je uit te leggen hoe dat zit.'

'Bedoel je dat we niet van de apen afstammen?'

Zoë kijkt verstoord op van het horloge, waarvan ze de laatste afbeelding probeert te doorgronden. 'Nee, Cybel. Het zou kunnen dat we niet van de apen afstammen. Er bestaat hooguit een kans dat zij van ons afstammen.'

'Wat een boeiende theorie...' kirt de vrouw met het uitpuilende lijf. 'Dan weet ik meteen hoe mijn laatste levensjaren zullen zijn...' Met haar ringen streelt ze de houten tollen. 'En deze, dat staat buiten kijf, hè? Eeuwenoud.'

'Het binnenste gedeelte stamt uit de tijd van de Chaldeeën. Drie- tot vierduizend jaar geleden.' Zoë maakt enkele aantekeningen op een blocnote die ze naast het horloge heeft gelegd. 'Het houten omhulsel is van latere datum. Toen ik ze bestudeerde, heb ik vastgesteld dat ze niet meer dan duizend jaar oud zijn.'

'Hoezo, had je ze dan al eerder bestudeerd, liefje?' vraagt Mademoiselle Cybel quasi verbaasd. 'Had je ze al eerder bestudeerd en was je ze vervolgens weer kwijtgeraakt?'

'Ja, Cybel, ik had ze al eerder bestudeerd. En ik ben ze niet

kwijtgeraakt. Ik heb ze overgelaten aan mijn... vrienden, zodat het Pact opnieuw kon worden voorbereid.'

'*Vrienden* lijkt me een groot woord. We kunnen hooguit zeggen dat je ze hebt overgelaten aan je vriend de professor, die Alfred... aan de antiquair... en aan de laatste, wat doet zij ook alweer, die laatste?'

'Ze zit in een rolstoel,' snuift Zoë. 'En zou je nu alsjeblieft zo vriendelijk willen zijn om me vijf minuutjes met rust te laten? Ik probeer erachter te komen wat de tekening op die wijzerplaat te betekenen kan hebben!'

'En deze witte sluier?' vraagt Mademoiselle Cybel nog.

Zoë tilt de sluier met een ruk op. 'Ik heb geen idee wat daaronder zit.'

Eronder staat een oud houten galjoen, waar een slang omheen gekronkeld zit. Het reptiel bijt Zoë zo snel dat ze niet eens de kans heeft om haar hand terug te trekken.

'O hemel, wat slordig van me!' roept Mademoiselle Cybel met rinkelende armbanden. 'Daar was hij dus gebleven!'

'Wat heb je gedaan?' vraagt Zoë terwijl ze haar hand doodsbang heel langzaam terugtrekt.

'Ik? Ik heb niets gedaan, liefje! Je hebt het helemaal zelf gedaan...'

'Door wat voor slang ben ik gebeten?' Zoë wankelt achteruit. Dan zijgt ze neer op een stoel. In haar hand glinsteren de twee rode gaatjes van de tanden, dicht naast elkaar.

'Die slang? Geloof me. Dat is echt een knuffeltje! Maar mag ik je iets vragen, liefje? Er is iets wat ik niet snap: als jij echt een archeologe van meer dan honderd jaar oud bent... betekent dat dan dat je onsterfelijk bent?'

'Ik... ben niet... onsterfelijk.'

'Zie je? Dat is precies wat ik ook dacht. Precies. Je bent alleen maar iemand die alles op haar gemakje doet. In dat geval is mijn moppie echt perfect. Zijn gif veroorzaakt een zenuw- en spierverlamming binnen, laten we zeggen, zestig seconden. Daarna begin je vermoedelijk te stikken... en na nog een minuut... anderhalve minuut op z'n hoogst...'

Zoë's gezicht is ineens spierwit. Haar ogen staan wijdopen. 'Heremit... zal je vermoorden.'

Mademoiselle Cybel buigt zich dichter naar haar toe. 'Wat zeg je, liefje? Kun je dat ietsje harder zeggen? Ik kan je niet goed horen.'

'Hij... zal je... vermoorden...' sist Zoë nog eens.

'Ach, waarom zou hij, liefje? Ik sta op het punt om hem alles te overhandigen waar hij naar op zoek was... inclusief een prachtig schip van Parijs... vind je het mooi?'

'Dat is niet... het goede...'

'Maar daar komt hij nooit achter, liefje!'

Zoë heeft nog net de kracht om te stamelen: 'Hij...'

'Wat? Ach, wat is die aftakeling door de ouderdom toch iets vreselijks! Iets vreselijks! Ik kan je echt niet verstaan! Hoe dan ook... wat vind je van mijn nieuwe vriend? Deze slang kom je niet vaak tegen in deze streken, wist je dat? Hij is van een *verlammende* schoonheid, vind je niet?' merkt Mademoiselle Cybel op. 'Absoluut *verlammend*.'

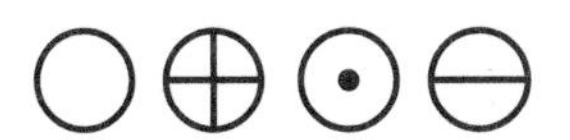

Als je de kerk van Saint Germain des Prés zo van buiten ziet, zou je niet zeggen dat het de oudste kerk van Parijs is, denkt Mistral. Hij is helemaal gerenoveerd na de revolutie, toen hij het toneel was van een van de vele lynchpartijen door de woedende menigte. Driehonderdachttien priesters kwamen daarbij om, en vervolgens werd de hele kerk in brand gestoken.

'Waar komt die muziek vandaan?' vraagt Sheng terwijl ze door de dubbele deur naar binnen gaan, onder een lage, uitgehakte dwarsbalk door.

'Van binnen. Er is iemand aan het spelen.'

'Dat is een orgel,' mompelt Mistral.

Het is alsof ze een gouden kist binnengaan die is uitgesleten door de tijd. Taps toelopende zuilen dragen gotische bogen en donkere fresco's. Gehuld in het duister glimt hoog boven hen een sterrenplafond. Het lijkt net of het licht dat door de ramen van het koor binnenvalt, tussen een heleboel vuurrode zuilen door, van albast is en beweegt op de orgelklanken. Precies op een klokslag valt de grote deur achter de kinderen dicht.

De kerk is verlaten. In de verte branden knapperende kaarsjes. Alleen de vergulde figuren van de kapitelen fungeren als toeschouwers voor de onbekende organist die zijn vingers over de ivoren toetsen laat glijden. Onder de fresco's van de nachtblauwe hemel is het orgel een zilveren gedaante met gewelven vol sterren erboven. De zes grootste orgelpijpen, die trillen van de klanken, lijken de hele kerk te dragen. De ene keer klinken er duizelingwekkende toonladders uit, dan weer scherpe tonen als messteken, of majestueuze akkoorden.

Mistral voelt zich duizelig worden. Gedreven door de rondwervelende muziek loopt ze ongelovig naar de kapitelen van de

zuilen. Er staan vrouwengezichten op, omringd door vogels en andere dieren.

'Zien jullie dat?' mompelt ze, maar de anderen lopen elk op eigen houtje rond door de donkere gewelven van de kerk.

Als Harvey halverwege het middenschip komt, voelt hij dat zijn hoofd begint te bonzen.

'Alles goed?' vraagt Elettra hem.

'Er zijn hier stemmen,' fluistert de jongen met zijn ogen dicht.

'Stemmen?'

'Ja. Heel veel mensen...' mompelt Harvey. 'Ze zijn vermoord...'

'En wat zeggen ze?'

'Ze waren... naar de muziek aan het luisteren... Toen hoorden ze ons aankomen en... Nu zijn ze stil. Ze praten niet meer. Er is nu nog maar één stem... eentje maar.'

'En wat zegt die?'

Harvey schudt zijn hoofd en probeert de oude, diepe stem die vanuit de aarde klinkt te verstaan. 'Hij zegt... dat hij een koning is. De oude koning van de Fransen...'

Harvey luistert, hij blijft luisteren. Dan glimlacht hij.

'En verder?'

'Hij wil ons laten weten dat we welkom zijn.' Hij knijpt in Elettra's hand. 'En dat ze ons al verwachten.'

'Ik ben hier nog nooit binnen geweest,' zegt Cécile.

Cécile en Fernando zijn bij de ingang blijven staan en bladeren een brochure door waarin een beknopte geschiedenis van de kerk wordt beschreven. Ermete gebruikt dezelfde brochure om zich wat koelte toe te wuiven.

'Hij is prachtig,' zegt Fernando. 'De kleuren zijn... het heeft iets...'

'Ja. Dat gevoel heb ik ook.'

Even ontmoeten hun blikken elkaar, maar dan slaan ze gegeneerd hun ogen neer.

'Dus...' zegt Ermete naast hen. 'Deze kerk is in het jaar 542 gebouwd door koning Childebert, een van de vroegste Merovingische koningen. De graven van de koningen bevinden zich blijkbaar in onderaardse gangen. Men zegt dat de kerk is gebouwd boven op een nog veel oudere tempel, waarin een zwarte vrouw werd vereerd. Haar beeld is te zien geweest tot 1514, maar daarna werd het verplaatst en nooit meer teruggezien.'

Ermete glimlacht. 'Dat is ook toevallig.'

'Wat?' vragen Fernando en Cécile in koor.

Ermete wijst naar de kinderen die door de kerk dwalen.

'Isis.'

Nadat ze snel een rondje door de kerk heeft gelopen, gaat Mistral terug naar de ingang waar in de wand het deurtje is dat toegang geeft tot het orgel. De deur is open.

Langzaam beklimt Mistral de smalle trap.

Behoedzaam loopt ze de treden op tot ze bij de organist aankomt.

Vanaf het orgelbalkon heeft Mistral een spectaculair uitzicht over de kerk. De anderen zijn beneden gebleven: Sheng is blijven staan voor een zuil met een gekroond hoofd als kapiteel, Elettra en Harvey staan halverwege het middenschip.

'Pardon?' zegt Mistral om de aandacht op zich te vestigen.

De organist houdt meteen op met spelen. Het is een jongen met kort blond haar, lichte ogen en een rechthoekige, aluminium bril op het puntje van zijn neus.

'Ja?' vraagt hij met een glimlach, terwijl hij zijn krukje naar achteren schuift.

Hij is kleiner dan Mistral, maar wel breed gebouwd.

'Sorry... ik... ik wilde je niet storen maar...'

'Nee, nee, je stoort niet. Ik zat alleen maar te oefenen voor het concert.'

'Een concert? Echt waar?'

'Voor het Muziekfeest, vanavond om tien uur. Er moet hier ergens een programma liggen.'

De organist zoekt een blaadje tussen de paperassen op de grond en vraagt intussen: 'Is er een bepaalde reden waarom je naar boven bent gekomen?'

Mistral bloost, maar in feite is ze inderdaad met een heel duidelijke reden naar boven gegaan. Toen ze door de kerk liep kreeg ze een ingeving, maar nu schaamt ze zich daar ontzettend voor.

'Luister...' begint ze, maar dan houdt ze meteen haar mond. Ze strijkt met een hand door haar foeilelijk geblondeerde haar. 'Nee. Niets. Laat maar.'

'Hoezo? Vertel op. Zeg het maar.'

Mistral kijkt naar de kerk onder haar en legt dan haar vingers op het puntje van haar neus. 'Mag ik je vragen om iets te spelen?'

'Als ik het ken, met alle plezier.'

'Volgens mij is het heel... eenvoudig.'

Ze loopt naar de jongen en toont hem het muziekdoosje.

'Ik wil graag dat je deze melodie speelt,' zegt ze terwijl ze het doosje openmaakt.

35
Het schip

Het lichte geklingel van het muziekdoosje, als waterdruppels, krijgt nu gezelschap van een lage, statige dreun die het volledig overstemt. Dan begint die dreun langzaam de melodie van het muziekdoosje na te spelen. Het zijn harmonische tonen die als windvlagen langs het frame van de plafonds lijken te glijden, tussen de schraagpijlers en de tinnen steunen van de ramen door waaien. Het is een diepgaande, onstuimige melodie, eenvoudig en toch ingewikkeld. Een deuntje waarvan ze allemaal het gevoel hebben dat ze het al eens eerder hebben gehoord, tenminste één keer in hun leven.

Het is een melodie als een cirkel. Iets wat wordt geboren, wat groeit en dan sterft, en weer opnieuw geboren wordt. Het is als de wind. De getijden. De planten. De dieren. De mensen.

Als de sterren.

Het is als alles wat moet bewegen om terug te keren naar de oorsprong van de beweging. Als ideeën die opvlammen om terug te keren naar de aanvankelijke vonk. Het is land dat wegzakt tot aan het brandende hart van de Aarde. Het is het lied van de wereld en van het leven.

Een eenvoudig lied.

Maar wel geheim.

Sheng, Harvey, Elettra, Ermete, Fernando en Cécile luisteren hevig ontroerd naar de melodie en bedenken dat hij absoluut volmaakt bij deze kerk past. En als zich bij de eeuwenoude klanken van het orgel nog een laatste klank voegt, de stem van Mistral, bereikt hun ontroering een hoogtepunt. En het is niet alleen ontroering.

Doordat deze melodie op de toetsen gespeeld wordt, en de lucht door de orgelpijpen geblazen wordt, verspringt er in het oude kerkorgel namelijk een mechanisme dat al bijna vijfhonderd jaar oud is.

En daardoor wordt er tussen de zilveren pijpen een geheim vak geopend.

'Wat gebeurt er?' roept de organist en hij stopt op slag met spelen. Hij is bang dat het orgel beschadigd is toen het vak openging, maar dat is niet zo. Blijkbaar zaten er gewoon een paar neppijpen tussen de echte en die zijn nu verschoven.

'Wat is er gebeurd?'

'Ik weet het niet,' zegt Mistral, die naast het orgel geknield zit. Ze legt haar handen behoedzaam op het luikje van het vak dat uit zilveren buizen bestaat en ontdekt een klein plaatje: *Monseigneur Bricconet, 1514*.

Mistral probeert naar binnen te gluren, maar omdat ze niets kan zien steekt ze haar handen erin.

Het vak is leeg.

'Wat heb je gevonden?' vraagt de organist die gebukt achter haar staat.

'Nog niets.'

Dan voelen Mistrals vingers iets. Iets wat meegeeft, maar wel stevig is. Het is niet erg groot. 'Ik heb het gevonden,' zegt ze.

'Wat?'

Mistral pakt het en haalt het uit het vak. Het is een stuk dubbelgevouwen stof. Ze legt het op de grond en hangt het dan over de balustrade van het orgelbalkon. Een witte lap.

'Kun je me helpen?' vraagt ze aan de blonde jongen.

Ze pakken elk een uiteinde vast en samen vouwen ze de lap uit. En ze vouwen hem verder uit. En nog verder.

'Wat zijn jullie aan het doen?' vragen Elettra, Harvey en Sheng die beneden staan toe te kijken.

Mistral en de organist laten de lap van het balkon af rollen.

'Nee maar!' roept Harvey zodra hij door heeft wat het is.

Het is het zeil van een schip.

Elettra barst in lachen uit.

Ook Mistral daar boven begint te lachen. En onder het lachen kruist haar blik opnieuw die van de organist, die zijn schouders ophaalt, omdat hij verder ook niet weet wat hij moet doen.

Niet het schip, maar het zeil.

Niet het water, maar de wind.

Dat was wat ze moesten herontdekken, in Parijs.

Want Parijs is niet de stad van het water, zoals Zoë dacht. Het is de stad van de wind.

De sluier van Isis. Het zeil van haar schip.

Mistral krijgt ineens een idee en voelt nogmaals in het donkere vak. Ze steekt haar lange armen er helemaal in, en net voordat ze denkt dat ze zich vergist heeft, voelt ze een bobbel die ze vastgrijpt en tevoorschijn haalt.

Het is een beeldje van zwart hout.

Een vrouw met een verweerd gezicht, met een lange jurk vol inkervingen. In haar ene hand houdt ze een oud muziekinstrument, in de andere een houten plank die doet denken aan de kaart van de Chaldeeën. Op haar hoofd draagt ze een kroon van korenaren.

Het is de vrouw waar Sheng zo vaak van droomt.

Mistral laat haar vingertoppen over het hout glijden en bedenkt hoe oud het moet zijn. Dan kijkt ze de organist aan en vraagt: ‘En nu?’

‘Devil...’ sist de man als hij de telefoon opneemt. Zijn stem is messcherp. Als steensplinters onder je nagels.

Heremit Devil zit roerloos achter de ramen van zijn wolkenkrabber en kijkt naar de eindeloze uitgestrektheid van zijn geboortestad. Waar hij zijn blik ook op laat rusten, hij ziet niets dat hem interesseert. Hij is een jaar of veertig. Hij heeft geen enkele rimpel, alsof hij nooit een andere gezichtsuitdrukking heeft gehad dan de neutrale stand. Er is niets wat hem interesseert. Niets wat hij de moeite waard vindt om die wolkenkrabber voor uit te komen.

Niemand kan zich herinneren dat hij hem ooit buiten zijn flat heeft ontmoet.

Heremit Devil luistert aan de telefoon en zegt dan: 'Je hoeft het geen twee keer te zeggen. Ik snap het al.'

Nog meer woorden. Nog meer nutteloze woorden van die oude Cybel.

'Heel goed,' besluit Heremit Devil. 'Zorg dat ik alles zo snel mogelijk krijg.'

Hij zegt geen gedag.

Hij weet niet eens hoe dat moet.

Hij hangt gewoon op en loopt de kamer door.

Vijf tollen, denkt hij.

Hij trekt een la open en haalt een zesde tol tevoorschijn, die hij op een kristallen voetstuk heeft laten bevestigen. Hij zet de tol op het glanzende hout van zijn schrijftafel en kijkt ernaar.

Er ontbreekt er nog één.

Er ontbreekt nog één tol.

Eén tol en de houten kaart, die in gruzelementen is gevallen toen hij op het trottoir van de Avenue de l'Opéra viel.

Heremit zet de monitor van zijn telescoop aan. Hoog in de lucht, op duizenden kilometers afstand, in een ruimte waar geen zuurstof bestaat, opent zich een groot mechanisch oog. Zijn lens van vijfentwintig meter doorzoekt de diepte van het universum.

Daar waar hij een paar maanden geleden de staart van een komeet heeft zien ontvlammen, heerst nu dichte duisternis. Maar dat is nog slechts een kwestie van tijd.

'Century vertelt ons waar we vandaan komen en waar we heen gaan. En voor hoe lang nog...'

Als hij kon lachen, zou hij nu waarschijnlijk lachen. Die kinderen zijn alles kwijtgeraakt. Twee van de Vier Magiërs, Alfred en Zoë, zijn dood. En Vladimir wacht eenzelfde lot. De laatste zit verlamd in een rolstoel.

Echt vier vreeswekkende vijanden, denkt Heremit.

Morgen zal hij de eerste drie voorwerpen bezitten die de instructies bevatten om het geheim te vinden. De spiegel, de steen, het schip. Ook al weet hij niet hoe hij ze moet gebruiken, hij heeft zich heel goed voorbereid op deze taak.

'*Wat maakt het uit langs welke weg je de waarheid zoekt? Zo'n groot geheim ontrafel je niet langs één weg. Als je het onthult, moet je het zorgvuldig bewaren, en voorkomen dat anderen het kunnen ontdekken. Dat is het geheim van Century...*'

En wie het geheim kent, denkt Heremit Devil, kent dingen waar anderen zich niet eens een voorstelling van kunnen maken.

Het geheim van Century, dat al sinds de Oudheid wordt bewaakt, laat zich alleen onder een bepaalde stand van de sterren ontrafelen. Om de honderd jaar, hebben ze gezegd. En alleen met de voorwerpen die naar dat geheim leiden.

Wat zou het kunnen zijn? Onsterfelijkheid? Alwetendheid? Rijkdom?

Dat weet Heremit nog niet. Maar één ding weet hij wel: wat het ook is, het is nu van hem.

Hij wendt zijn blik af van de monitor van de telescoop en geeft een bevel in de intercom. 'Ik wil ijsblokjes.'

Dan verandert hij van gedachten en drukt opnieuw op het knopje van de intercom.

'Toch maar niet. Vanavond kom ik naar beneden om te eten.'

Zodra het nieuwe bevel is gegeven, gaat er een bepaalde

siddering door de werknemers van de tweeënzestig onderliggende verdiepingen. Er verspreidt zich een stoot van energie door de twaalf restaurants, het olympische zwembad, de negen bioscoopzalen, de fitnessruimtes en de winkelcentra. Zodra ze horen fluisteren 'Hij komt omlaag! Hij komt omlaag!' rennen tientallen mensen door de gangen, maken schoon wat al superschoon was, verschuiven stoelen, hangen schilderijen recht, controleren de temperatuur in de vertrekken, sprenkelen parfum rond.

Heremit Devil laat de lift komen. Dan, net voordat hij erin wil stappen, krijgt hij een onverwachte huivering. Heremit loopt terug. Naar zijn werkkamer en dan een lange gang in.

Er zijn geen deuren, geen lampen. De nauwe, hoge muren zijn door een kind volgekliederd met rode tekeningen en letters. De man loopt de gang helemaal door, doet het piepkleine deurtje aan het eind open, bukt zich en gaat de kleine slaapkamer binnen. Hij loopt er in drie stappen doorheen en kruipt gebukt door een ander piepklein deurtje dat toegang verschaft tot de bovenste verdieping van de wolkenkrabber.

De deur boven aan de trap is hermetisch verzegeld. Hij moet een paar tellen wachten voor hij naar binnen kan.

'Ik ben nu heel dichtbij,' mompelt hij.

De kamer is vrijwel helemaal leeg. Op de grond is een grote wereldkaart getekend, die de hele vloer in beslag neemt. Tientallen strepen in verschillende kleuren lopen over de verschillende plaatsen van de wereld. Heremit loopt over de continenten, waardoor er een snel getik opklinkt en er minuscule lichtjes aan en uit gaan. Boven Shanghai bevindt zich een klein kristallen tafeltje. En op dat tafeltje, beschermd door een vitrine, een tol.

'Ik heb de kaart,' mompelt Heremit. 'En ik heb de ontbrekende tol.'

Hij aait over het kristal met iets wat in de verte doet denken aan genegenheid. Misschien denkt hij aan het moment dat hij die tol van zijn vader kreeg.

Een houten tol.

Heel oud. Eeuwenoud.

De zevende tol, met de schedel.

De beide zussen Melodia zitten tegenover elkaar in de kamer van Irene. De oudere zegt: 'Ik geloof dat het moment gekomen is om je iets te vertellen, Linda. Ook al zou ik na al die tijd niet weten waar ik moet beginnen.'

'Bij het begin, zou ik zeggen.'

'Het begin is dat wij tweeën niet echt... zussen zijn,' biecht Irene op.

Linda kijkt strak voor zich uit, perst haar lippen opeen en krijgt tranen in haar ogen. 'Ik wist het,' zegt ze terwijl ze haar ogen droog veegt. 'Ik wist het, weet je? Ik heb het altijd geweten. Maar... ik heb het je nooit willen vragen, omdat...'

'Weet je nog hoe ik was, toen jij klein was?' vraagt Irene.

'Je was veel ouder dan ik.'

'Ja. Ook al zag ik er toen niet zo oud uit. Voor het ongeluk... zag ik er veel jonger uit. Ik leek net een jonge meid. Jouw zus, ja. Maar... dat was ik niet.'

'En onze ouders... ik bedoel... de jouwe? De... de mijne? Als ik niet je zus ben... wie... ben ik dan?'

Irene pakt haar hand tussen de hare. 'Het probleem is niet wie jij bent, Linda. Het probleem is wie ik ben.'

'Wie ben jij dan?'

'Misschien wel de laatste van de Vier Magiërs.'

'Vier Magiërs? Maar... wat betekent dat?'

'Dat betekent dat het een lang verhaal is, Linda. Een verhaal dat ik je eigenlijk nooit had willen vertellen. Maar de dingen en de geheimen storten inmiddels ineen. Ik vind dat jij alles moet weten. Voor ons bestwil: het mijne, het jouwe, en dat van ons nichtje.'

'Zij heeft er ook mee te maken, hè? En wat er in New York is gebeurd?'

'Ja. Alles heeft ermee te maken.' Irene kijkt naar de deur en fluistert dan: 'Ik ben geboren op 29 februari 1896.'

Ze laat haar de foto zien: 'Hier was ik elf jaar.'

Dan pakt ze de foto van een jonge vrouw in dikke kleren: 'Hier, een paar jaar later, was ik op de Russische steppe.'

'Wat deed jij nou op de Russische steppe?'

'Ik ging jouw moeder ophalen.'

Linda Melodia springt als door de bliksem getroffen overeind. 'Je houdt me voor de gek! Je kraamt alleen maar onzin uit!'

'Nee, Linda, het is geen onzin. Maar voordat ik je de rest kan vertellen...' Irene wijst naar de slaapkamerdeur die op een kier staat. 'Misschien kunnen we beter even controleren of we wel alleen thuis zijn.'

Linda Melodia gaat de kamer uit, knalt met de deur en komt dan terug lopen, woedend en bang tegelijk.

'We zijn alleen,' zegt ze.

'Waar zal ik beginnen?'

'Bij het begin?'

'Dan begin ik bij de Vier Magiërs die vóór ons zijn gekomen,' antwoordt Irene en ze steekt van wal.

36
De laatste

Een gouden licht valt over de bomen van het Parc Monceau en verspreidt zich tussen de vele takken van de platanen en door de zuilengalerijen langs de lelievijver. Een zachte wind murmelt tussen het gebladerte. Harvey en Elettra lopen met de armen om elkaar heen geslagen. Morgen gaat Harvey terug naar New York. En dus is het weer eens tijd om afscheid te nemen.

Ze hebben het zeil bij Mistral thuis verstopt en bepaald dat het haar taak is om het derde voorwerp te bewaken. Het houten beeldje van Isis daarentegen hebben ze in de kerk achtergelaten en aan de zorgen van de pastoor toevertrouwd. Het leek iedereen een zinloos idee om haar daar weg te halen, nadat ze al die jaren, zij het in verborgenheid, over de gelovigen had gewaakt. Heiligschennis.

Na een nacht lang praten en nog eens praten, hebben Elettra, Sheng, Harvey en Mistral nog steeds geen idee waar het zeil van

Isis toe zou kunnen dienen. Net zo min als ze aanvankelijk wisten waar de spiegel van Prometheus toe diende, of de Ster van Steen.

Toen Elettra's gezicht werd weerspiegeld in het eerste voorwerp, was er op oudjaarsavond in Rome een verblindend licht verschenen. Het tweede voorwerp had in Harvey's handen zijn inhoud van vier oude zaden prijsgegeven. En, volgens Zoë, enkele sporen van menselijk DNA, dat vanaf de sterren op Aarde was neergestort. Zou dat waar kunnen zijn? Er zouden verdere onderzoeken nodig zijn. Verdere bewijzen dat die voorwerpen niet zomaar pionnen in een groot spel waren, maar iets meer te betekenen hadden.

Wat zou het zeil van dat schip dan in 's hemelsnaam kunnen verbergen?

Op het eerste gezicht niets. Zelfs als je het onder een microscoop bekeek, viel er niets aan te ontdekken.

Het was gewoon dikke stof, dicht en stevig gewoven. Gewoon stof die was vergeeld van ouderdom.

Het zeil, de tol met het hartje en een deel van de oude houten kaart. Dat is het enige wat de kinderen hebben overgehouden aan al die maanden speuren.

Het zeil, de tol en een algemeen gevoel van onbehagen.

Maar ondanks alles zijn er twee dingen die Elettra en Harvey nog willen doen. Ten eerste willen ze zorgvuldig een van de twee zaadjes die Harvey uit New York heeft meegenomen in de grond laten glijden. Ze zullen ook in Parijs een boom planten die over de stad zal waken.

'Als je me weer bij jouw thuis uitnodigt,' zegt Harvey, 'zal ik ook de boom van Rome planten.'

'Als je wilt terugkomen naar Rome,' antwoordt Elettra, 'ben je altijd welkom.'

Ten tweede willen ze elkaar lang, heel lang zoenen.

Boven hen kleurt het licht van de zon dieprood aan de horizon en tekent gezichten op de wolken die boven de stad voort trekken.

Sheng gaat met zijn rug naar het raam in de lotushouding zitten, in zaal 12B van het Louvre. Vóór hem staan de figuren van de cirkelvormige dierenriem van Dendera. Hij heeft op de poster gelezen dat elk van die figuren een bekende ster of planeet voorstelt; allemaal op één na. Dat is een man met een stok, die een heel rare baan beschrijft tussen de andere sterrenbeelden, om vervolgens naast de Aarde te eindigen. De Aarde is getekend als een cirkel, waarin vier volwassenen en vier kinderen liggen te slapen, zo te zien.

Vier magiërs en vier leerlingen.

Sheng blijft roerloos in de lotushouding zitten en staart naar de dierenriem tot zijn ogen ervan tranen. Hij wil dat ze geel worden. Hij wil de bewaker van het museum weer ontmoeten. Hij wil weer dingen zien die anderen niet kunnen zien. En begrijpen.

Want hij weet dat hij terug naar huis moet, naar Shanghai, naar de stad van hun grote vijand. De man die Heremit Devil heet.

Sheng zucht, hij voelt zich alleen. Elettra, Harvey en Mistral hebben hun zoektocht afgerond. En daarbij hebben ze binnen in

zich talenten wakker geschud waarvan ze niet wisten dat ze die hadden. Misschien was dat hun belangrijkste taak, in plaats van de voorwerpen zoeken die in de drie steden verborgen lagen. Maar wat is zijn taak? En wanneer zal hij daar achter komen?

Waarvoor riskeren ze nu eigenlijk hun leven?

Dat zijn vragen waarop geen antwoord bestaat. Nog niet tenminste.

Terwijl hij op de vloer van het Louvre zit, hoort Sheng voetstappen dichterbij komen. Hij draait zich niet om, hij gaat ervan uit dat het een van de weinige bezoekers zal zijn die zich in deze ruimte van het museum wagen. Maar dan stoppen de voetstappen precies achter hem.

'Volgens mij hebben we een plan nodig,' zegt een stem.

Sheng schrikt op uit zijn gedachten. Hij draait zich om en probeert overeind te komen.

'Jij en ik hebben niet veel tijd,' voegt Jacob Mahler eraan toe, terwijl hij zijn baseballpetje afzet, 'voordat hij door heeft dat ik nog in leven ben.'

Sheng doet zijn mond open, maar hij kan geen woord uitbrengen, laat staan schreeuwen, of zelfs gewoon wegrennen. Hij stelt geen vragen. Hij luistert alleen maar.

En Jacob Mahler blijft voor hem staan en vertelt hem alles wat hij weet over Heremit Devil. En over wat er in Shanghai allemaal gebeurt.

Later, veel later, probeert Sheng de mobiele telefoonnummers van zijn vrienden te bellen. 'Ik weet wat het is! Ik weet wat het is!' roept hij hijgend. 'Het heet Century!'

Maar de mobieltjes van Harvey en Elettra zijn uitgezet en liggen op het gras van Parc Monceau, terwijl het mobieltje in

Mistrals broekzak in de stille stand staat. Het gaat over zonder enig storend geluid te produceren.

Mistral kijkt recht voor zich uit en laat zich overspoelen door de zee van emoties die wordt losgemaakt door het orgel van de Saint Germain.

En door de handen van de organist die zit te spelen.

37
De observator

'Aangenaam kennismaken!' schreeuwt professor Miller terwijl hij zijn hoed vasthoudt op zijn hoofd.

Rondom hem doet de turbine van de helikopter alles opwaaien. Hij springt aan boord en maakt de gordel vast.

'Aangenaam, professor Miller!' Hij krijgt een handdruk van een reusachtige eilandbewoner. 'Ik ben Paul Magareva, van het Polynesisch Instituut voor Oceanografie. Welkom aan boord!'

Met de andere hand gebaart de gigant naar de piloot dat hij kan opstijgen, en deze zegt in zijn microfoontje: 'Alfa Foxtrot Charlie 142 klaar voor de start.'

'Sorry dat ik zo laat ben,' zegt professor Miller terwijl hij naar buiten kijkt door de helikopterdeur die open is blijven staan.

De helikopter maakt eerst de staart en dan de neus los van de met gras begroeide landingsbaan en begint aan zijn vlucht over

de oceaan. Harvey's vader zet zijn hoed af zodat de zachte wind van de Stille Oceaan eindelijk zijn haar door de war kan gooien.

'Eerste keer op de Stille Oceaan?'

'Nee, maar het is wel jaren geleden dat ik een voet buiten de universiteit heb gezet.'

'Ik heb nog nooit een universiteit gezien!' grapt de kerel naast hem en vervolgens kijkt hij op zijn horloge. 'Over twee uurtjes zijn we op het schip. Hebt u een goede reis gehad?'

'Alles prima,' bevestigt professor Miller.

De oceaan glijdt onder de helikopter door in een opeenvolging van blauwtinten. 'Als je hem zo ziet lijkt hij helemaal niet ziek,' grapt hij.

'Nee, dan kun je net zo goed zeggen dat ik zo'n schriel ventje ben, professor Miller!'

De twee lachen als twee teamgenoten die net de finale van het kampioenschap hebben verloren. Buiten hun schuld om.

'De gegevens van de getijden van het afgelopen jaar zijn beslist afwijkend,' vervolgt Paul Magareva. 'Getallen die buiten de curve vallen. En de temperaturen... nu ja, dat hebt u zelf vast ook wel gemerkt.'

'Ik dacht, misschien een reeks onderzeese vulkaanuitbarstingen...' oppert professor Miller.

Zijn reisgenoot schudt zijn hoofd. 'De instrumenten hebben totaal geen aardschokken weergegeven. En er is ook geen vissterfte geweest op grote diepte.'

'Onverklaarbaar.'

Paul Magareva snuift. 'Ik heb ook wel naar een verklaring gezocht voor mezelf. Maar die is echt absurd.'

'Laat maar horen.'

'De oceaan is onder invloed van een abnormale zwaartekracht. Het lijkt alsof er twee manen zijn in plaats van één.'

'Hoe zou dat kunnen?'

'Ik zei al dat het een absurde verklaring was. Of er moet een grote meteoriet naar ons onderweg zijn, waarvan het gravitatieveld een storende invloed heeft op het onze.'

'Dan zou het wel echt een hele grote moeten zijn. Dan zouden we hem ook moeten kunnen zien.'

'Dat heb ik ook bedacht.'

Paul overhandigt professor Miller een krantenartikel.

'Wat is dit?'

'Lees maar.'

'"*Pak een pen en herschrijf alle schoolboeken*", *grapte Brown, hoofd van de Eenheid van Planetaire Astronomie in Pasadena.* "*We hebben namelijk UB313 ontdekt,*"' leest Harvey's vader voor. 'Wat wil dat zeggen?'

'Dat wil zeggen een extra planeet in ons zonnestelsel. Een planeet die echt heel erg afwijkt: hij sleept een sliert satellieten en puin achter zich aan, als een soort ring van Saturnus. Als hij langs een ster komt schijnen de zonnestralen op het puin en staat zijn ring in brand, waardoor hij aan een komeet doet denken. Voor het overige is hij volkomen onzichtbaar. Het is een gigantische zwarte bol die in een onregelmatige baan om de zon draait, waardoor hij laten we zeggen eens in de... drieduizendzeshonderd jaar in de buurt van de aarde komt. Hij is al beschreven door de oude Egyptenaren, de Soemeriërs en de Chaldeeën. Die noemden hem Nibiru. De planeet van de schedel. De kreupele. Volgens de NASA bevond UB313 zich in 2003 op een paar miljoen kilometer afstand van de aarde.'

'En nu?'
'Nu zou hij wel eens veel dichterbij kunnen zijn.'

Inhoudsopgave

CENTURY

1. DE RING VAN VUUR

29 december, Rome. Het is nacht en een man is op de vlucht voor een geheimzinnige achtervolger. Als hij Elettra, Sheng, Mistral en Harvey ziet, vertrouwt hij hen een koffertje toe en rent weg. In het koffertje zit een vreemde houten kaart... De grote uitdaging is begonnen!

2. DE STER VAN STEEN

16 maart. New York is in de greep van de kou. Harvey, Mistral, Elettra en Sheng zitten opnieuw bij elkaar. Deze keer zijn ze op het spoor van de Ster van Steen, een krachtig en mysterieus voorwerp. De kinderen weten dat ze zich moeten haasten. En... dat er geen weg terug meer is...

Pierdomenico Baccalario

Ik ben op 6 maart 1974 geboren in Acqui Terme, een mooi, klein stadje in Piemonte. Ik ben opgegroeid te midden van de bossen, met mijn drie honden, mijn zwarte fiets en mijn vriend Andrea, die vijf kilometer bergopwaarts woonde vanaf mijn huis.
Ik ben begonnen met schrijven op het gymnasium: sommige lessen waren zo saai dat ik deed alsof ik aantekeningen maakte, maar in werkelijkheid verzon ik verhalen. Daar heb ik ook een groep vrienden leren kennen die gek waren op rollenspelen, met wie ik tientallen fantastische werelden heb verzonnen en verkend. Ik ben een nieuwsgierige, maar discrete ontdekkingsreiziger.
Toen ik rechten studeerde aan de universiteit won ik een prijs, de Premio Battello a Vapore, met mijn roman *La strada del guerriero*, en

die dag was een van de mooiste van mijn leven. En vanaf dat moment heb ik steeds nieuwe boeken gepubliceerd. Na mijn afstuderen ben ik me gaan bezighouden met musea en culturele projecten, omdat ik ook oude, stoffige voorwerpen interessante verhalen wilde laten vertellen. Ik ben gaan reizen om nieuwe horizonten te verkennen: Celle Ligure, Pisa, Rome, Verona.
Ik hou ervan om nieuwe plaatsen te zien en andere manieren van leven te ontdekken, ook al trek ik me uiteindelijk altijd weer terug op dezelfde plekken.
Er is één plek in het bijzonder. Het is een boom in de Val di Susa, van waaruit je een geweldig uitzicht hebt. Als je net als ik dol op wandelen bent, zal ik je weleens uitleggen hoe je er moet komen.
Maar het moet wel een geheim blijven.

Pierdomenico Baccalario

Iacopo Bruno

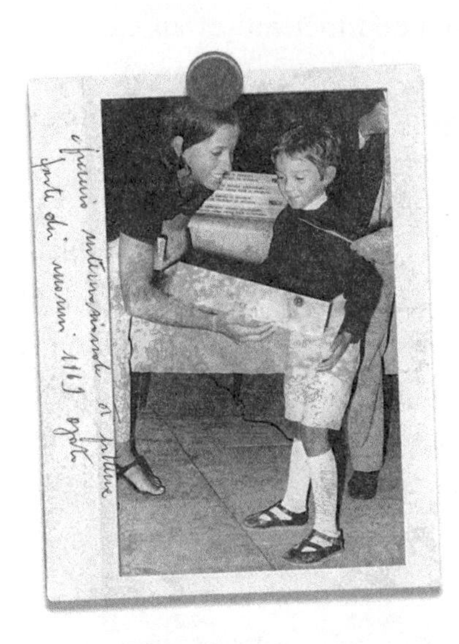

Ik zou niet weten hoe ik jullie moet uitleggen wie ik ben, maar het is min of meer zo gegaan.

Ik heb een speciale vriend die nooit iets nodig heeft.

Al vanaf dat we klein waren was het zo dat als hij een ruimteschip nodig had... Dan tekende hij het...

Maar hij tekende het zo goed dat het echt leek. We stapten erin en maakten een mooie reis rond de wereld.

Een keer, toen hij een schitterende rode tweedekker tekende, zoiets als die van de Rode Baron maar dan kleiner, scheelde het weinig of we waren neergestort in een gigantische vulkaan die hij dus ook net getekend had.

Als hij slaap kreeg, tekende hij een bed met vier poten... En daar droomde hij dan in tot het ochtend werd. Hij had altijd een geweldig

houten potlood met twee punten bij zich, dat altijd perfect geslepen was.
Nu is die vriend van mij naar China vertrokken, maar hij heeft mij zijn toverpotlood gegeven!